Le
Livre
de
Poche
Jeunesse

Magyk

LIVRE SIX

La Ténèbre

Angie Sage

Magyk

LIVRE SIX

La Ténèbre

Traduit de l'anglais
par Nathalie Serval

Titre original :
Septimus Heap Book Six : Darke
(Première publication : HarperCollins Children's Books, New York, 2011)

Pour mon frère, Jason,
Avec tout mon amour.

CRIQUE FUNESTE
MAISON POSSÉDÉE
TOURBILLON SANS FOND
VAISSEAU FANTÔME
LA VENGEANCE
PALAIS OBSCUR
SOUS TERRE
SORCIÈRES DE WENDRON
MAISON DE LA DRAGONNE
LA RIVIÈRE
PORTE NORD
CHEZ LES HEAP
DISPENSAIRE
LA FORÊT
CHANTIER DE JANNIT MAARTEN
TUNNEL DU CHANTIER
ENTRÉE DE L'ENFERNE
L'ENCHEVÊTRE
FOSSÉ
CHEMIN DES CHATS
TAVERNE DU TROU-DANS-LE-MUR
MAIL DES ARTISANS
FONDATIONS DE LA TOUR DE LA PORTE EST
ROCHER DU CORBEAU
ENTRÉE DU DONJON NUMÉRO UN
LA SOUILLE
MANUSCRIPTORIUM
BECS-DE-CORBIN
PALAIS
CHAMP DE FOIRE
DÉBARCADÈRE
LIEU DE LA NOYADE D'ETHELDREDDA
LE CHÂTEAU
PAVILLON D'ÉTÉ
QUAI NEUF
QUAI DES MARCHANDS
PORTE SUD
BAC
TAVERNE-SALON DE THÉ DE SALLY MULLIN

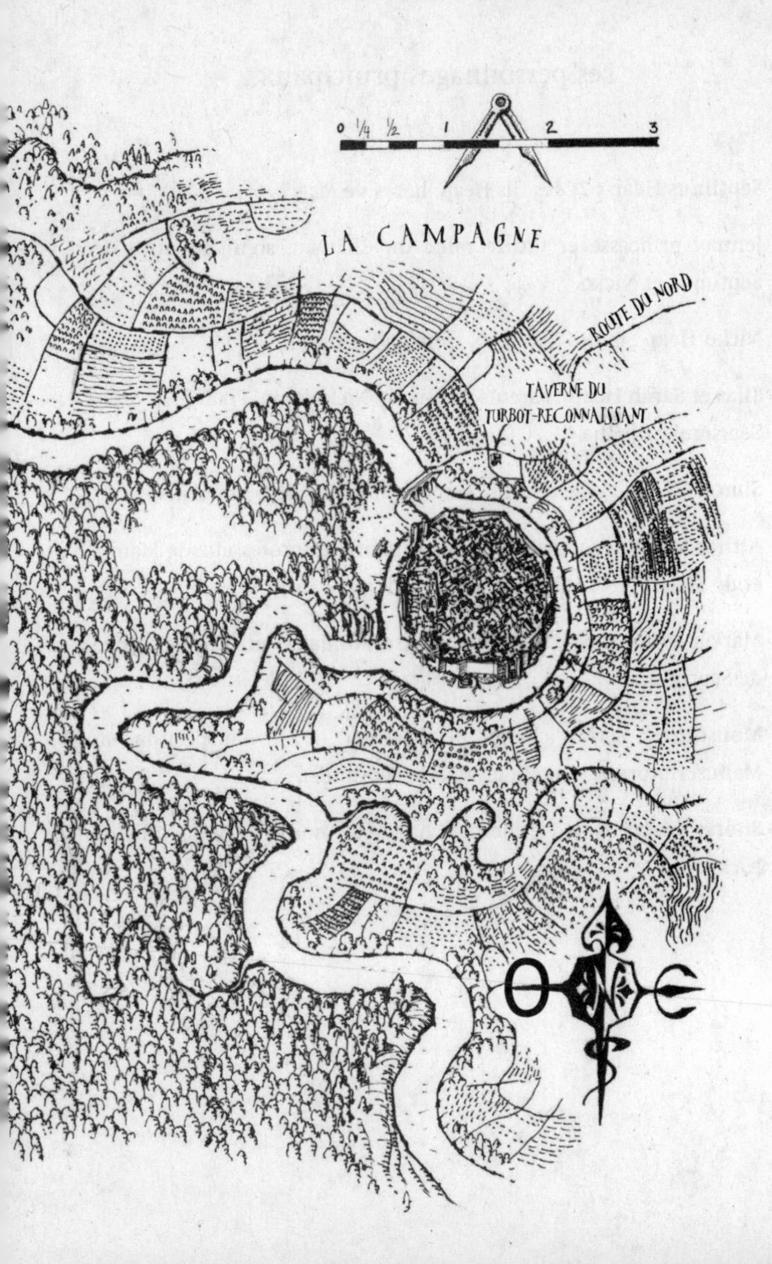
0 1/4 1/2 1 2 3
LA CAMPAGNE
ROUTE DU NORD
TAVERNE DU
TURBOT-RECONNAISSANT

Les personnages principaux...

Septimus Heap : 7e des fils Heap, héros de *Magyk*.

Jenna : princesse et future reine du Château, sœur adoptive de Septimus et Nicko.

Nicko Heap : 6e des fils Heap, frère de Septimus.

Silas et Sarah Heap : parents de Simon, Nicko, Sam, Fred, Erik, Jo-Jo, Septimus et Jenna.

Simon Heap : l'aîné des fils Heap, ex-apprenti de DomDaniel.

Alther Mella : ex-magicien extraordinaire, ex-professeur de Marcia et de Silas. Son fantôme veille sur la famille Heap.

Marcia Overstrand : magicienne extraordinaire en titre et tutrice de Septimus.

Moustique : scribe chargé de l'accueil et de l'inspection au Manuscriptorium ; meilleur ami de Septimus.

Snorri Snorrelssen : jeune marchande du nord et bonne amie de Nicko.

Tout commence...

... lorsque le magicien Silas Heap trouve un nouveau-né abandonné dans la neige. Cette petite fille aux yeux violets, Jenna, est destinée à jouer un grand rôle et va devenir princesse. Sous l'égide de Marcia Overstrand, la magicienne extraordinaire, un jeune apprenti magicien, nommé Septimus Heap, étudie l'art subtil des conjurations et des charmes. Mais si le monde de la Magyk est captivant, il est aussi rempli de dangers, menacé par des ennemis très puissants et très proches. Septimus, héros téméraire, talentueux et indiscipliné, combattra ainsi son propre frère, jaloux de sa place d'apprenti magicien. Il rencontrera le fantôme de la maléfique reine Etheldredda, résistera à l'attrait dangereux de l'alchimie – la Physik –, ou découvrira des lieux fascinants tels la Maison où tous les temps se rejoignent.

Tandis que son apprentissage de magicien extraordinaire touche à sa fin, la Magyk et Septimus sont de nouveau sous la menace. La Ténèbre, cette fois, est à un souffle du jeune héros...

Entrez dans un univers gouverné par les sortilèges, les nécromanciens et les mages les plus puissants.

Prologue :
Le bannissement

Une nuit d'orage et de **Ténèbre**...

Des nuées noires pèsent sur le Château, un voile de brume enveloppe la pyramide dorée qui coiffe la tour du Magicien. Dans les maisons au pied de celle-ci, les braves gens s'agitent dans leur sommeil tandis que le grondement du tonnerre s'infiltre dans leurs rêves et qu'une pluie de cauchemars s'abat sur la ville.

Tel un paratonnerre géant, la tour se dresse au-dessus des toits. Des jeux de lumières violette et indigo irisent sa façade argentée. À l'intérieur, les magiciens de service s'affairent dans la pénombre du grand hall, vérifiant la solidité du **pare-tempête** et gardant un œil sur la fenêtre **instable**, qui a tendance à paniquer par temps agité. En principe, il faut plus qu'un orage pour affecter la **Magyk**, mais tous ici ont entendu parler du Grand Éclair qui, dans une époque ancienne, a brièvement neutralisé les pouvoirs de la tour et provoqué un incendie dévastateur dans les appartements du magicien extraordinaire. Nul ne souhaite voir un tel désastre se reproduire, et surtout pas les magiciens de service.

Au dernier étage, dans son lit à baldaquin encore intact, Marcia Overstrand gémit alors qu'un cauchemar familier fulgure dans son esprit. Soudain un éclair déchire un nuage au-dessus de la tour et achève sa course dans le sol sans causer de dégâts, grâce au **parafoudre** invoqué en urgence par les magiciens de service. Marcia se dresse dans son lit, les cheveux en désordre, captive de son cauchemar. Ses yeux verts s'agrandissent comme un fantôme vêtu de pourpre jaillit du mur et atterrit au pied de son lit.

– Alther ? Qu'est-ce que vous fabriquez là ?

Le fantôme, un homme aux longs cheveux blancs attachés en queue-de-cheval, vêtu d'une robe de magicien extraordinaire tachée de sang, semble très énervé.

– L'éclair m'a **traversé**, explique-t-il. J'ai horreur de ça.

– Vous m'en voyez navrée, dit Marcia d'un air pincé, mais vous auriez pu éviter de me réveiller pour si peu. Si vous n'avez plus besoin de dormir, ce n'est pas mon cas. Et d'abord, ça vous apprendra à traîner dehors sous l'orage. Je me demande ce qui... Argh !

Un nouvel éclair illumine la fenêtre de la chambre, et Alther devient presque transparent.

– Crois-moi, si je « traînais » dehors, ce n'était pas par plaisir, lui rétorque Alther d'un ton froissé. Je venais te voir, à ta requête.

– Comment ça, à ma requête ? proteste Marcia, encore troublée par le souvenir de son mauvais rêve.

Chaque fois qu'un orage rôde autour de la tour, elle revit son emprisonnement dans le donjon numéro un.

Alther reprend :

– Tu m'as demandé, ou plutôt tu m'as ordonné de rechercher Tertius Fumée et de t'en avertir sans délai quand je l'aurais retrouvé.

– Ah ! s'exclame Marcia, à présent parfaitement réveillée.

– Comme tu dis : « Ah ! »

– Donc, vous l'avez trouvé.

– Affirmatif, répond le fantôme, visiblement satisfait.

– Où ?

– À ton avis ?

– Alther, pour l'amour du ciel !

Marcia repousse ses couvertures, se lève et enfile sa robe en laine épaisse – il fait froid en haut de la tour quand le vent souffle.

– Si je le savais, je ne vous poserais pas la question, ajoute-t-elle, glissant ses pieds dans ses pantoufles pourpres à têtes de lapin, cadeau d'anniversaire de Septimus.

– Il se trouve dans le donjon numéro un, précise Alther d'un ton égal.

Marcia s'assied lourdement sur son lit tandis que son cauchemar défile en accéléré dans son esprit.

– Zut ! soupire-t-elle.

Dix minutes plus tard, deux silhouettes pourpres descendent la voie du Magicien d'un pas pressé. La pluie cinglante traverse celle qui ouvre la marche et trempe la seconde jusqu'aux os. Soudain la première silhouette s'engouffre dans une étroite ruelle et l'autre la suit. Le passage est sombre et sent mauvais, mais au moins, on peut s'y abriter du vent.

– Vous êtes sûr que c'est par ici ? demande Marcia, jetant des regards anxieux derrière elle.

Alther ralentit l'allure et laisse son élève le rattraper.

– Tu oublies, lui dit-il avec un sourire, qu'il n'y a pas si longtemps, je venais souvent ici.

Marcia frissonne, consciente que ce sont les visites régulières d'Alther qui lui ont permis de survivre au donjon numéro un.

Le vieux fantôme s'est immobilisé devant un cône en briques noires rappelant une des nombreuses cellules désaffectées qu'on trouve encore à travers le Château. Marcia s'approche à contrecœur, la bouche sèche. C'est ici que commence toujours son cauchemar.

Elle attend qu'Alther déverrouille la petite porte en fer piquetée de rouille, mais le fantôme la regarde.

– Je regrette, Marcia, soupire-t-il, mais je ne peux pas ouvrir. Tu vas devoir t'en charger.

– Oh ! pardon...

S'étant ressaisie, Marcia décroche la clé universelle du Château de sa ceinture. Il n'en existe que trois exemplaires, et la magicienne extraordinaire en possède deux : un qui lui appartient de droit, l'autre qu'elle remettra à Jenna Heap le jour où celle-ci deviendra reine. Le troisième est perdu.

D'une main qui tremble un peu, Marcia introduit la clé de fer dans la serrure. La porte s'ouvre en grinçant, la ramenant aussitôt à cette nuit glaciale où une phalange de gardes l'a précipitée dans un abîme de ténèbres.

Une odeur infecte de charogne et de citrouille brûlée envahit la ruelle, provoquant la fuite d'un trio de chats curieux. Marcia aimerait pouvoir les imiter. Inquiète, elle lève une main vers l'amulette en or et lapis-lazuli, source et symbole de son pouvoir, qu'elle porte toujours autour du cou. À son grand soulagement, le bijou est en place, contrairement à la dernière fois où elle a franchi cette porte.

Reprenant courage, elle se tourne vers Alther :

– Allons chercher ce sale rat.

Le fantôme sourit.

– Suis-moi, dit-il.

Le donjon numéro un est un puits sombre et profond. Une longue échelle fixée au mur s'interrompt à mi-hauteur. Une épaisse couche de crasse et d'ossements en recouvre le sol. La silhouette pourpre d'Alther se laisse glisser vers le fond tandis que Marcia descend l'échelle avec précaution, un pied après l'autre, en marmonnant une formule de préservation. Elle se tient prête à invoquer un **cercle protecteur** autour d'Alther et d'elle-même, car même les fantômes ne sont pas à l'abri des vortex **ténébreux** qui agitent les profondeurs du donjon.

Lentement, très lentement, les deux magiciens s'enfoncent dans la nuit et la puanteur. Marcia ne s'attendait pas à devoir descendre aussi profond. « Fumée rôde dans la partie supérieure du donjon », lui avait assuré Alther. « Il n'y a pas lieu de t'alarmer. »

À présent, Marcia est alarmée, et elle commence à soupçonner un piège.

– Où est-il ? murmure-t-elle.

Un rire caverneux lui répond, et il s'en faut de peu qu'elle ne lâche les montants de l'échelle.

– Ici ! dit Alther, indiquant un point très loin sous eux.

En effet, le visage ricanant de Tertius Fumée se détache des ténèbres, nimbé d'un halo verdâtre.

– Tu peux le **bannir** d'ici, affirme Alther, adoptant inconsciemment un ton professoral. L'étroitesse du puits concentrera la puissance du **sort**.

– Je sais, lui rétorque Marcia, agacée. Silence, je vous prie !

Et elle prononce alors les mots que tous les fantômes craignent d'entendre, parce qu'ils ont le pouvoir de les **bannir** à jamais dans le **palais obscur**.

– Moi, Marcia Overstrand...

La forme fluorescente de Tertius Fumée s'élève vers eux.

– Marcia Overstrand, je t'ordonne de te taire !

Sa voix aux intonations rudes résonne dans l'espace. Marcia frissonne mais ne fléchit pas. Elle poursuit l'incantation, laquelle doit durer exactement une minute. Elle sait qu'à la moindre hésitation, répétition ou erreur, elle devra reprendre au début.

Tertius le sait également. Il progresse toujours dans leur direction, gravissant la paroi telle une araignée monstrueuse, hurlant des insultes, des **contresorts** et des fragments de chansons grotesques afin de déstabiliser Marcia.

Celle-ci tient bon. Déjà, la silhouette de son adversaire se brouille, mais alors qu'elle s'apprête à prononcer la dernière phrase – « Ton séjour terrestre se termine ici, plus jamais tu ne reverras le ciel ni le soleil » –, l'inquiétude la saisit. Le fantôme n'est plus qu'à quelques centimètres. Une lueur d'excitation, presque de triomphe, brille dans son regard.

Marcia achève l'incantation avec ces mots redoutables : « Par le pouvoir de la **Magyk**, dans le **palais obscur**... »

Tertius Fumée tend la main vers Alther et **fusionne** avec son gros orteil. Le vieux magicien a un mouvement de recul, mais il est trop tard.

– ... je te **bannis** !

Marcia se retrouve seule dans le puits du donjon numéro un. Son cauchemar est devenu réalité.

Elle crie de toutes ses forces :

– Alther ! Où êtes-vous ?

Mais nul ne lui répond.

I

UNE VISITE INOPPORTUNE

Lucy Gringe fut la dernière à embarquer sur la barge qui devait quitter le Port à l'aube. Elle parvint à se glisser entre un jeune garçon qui serrait contre lui une poule particulièrement agressive et une femme maigre, aux traits fatigués, enveloppée dans une cape en laine. La femme posa brièvement sur elle son regard bleu étrangement perçant avant de détourner la tête. Lucy laissa tomber son sac à ses pieds afin de marquer son territoire – elle n'avait pas l'intention de voyager debout ; la femme aux yeux bleus devrait se faire à l'idée d'être comprimée – puis elle se retourna et adressa un petit sourire à Simon Heap.

Debout au bord du quai, le jeune homme frissonna et esquissa un sourire en retour. C'était une aube maussade et glacée.

– Fais bien attention, Lu !

lança-t-il à sa fiancée, élevant la voix pour couvrir le grincement du cabestan.

– Toi aussi ! répondit Lucy, éloignant la poule d'un coup de coude. Je serai de retour le lendemain de la nuit la plus longue. Promis !

– Tu as mes lettres ?

– Bien sûr ! Combien ?

Cette dernière question était destinée au matelot qui encaissait le prix de la traversée.

– Six pence, ma belle.

– Je ne suis pas ta belle ! lui rétorqua Lucy, furieuse. Pour ce prix, j'aurais pu acheter mon propre bateau, ajouta-t-elle, laissant tomber une poignée de piécettes en cuivre dans la main du garçon.

Avec un haussement d'épaules, celui-ci lui tendit un ticket avant de se tourner vers sa voisine. La femme donna au matelot une demi-couronne d'argent et attendit patiemment qu'il ait fini de compter sa monnaie. Quand elle le remercia, Lucy remarqua qu'elle parlait avec un accent étranger qui lui rappelait quelqu'un. Qui donc ? La jeune fille avait trop froid et était trop anxieuse pour y réfléchir. Il y avait longtemps qu'elle n'était pas retournée au Château, et elle se demandait quel accueil lui ferait sa famille. En plus, elle répugnait à laisser Simon derrière elle.

La barge se mit en mouvement. Deux dockers la poussèrent pour l'éloigner du quai, le matelot hissa la voile rouge et usée. Lucy agita tristement la main tandis que la longue embarcation gagnait le milieu de la Rivière, où le courant était le plus rapide. Chaque fois que la jeune fille se retournait, elle apercevait la silhouette solitaire de son fiancé, immobile sur le quai. Le vent agitait ses longs cheveux blonds, et sa cape en laine claire se déployait derrière lui telle une paire d'ailes.

Simon suivit la barge du regard jusqu'à ce que la brume qui planait au-dessus de la Rivière en direction des marais de Marram l'ait engloutie. Il tapa alors des pieds pour les réchauffer avant de s'enfoncer dans le dédale de ruelles qui le ramèneraient à sa chambre, au dernier étage du bureau des douanes.

Simon poussa la porte gauchie et entra. À peine avait-il franchi le seuil que son sang lui parut se glacer dans ses veines. La chambre était froide, mais pas à ce point. Ce froid-là avait sa source dans la **Ténèbre**. La porte claqua derrière lui et le jeune homme entendit coulisser le verrou, mais de loin, comme s'il se trouvait à l'extrémité d'un long couloir. Il était prisonnier dans son propre logis. Le cœur battant, il s'obligea à relever la tête. Il s'était juré de ne plus utiliser les talents qu'il avait acquis au service du mal, mais certains, telle la faculté de **voir** les effets de la **Ténèbre**, étaient devenus des automatismes. Alors que la plupart des gens, quand ils ont le malheur de croiser une **créature**, ne perçoivent que des ombres mouvantes et de vagues relents de pourriture, Simon en distinguait les moindres détails. Assise sur le lit étroit, la **créature** le fixait de son regard atone.

– Bonjour.

La voix résonna dans la pièce minuscule avec une nuance de menace qui provoqua un frisson chez Simon. La **créature** croisa ses longues jambes et entreprit de mâchonner un de ses doigts, étudiant avec satisfaction l'expression terrifiée du jeune homme.

À une époque pas si éloignée, il en aurait fallu davantage pour déstabiliser Simon. Durant son séjour à l'observatoire des Maleterres, un de ses passe-temps favoris consistait à **évoquer** des **créatures** semblables puis à les dévisager pour leur faire baisser les yeux. Mais à présent, c'est à peine s'il osait jeter des regards furtifs en direction du paquet d'os et de guenilles putrides qui occupait son lit.

Quand la **créature** cracha un ongle noirci, Simon ne put s'empêcher d'imaginer la réaction de Lucy si elle le retrouvait par terre à son retour. Le souvenir de sa fiancée lui donna le courage d'articuler :

– Que... Qu'est-ce que tu veux ?

– Toi.

– M-moi ?

– Oui, t-toi, répondit la **créature** avec un sourire moqueur. Je suis venu te chercher afin que tu honores ton contrat.

– Quel contrat ?

– Celui qui te **lie** à ton ancien maître.

– DomDaniel ? Mais il est mort !

– Le possesseur de la bague à deux faces est bien vivant, répliqua la **créature** sans nommer celui-ci, et il requiert ta présence sur-le-champ.

Simon était trop choqué pour tenter de fuir. Tous les espoirs qu'il avait fondés sur sa nouvelle vie auprès de Lucy lui semblaient à présent futiles. Comment avait-il pu être assez naïf pour croire qu'il échapperait à la **Ténèbre** ? Soudain le plancher craqua. Simon releva la tête et vit la **créature** s'avancer vers lui.

Le jeune homme se précipita vers la porte. Il n'était pas

question qu'il retourne à la **Ténèbre**. Il voulut tirer le verrou, mais il était bloqué. La **créature** se trouvait à présent si près qu'il ressentait sa puanteur sur sa langue.

Il jeta un coup d'œil vers la fenêtre, à l'opposé de la pièce, et courut vers elle. S'il sautait, peut-être atterrirait-il sur le balcon, deux étages plus bas, ou parviendrait-il à attraper le tuyau de la gouttière et à se hisser sur le toit.

La voix mécontente de la **créature** s'éleva dans son dos :

– Vas-tu venir de ton plein gré, apprenti, ou vas-tu m'obliger à te **saisir** ?

Décidé à tenter le tout pour le tout, Simon ouvrit la fenêtre, l'enjamba et agrippa l'épais tuyau noir qui parcourait toute la hauteur du mur arrière du bureau des douanes. Mais comme il s'apprêtait à lancer ses jambes dans le vide, une force irrésistible le tira en arrière : la **créature** avait mis sa menace à exécution.

Il était inutile de lutter, Simon le savait, pourtant il se cramponna désespérément au tuyau. Tiraillé dans des directions contraires, sa position se révéla rapidement intenable. Soudain le tuyau, dont la peinture noire dissimulait la rouille, céda. Serrant toujours un morceau de gouttière dans ses mains, Simon entra en collision avec la **créature** (malgré sa maigreur, celle-ci encaissa le choc avec la mollesse écœurante d'une poupée de chiffon) et atterrit sur le sol.

– Maintenant, tu vas me suivre, lui dit la **créature** avec un sourire narquois.

Tel un automate, Simon se releva, sortit de la pièce d'une démarche titubante et descendit l'escalier étroit, précédé par la **créature**. Quand ils émergèrent à l'air libre, celle-ci n'était plus qu'une ombre indistincte. Quand Maureen, la patronne de la Tourterie-des-Docks, ouvrit ses volets, elle vit le jeune homme traverser le quai d'un pas raide. Étrangement, tout paraissait flou autour de lui. Maureen se frotta les paupières, croyant avoir une poussière dans l'œil. Elle adressa un signe de la main à Simon, mais il ne répondit pas. Maureen sourit et ouvrit le dernier volet. Ce Simon, quel numéro ! Toujours plongé dans un grimoire de **Magyk**, ou à marmonner des incantations.

– La fournée sera cuite dans dix minutes ! cria-t-elle dans sa direction. Je te mets de côté une tourte aux légumes et au bacon !

Mais déjà Simon s'enfonçait dans l'ombre de la rue de l'Étrave. À peine avait-il disparu que Maureen retrouva une vision parfaite du quai à présent désert.

La victime d'un **saisissement** ne connaît ni trêve ni repos tant qu'elle n'a pas atteint sa destination. Durant tout un jour et une nuit, Simon parcourut les marais, se faufilant à travers les haies, trébuchant sur les pierres des sentiers. Insensible à la pluie, au vent ou à la neige, il avançait sans relâche. Enfin, dans la clarté grisâtre de l'aube suivante, après avoir franchi une rivière glacée à la nage, escaladé un talus trempé de rosée et un mur croulant mangé de lierre, il enjamba la fenêtre d'un grenier et ses pas le conduisirent dans une pièce aveugle. Une fois la porte refermée derrière lui, il s'écroula sur le sol, ignorant où et qui il était, et n'ayant à vrai dire aucun désir de le savoir.

2
À LA PORTE DU PALAIS

Le jour déclinait et une bruine glaciale enveloppait le Château quand la barge du Port accosta le Quai Neuf, une jetée en pierre de construction récente, au pied de la taverne et salon de thé de Sally Mullin. Les passagers hébétés et ankylosés se levèrent et descendirent la passerelle d'un pas chancelant, les bras chargés d'enfants, de poules et de ballots. Beaucoup se dirigèrent aussitôt vers l'établissement de Sally Mullin, désireux de se réchauffer près du poêle et de se réconforter en goûtant ses spécialités hivernales, la Springo Special Ale chaude à la cannelle et le gâteau à l'orge et aux épices. Les autres, impatients de regagner leur maison où les attendait un bon feu de cheminée, empruntèrent le chemin qui escaladait la colline, longeait le dépotoir communautaire et conduisait à la porte Sud, laquelle restait ouverte jusqu'à minuit.

Lucy Gringe avait passé la première partie du voyage à tenter d'éviter le regard étrangement perçant de sa voisine, jusqu'au moment où celle-ci lui avait demandé comment se rendre au palais depuis le quai. Le palais était précisément la première destination de Lucy. Une fois la glace brisée, les deux femmes s'étaient lancées dans une conversation animée. Comme sa voisine se levait d'un air las, prête à suivre le flot des passagers, Lucy, qui n'avait aucune envie de marcher, la retint par la manche.

– Attendez, dit-elle. J'ai une idée.

Puis elle se tourna vers le matelot et lui lança :

– Hé ! Toi ! J'ai une question...

– Tout ce que tu veux, ma belle.

Cette fois, Lucy évita de le rabrouer.

– Où comptez-vous mouiller cette nuit ?

– Chez Jannit Maarten, je pense, à l'abri du vent du nord... Pourquoi, ça t'intéresse ?

Lucy adressa son plus gracieux sourire au jeune homme.

– Eh bien, je me disais que vous pourriez peut-être nous déposer quelque part en chemin. Il fait si froid ce soir, et sombre...

Lucy frissonna exagérément, et le jeune marin fondit devant ses grands yeux noisette au regard plaintif.

– Pas de problème, ma belle. J'vais en toucher un mot au capitaine. Où c'est-y que tu voudrais descendre ?

– Au débarcadère du palais.

– Au palais ? répéta le matelot, abasourdi. T'es sûre de ça, ma belle ?

Ne m'appelle pas comme ça, crétin ! se retint de hurler Lucy.

– Oui, répondit-elle. Sauf si ça représente un trop grand dérangement, bien sûr.

– Venant de toi, ma belle, rien ne peut me déranger. Mais si ça tenait qu'à moi, jamais je te déposerais là-bas.

– Ah ? fit Lucy, se demandant comment elle devait le prendre.

– Tu sais pas que ce débarcadère est hanté ?

Lucy haussa les épaules.

– Ça m'est égal. Je ne vois pas les fantômes.

La barge s'éloigna du Quai Neuf pour effectuer un demi-tour au milieu de la Rivière. Elle tangua dangereusement dans la houle soulevée par la brise, mais sitôt la manœuvre achevée, elle poursuivit sa route sans heurt et dix minutes plus tard, elle s'immobilisait au niveau du débarcadère du palais.

– Te v'là arrivée, ma belle, dit le matelot en lançant une amarre autour d'un pieu. Amuse-toi bien, ajouta-t-il avec un clin d'œil.

– Merci, répondit Lucy d'un air pincé.

Elle tendit une main à sa voisine, qui la prit avec un sourire reconnaissant, et les deux femmes débarquèrent.

– À la r'voyure ! cria le matelot tandis que la barge s'éloignait.

– Pas si je peux l'éviter, marmonna Lucy.

Elle se retourna vers sa compagne, bouche bée d'admiration devant le palais. Il faut dire que le spectacle était proprement magique : la longue façade de pierre tendre, percée d'une multitude d'élégantes fenêtres, donnait sur des pelouses parfaitement entretenues qui s'étiraient jusqu'à la

Rivière. Une bougie allumée tremblait derrière chaque vitre, de sorte que le palais entier scintillait dans les dernières lueurs du jour.

– C'est ici qu'elle vit ? murmura la femme avec un accent chantant.

Lucy acquiesça et s'engagea d'un pas décidé dans la large allée qui menait au palais. Mais sa compagne resta en arrière. Debout sur le débarcadère, elle semblait parler à un interlocuteur invisible. Lucy soupira. Pourquoi fallait-il toujours qu'elle tombe sur des phénomènes ? Répugnant à interrompre le monologue de la femme, qui hochait à présent la tête d'un air concerné, la jeune fille continua d'avancer en direction des lumières.

En réalité, Lucy ne se sentait pas très bien. En plus du froid et de la fatigue, elle se demandait comment elle serait reçue au palais. Elle glissa une main dans sa poche et tomba sur les lettres que Simon lui avait confiées. Elle leva les enveloppes devant ses yeux et déchiffra la grosse écriture ronde de son fiancé : *Sarah Heap. Jenna Heap. Septimus Heap.* Elle rangea la lettre adressée à Septimus dans sa poche et conserva les deux autres à la main. Tout ce qu'elle souhaitait, c'était retourner au plus vite auprès de Simon et l'entendre lui assurer que tout allait bien. Mais il l'avait chargée de remettre des lettres à sa mère et à sa sœur, et elle s'acquitterait de sa mission. Peu importait ce que Sarah Heap pensait d'elle.

Entre-temps, sa mystérieuse compagne avait pressé l'allure afin de la rattraper.

– Pardon, Lucy, mais un fantôme vient de me raconter une bien triste histoire. L'amour de sa vie – et de sa mort – a été

banni par erreur. Comment un magicien peut-il se tromper ainsi ?

– Je suppose qu'il s'agit d'Alice Nettles ? Simon a entendu dire qu'il était arrivé quelque chose de terrible à Alther.

– Alice et Alther, c'est bien ça. Quelle tristesse...

Lucy ne se souciait guère des fantômes. À ses yeux, tout ce qui importait, c'était de passer le plus de temps possible aux côtés de la personne qu'on aimait, mais de son vivant. C'était d'ailleurs pour cette raison qu'elle se trouvait là, en train de grelotter sous la morsure de la bise, et non au chaud dans un lit douillet.

– Dépêchons-nous, dit-elle à sa compagne. Je ne sais pas pour vous, mais moi, je suis gelée.

Étroitement enveloppée dans une épaisse cape en laine, la femme avançait avec précaution, balayant le chemin du regard. Car celui-ci et les pelouses ne lui apparaissaient pas vides, mais peuplés de pages défunts, de serviteurs affairés, de princesses jouant à chat, de reines déambulant parmi des fleurs depuis longtemps fanées, de vieux jardiniers poussant des brouettes fantômes. La difficulté, pour un visionnaire, c'était que les morts le considéraient comme un des leurs, jusqu'au moment où il les **traversait**, les froissant sans le vouloir.

Ignorant leur présence, Lucy marchait à grandes enjambées, et les fantômes, dont certains avaient déjà eu affaire à elle et à ses lourdes bottes, s'écartaient vivement devant elle. Ayant atteint le sentier circulaire qui entourait le palais, la jeune fille jeta un coup d'œil derrière elle et ce qu'elle vit lui arracha un soupir apitoyé : l'étrangère remontait l'allée sur la pointe des pieds, faisant des bonds de côté, comme si elle répétait une danse ancienne.

Quand la femme l'eut enfin rejointe, les joues rouges et le souffle court, Lucy se remit en marche sans un mot. Elle avait décidé de contourner le palais pour se présenter à l'entrée principale, craignant de perdre son temps à frapper à la multitude de portes de service.

Le palais était vaste, et il s'écoula bien dix minutes avant que les deux femmes ne traversent le pont trapu qui enjambait le fossé ornemental. À leur approche, un petit garçon vêtu de l'uniforme du palais – tunique grise et collant d'un rouge resplendissant – ouvrit une porte découpée dans un des deux grands battants.

– Bienvenue au palais, fit Barney Pot d'une voix flûtée. Qui désirez-vous voir ?

Avant que Lucy n'ait pu répondre, une voix chantante s'éleva à l'intérieur du palais :

– Te voilà enfin, Barney ! Il est l'heure d'aller te coucher ; il y a école demain.

– Mais j'aime accueillir les gens, protesta Barney, se tournant vers la porte. Je t'en prie, encore cinq minutes...

– Pas question. Au lit !

– Snorri ? murmura la compagne de Lucy, qui avait pâli.

Une grande jeune fille aux longs cheveux blond pâle passa la tête à l'extérieur et scruta la pénombre de son regard bleu très clair.

– Maman ? s'exclama-t-elle.

– Snorri... Oh ! Snorri ! sanglota Alfrun Snorrelssen.

La jeune fille se jeta dans les bras de sa mère. Lucy considéra la scène avec un sourire attendri. Elle voulait croire que ces retrouvailles étaient de bon augure, et que d'ici quelques heures, quand elle frapperait à la porte de ses parents, sa mère manifesterait le même bonheur à la revoir. Du moins, elle l'espérait.

⁜ 3 ⁜
Veille de fête

Toutefois, Lucy ne se présenta pas à la tour de la porte Nord cette nuit-là : Sarah Heap refusa de la laisser repartir.

– Tu es épuisée et trempée jusqu'aux os, lui dit la mère de Simon. Il n'est pas question que tu coures les rues dans cet état et par ce temps. Tu attraperais la mort ! Ce qu'il te faut, c'est une bonne nuit de sommeil dans un lit douillet. Et j'ai hâte que tu me donnes des nouvelles de mon fils. Mais d'abord, tu vas me faire le plaisir de manger quelque chose.

Devant cet accueil, les yeux de Lucy s'emplirent de larmes de reconnaissance, et c'est bien volontiers qu'elle se laissa guider le long du promenoir, l'immense couloir traversant le palais, et prit place avec Snorri et Alfrun près de la cheminée du boudoir de Sarah Heap.

Cette nuit-là, des bourrasques de neige s'abattirent sur le Château, mais une douce chaleur régnait dans le boudoir de Sarah Heap, assurément la pièce la plus agréable du palais. Laissant les reliefs du dîner – un ragoût de saucisses aux haricots, la spécialité de leur hôtesse – sur la table, les convives s'étaient rassemblés devant le feu pour boire une infusion. En plus de Lucy et Sarah, on trouvait là Jenna, Septimus et Nicko Heap, ainsi que Snorri et Alfrun Snorrelssen. Ces dernières se tenaient les mains et bavardaient à voix basse. Nicko, assis à quelque distance de Snorri, parlait avec Jenna. Septimus, remarqua Sarah, regardait le feu sans rien dire.

La pièce abritait également une véritable ménagerie : Ullr, une panthère noire assise aux pieds d'Alfrun ; Maxie, un vieux chien-loup malodorant, couché devant le feu, et Ethel, une cane duveteuse vêtue d'un gilet de laine qui avait l'air neuf. Ethel trônait sur les genoux de Sarah, picorant délicatement un morceau de saucisse. Jenna observa avec mécontentement qu'elle avait engraissé. Elle soupçonna sa mère adoptive de lui avoir tricoté un nouveau gilet parce qu'elle n'entrait plus dans le précédent. Mais Sarah aimait tellement Ethel que Jenna se contenta d'admirer les rayures rouges et les boutons verts dans le dos de la cane et passa son embonpoint sous silence.

Sarah Heap rayonnait de bonheur. Elle serrait dans ses mains une lettre de Simon, qu'elle avait lue et relue jusqu'à l'apprendre par cœur. Enfin, elle retrouvait « son » Simon, le gentil garçon qu'il n'avait jamais cessé d'être, elle en avait la certitude. Et un bonheur n'arrivant jamais seul, elle était plongée dans les préparatifs de la fête d'anniversaire de Jenna et Septimus. Quatorze ans est un âge important, surtout pour une princesse. Pour l'occasion, Sarah avait enfin obtenu que les festivités se déroulent au palais, et non à la tour du Magicien.

Sarah leva les yeux vers la pendule posée sur la cheminée et réprima un soupir agacé. Silas tardait à rentrer. Depuis quelque temps, il se prétendait très « occupé », mais sa femme n'en croyait rien. Pour une fois que la famille était réunie ou presque, il aurait pu faire un effort !

Chassant Silas de ses pensées, Sarah sourit à Lucy, sa future belle-fille. Par moments, son ardeur, son ton passionné lui rappelaient Simon, ce qui la consolait un peu de l'absence de son fils. Elle entretenait l'espoir de voir un jour tous ses enfants rassemblés autour d'elle et Silas, même si elle doutait que son boudoir puisse accueillir autant de monde. Mais si un tel événement devait se produire, elle trouverait certainement une solution.

Septimus aussi surveillait la pendule. À huit heures quinze précises, il prit congé de la compagnie. Sarah regarda son benjamin, qui avait beaucoup grandi au cours des derniers mois, se lever de l'accoudoir du vieux sofa sur lequel il s'était perché et se frayer un chemin vers la porte à travers les invités et les piles de livres. La vue des rubans violets qui chatoyaient sur les manches de sa tunique verte d'apprenti l'emplissait toujours de fierté, mais pas autant que l'assurance paisible qui émanait de son plus jeune fils. S'il avait pris un peu plus soin de ses cheveux, il aurait fait un très joli garçon. Elle lui souffla un baiser, auquel il répondit d'un sourire qui lui parut un peu crispé avant de franchir la porte.

Jenna se glissa à sa suite dans le promenoir balayé par un courant d'air glacial.

– Attends-moi ! lui lança-t-elle tandis qu'il s'éloignait à vive allure.

Septimus ralentit à contrecœur.

– Je dois être rentré au plus tard à neuf heures, protesta-t-il.

– Dans ce cas, tu as tout ton temps.

Jenna le rejoignit et s'efforça de régler son pas sur ses longues enjambées.

– Tu te rappelles ce que je t'ai dit la semaine dernière, que j'avais perçu des trucs bizarres en haut de l'escalier du grenier ? Eh bien, c'est de pire en pire. Même Ullr refuse d'y monter. La preuve !

Elle retroussa sa manche bordée d'or, révélant une série de griffures sur son poignet, et expliqua :

– Je l'ai porté jusqu'au pied de l'escalier et là, il est devenu comme fou.

– Ullr est un chat **visionnaire**, observa Septimus d'un ton détaché. Avec tous les fantômes qui traînent par ici, c'est normal qu'il soit un peu à cran.

– Ça ne ressemble pas à des fantômes, lui rétorqua Jenna. D'ailleurs, ceux du palais m'**apparaissent** pour la plupart. J'en croise des dizaines chaque jour.

Comme pour appuyer ses dires, Jenna adressa alors un gracieux salut de la tête (*Un salut princier*, pensa Septimus) à un destinataire invisible.

– Là, c'étaient les trois cuisinières mortes empoisonnées par une gouvernante jalouse, expliqua-t-elle.

– Heureux de l'apprendre.

Septimus accéléra brusquement l'allure, obligeant presque Jenna à courir. Tout le long du promenoir, les zones d'ombre succédaient à la clarté tremblante des torches.

– Si c'étaient des fantômes, je les aurais vus, insista Jenna. En fait, les fantômes eux-mêmes évitent cette partie du palais. C'est une preuve.

– Une preuve de quoi ?

– De ce qu'il se passe des trucs pas nets là-haut. Si je demande à Marcia d'y jeter un coup d'œil, maman va piquer une crise. Mais tu es devenu presque aussi bon qu'elle, pas vrai ? S'il te plaît, Sep... Tu veux bien aller voir ?

– Papa ne peut pas s'en charger ?

– Il n'arrête pas de dire qu'il va le faire, mais il n'est presque jamais là. Tu le connais...

Tout en parlant, ils avaient atteint l'immense hall du palais. Une forêt de bougies éclairait l'élégant escalier et les portes massives. La pièce était vide, Barney Pot ayant fini par monter se coucher.

Septimus se tourna vers Jenna et lui dit :

– Il faut que j'y aille. J'ai plein de choses à faire.

– Tu ne me crois pas, c'est ça ? lui lança Jenna, exaspérée.

– Bien sûr que si !

– Pas assez pour aller voir ce qui se passe là-haut.

Mais Septimus avait cette expression butée que Jenna détestait et qu'elle connaissait bien pour l'avoir souvent vue au cours des derniers mois. Quand elle plantait son regard dans celui, d'un vert étincelant, du jeune garçon, elle avait la sensation qu'il se cachait derrière un écran.

– Il faut que j'y aille, répéta-t-il. Bonne nuit. C'est un jour important demain.

Jenna fit un gros effort pour surmonter sa déception. Elle ne voulait pas que Septimus et elle se quittent sur une fâcherie.

– Je sais, dit-elle. Bon anniversaire, Sep.

Septimus eut l'air étonné.

– Oh ! merci.

Jenna prit le bras de Septimus, malgré ses réticences, et se dirigea avec lui vers les portes.

– C'est chouette qu'on fête notre anniversaire le même jour, pas vrai ? Comme si on était jumeaux. Et la nuit la plus longue de l'année, en plus, quand le Château est entièrement éclairé... On dirait que c'est en notre honneur.

– Ouais, fit Septimus d'un ton distrait.

Jenna devina qu'il était impatient de filer.

– Il faut vraiment que je te laisse, dit-il. À demain soir.

– Je t'accompagne jusqu'aux grilles.

– Si tu veux, répondit Septimus sans enthousiasme.

Ils descendirent l'allée, Septimus marchant d'un pas rapide, Jenna trottinant à ses côtés.

– Sep... commença-t-elle, hors d'haleine.

– Oui ? fit-il, sur ses gardes.

– Papa dit que tu te trouves au même stade de ton apprentissage que lui quand il a renoncé.

– S'il le dit, ça doit être vrai.

– Et à l'en croire, s'il a renoncé, c'est parce qu'il allait devoir tripatouiller avec la **Ténèbre**, et qu'il ne voulait pas risquer d'en rapporter à la maison.

Septimus ralentit.

– Papa avait sûrement des tas de raisons de se retirer, Jen. Par exemple, je sais qu'il appréhendait le tirage de la **pierre de Queste**, et aussi de devoir travailler la nuit, alors que maman avait besoin de lui à la maison...

– C'était à cause de la **Ténèbre**, Sep. Il me l'a dit.

– C'est ce qu'il dit aujourd'hui. Mais à l'époque...

– Il se fait du souci pour toi. Et moi aussi.

– Il n'y a pas de quoi.

– Mais...

Septimus en avait assez. Il dégagea son bras.

– Fiche-moi la paix, Jen. J'ai encore des trucs à faire. On se verra demain.

Sur ces paroles brutales, il s'éloigna. Cette fois, Jenna ne le retint pas.

Elle rebroussa chemin à travers la pelouse couverte d'une fine couche de givre qui craquait sous ses pas, refoulant ses larmes. Septimus ne lui avait même pas souhaité un bon anniversaire... Leur conversation la hantait encore quand elle s'enfonça à l'intérieur du palais, le cœur lourd. Depuis quelque temps, elle avait l'impression que Septimus désirait la chasser de son existence, qu'il la considérait comme une gêneuse et avait des secrets pour elle. Elle avait harcelé Silas de questions sur son propre apprentissage, espérant qu'il l'aiderait à mieux comprendre l'attitude de son frère adoptif, mais ses réponses n'avaient pas contribué à la rassurer.

N'ayant aucune envie de rejoindre la joyeuse compagnie rassemblée dans le boudoir de Sarah, elle prit une bougie allumée sur une des tables du hall et gravit le large escalier en chêne sculpté qui menait au premier étage. Elle remonta lentement le couloir dont le tapis élimé étouffait ses pas, saluant les fantômes qui ne manquaient jamais d'**apparaître** quand ils l'apercevaient. Ignorant le passage qui conduisait à sa chambre, elle poursuivit en direction de l'escalier du grenier.

Une torche brûlait en permanence au pied des marches. Jenna en était reconnaissante, car la vision de l'escalier usé dont le haut disparaissait dans la nuit lui donnait toujours la chair de poule. Elle se répéta que Septimus avait sans doute raison et qu'elle n'avait rien à redouter, puis elle entama la montée, se jurant d'oublier toute cette affaire si elle parvenait sans encombre au sommet. Elle n'en était plus qu'à une marche quand elle s'arrêta. Devant elle, l'obscurité semblait respirer et se mouvoir comme une créature vivante. Cette impression l'emplit de terreur, mais aussi d'excitation. Un pas de plus, pensa-t-elle, et elle verrait tout ce qu'elle avait toujours désiré voir, y compris sa véritable mère, la reine Cerys. À cet instant, la peur la quitta et elle ne désira plus qu'une chose : se fondre dans les ténèbres, dans le néant auquel elle avait toujours aspiré.

Soudain une main se posa sur son épaule. Elle fit volte-face et découvrit le fantôme de l'ancienne gouvernante du palais, toujours à la recherche des deux petites princesses perdues.

– Ne restez pas là, princesse Esmeralda, gémit la gouvernante. Cet endroit est imprégné de **Ténèbre**. Ne restez pas...

Épuisée par l'effort qu'elle avait fourni pour toucher l'épaule de Jenna, elle se volatilisa. On ne devait pas la revoir avant plusieurs années.

L'attirance de Jenna pour l'obscurité disparut en même temps que la gouvernante. Elle tourna les talons et partit en courant, dévalant les marches deux à deux. Elle ne ralentit qu'à l'entrée du couloir brillamment éclairé qui conduisait à sa chambre et à la vue de la silhouette rassurante de sire Hereward, le très vieux fantôme qui en gardait la porte.

– Bonsoir, princesse, dit sire Hereward, émergeant de sa torpeur. Vous vous couchez tôt, ce soir. Il est vrai qu'une longue journée vous attend demain. Ce n'est pas tous les jours qu'une princesse fête son quatorzième anniversaire, ajouta-t-il avec un sourire aimable.

– En effet, acquiesça Jenna d'un air accablé.

– À vous voir, on dirait que le fardeau des ans pèse déjà sur vos frêles épaules, plaisanta sire Hereward. Rassurez-vous, princesse. Quatorze ans, ce n'est rien. Moi-même, j'ai fêté mon anniversaire des centaines de fois, tellement souvent que j'en ai perdu le compte exact. Et regardez comme je suis encore fringant !

Jenna ne put retenir un sourire. Le vieux fantôme était tout sauf fringant. À présent presque effacé, vêtu d'une armure cabossée et poussiéreuse, il avait perdu un bras, plusieurs dents, ainsi – comme Jenna avait pu le constater un jour où il avait ôté son casque – que l'oreille gauche et une partie de la tête. En plus, bien sûr, il était mort. Toutefois, ce détail ne semblait pas le préoccuper. Jenna prit la résolution de chasser ses idées noires pour profiter de l'existence. Septimus finirait par changer d'attitude, et tout irait de nouveau pour le mieux. Le lendemain, à la première heure, elle irait lui acheter un cadeau d'anniversaire à la foire d'hiver, dont ce serait le dernier jour – quelque chose de plus rigolo que l'*Histoire complète de la Magyk* qu'elle avait dégotée pour lui au Bouquin enchanté, la librairie de Tom Wyvald.

– Voilà qui est mieux ! s'exclama sire Hereward comme elle esquissait un sourire. Quatorze ans est un âge merveilleux pour une princesse, vous verrez. Tenez, j'ai une devinette pour vous : comment fait-on entrer une girafe dans une armoire ?

– Je l'ignore, sire Hereward.

– On ouvre l'armoire, on fait entrer la girafe et on referme la porte. Maintenant, comment fait-on entrer un éléphant dans une armoire ?

– Je donne ma langue au chat.

– Eh bien, on ouvre l'armoire, on fait sortir la girafe, et on pousse l'éléphant à l'intérieur.

Jenna éclata de rire.

– Comme c'est bête !

– Ah oui ? gloussa sire Hereward. Toutefois, il y a sûrement moyen de faire tenir les deux dans l'armoire, en insistant.

– Sûrement. Bonne nuit, sire Hereward. À demain.

Le vieux fantôme salua et s'effaça pour laisser entrer Jenna. Sitôt les portes refermées derrière celle-ci, il redoubla de vigilance. Tous les fantômes du palais savaient qu'une princesse est d'autant plus exposée au danger à l'approche de son anniversaire. Sire Hereward était résolu à ce qu'il n'arrive rien à Jenna tant qu'elle se trouverait sous sa garde.

Jenna ne tenait pas en place. Partagée entre l'impatience et la mélancolie, elle s'approcha d'une fenêtre et écarta les épais rideaux rouges afin de contempler la Rivière. Le spectacle que celle-ci offrait la nuit la fascinait depuis l'époque où Silas lui avait aménagé un petit lit clos dans une armoire, avec une lucarne donnant directement sur l'eau. En réalité, la vue depuis sa nouvelle chambre ne valait pas celle dont elle jouissait autrefois dans son armoire. Là-bas, elle pouvait observer le mouvement des marais. Souvent, des bateaux venaient s'amarrer aux anneaux le long du mur de l'Enchevêtre. Jenna regardait alors les pêcheurs nettoyer leurs prises et remailler leurs filets. Du palais, c'est à peine si elle distinguait les embarcations au loin et le reflet de la lune à la surface de la Rivière.

Jenna savait que c'était le dernier jour du cycle de la lune, et que celle-ci n'apparaîtrait qu'un peu avant le lever du jour. La nuit suivante – celle de son anniversaire – elle ne se montrerait pas du tout. Même ainsi, le ciel nocturne était magnifique. Le vent avait chassé les nuages, et les étoiles brillaient de tout leur éclat.

Blottie entre la fenêtre et les rideaux fermés, Jenna attendit que ses yeux s'habituent à l'obscurité. Son haleine tiède embua bientôt la vitre ; elle frotta celle-ci avec sa manche, fixant la Rivière du regard.

D'abord, elle ne vit rien, ce qui ne l'étonna pas. Les bateaux étaient rares à circuler la nuit. Puis elle aperçut une silhouette en mouvement sur le débarcadère. Elle frotta de plus belle la vitre, cligna des yeux et, à sa grande surprise, elle reconnut alors Septimus. Quoique seul, il semblait en grande conversation. Jenna devina qu'il parlait au fantôme de l'infortunée Alice Nettles, qui avait perdu Alther une seconde fois. Depuis cette tragédie, Alice errait à travers le Château, invisible, à la recherche de son bien-aimé. De temps en temps, sa voix désincarnée murmurait à l'oreille des passants : « Où est-il ? Qui l'a vu ? Qui ? »

Jenna mit une main devant sa bouche pour ne pas embuer davantage la vitre et continua à scruter la nuit. Sa conversation terminée, Septimus s'éloigna d'un pas vif le long de la Rivière, en direction du portail qui le rapprocherait de la voie du Magicien.

Jenna brûlait d'enjamber la fenêtre et de descendre le long de la façade en s'agrippant au lierre, comme elle l'avait fait à de nombreuses reprises, afin de rattraper son frère adoptif et de lui raconter ce qui lui était arrivé en haut de l'escalier du grenier. Le Septimus d'autrefois l'aurait alors raccompagnée au palais, mais le nouveau... Le nouveau Septimus, songeat-elle avec tristesse, était trop occupé à poursuivre des objectifs secrets.

Prenant brusquement conscience du froid, elle sortit de derrière les rideaux et s'approcha de la vieille cheminée en pierre dans laquelle brûlaient trois énormes bûches. Tandis qu'elle tendait les mains vers les flammes crépitantes, elle se demanda de quoi Septimus avait bien pu parler avec Alice. Mais si elle lui posait la question, il ne lui répondrait pas.

Alice n'était pas la seule à avoir perdu un être cher, pensat-elle, le cœur gros.

4
LA « FIRMERIE »

Le jour de son quatorzième anniversaire, Septimus se leva avant l'aube. Comme chaque matin, il se rendit dans la bibliothèque de la pyramide pour y faire le ménage. Là, il découvrit un cadeau de Marcia sous une pile de livres à ranger : une **loupe** en or et argent, petite mais précieuse. Une étiquette était attachée au manche en ivoire, sur laquelle on pouvait lire : *Joyeux et magique anniversaire, Septimus ! Affectueusement, Marcia.* Septimus empocha la **loupe** et sourit. Ce n'était pas tous les jours que Marcia l'assurait de son affection !

Quelques minutes plus tard, la grande porte pourpre de l'appartement de la magicienne extraordinaire s'ouvrit devant lui, et il se dirigea vers l'escalier en argent pour faire la même visite que chaque jour depuis son retour des îles de la Syrène. Partant du principe qu'aucun magicien ne vaquait encore à ses occupations à cette

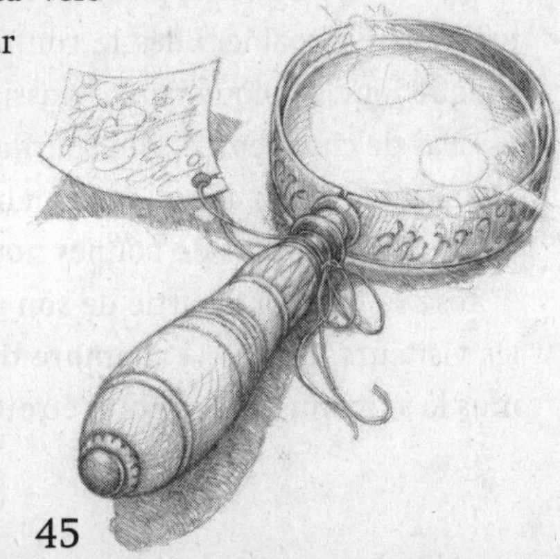

heure matinale, il activa l'escalier en mode « évacuation d'urgence ». Étourdi mais euphorique – rien de tel qu'une descente ultrarapide pour vous réveiller – il prit pied sur le palier du septième étage et longea d'une démarche mal assurée un couloir faiblement éclairé menant à une porte marquée FIRMERIE (une erreur d'un magicien ordinaire avait accidentellement effacé le I et le N initiaux).

La porte de la FIRMERIE s'ouvrit sans bruit sur une salle circulaire et sombre. Dix lits étaient disposés autour, tels les chiffres d'une horloge. Deux étaient occupés, l'un par une magicienne qui s'était fracturé le gros orteil en tombant de l'escalier et l'autre par un très vieux magicien qui s'était senti « patraque » la veille. La salle comportait deux portes, celle par laquelle était entré Septimus et une autre, située à l'emplacement du chiffre sept sur un cadran. Son centre était occupé par un bureau en forme d'anneau. L'infirmière en chef et Rose, sa nouvelle apprentie, étaient assises au milieu. Ses longs cheveux bruns glissés derrière ses oreilles, la jeune fille semblait occupée à mettre au point de nouveaux **charmes**.

Quand Septimus approcha, toutes deux lui adressèrent un sourire aimable. Elles le connaissaient bien car il venait chaque jour, quoique jamais aussi tôt.

– Pas de changement, lui souffla Rose.

Septimus ne fit aucun commentaire. Il y avait longtemps qu'il n'espérait plus de bonnes nouvelles.

Rose se leva. Une partie de son travail consistait à escorter les visiteurs jusqu'à la **chambre de désenchantement**. Septimus la suivit jusqu'à la porte étroite à l'emplacement du sept.

Sa surface paraissait miroiter sous l'effet de la **Magyk** qui imprégnait tout le bâtiment. Rose y posa brièvement la main, laissant une empreinte violette presque aussitôt effacée. La porte s'ouvrit sur une antichambre et se referma sitôt que les deux jeunes gens l'eurent franchie. Rose répéta l'opération sur une seconde porte. Cette fois, Septimus entra seul dans une petite pièce à cinq côtés qui baignait dans une clarté d'un bleu profond.

– Je vous laisse, murmura Rose. **Appelez**-moi si vous avez besoin de quelque chose ou si... s'il y a du nouveau.

Septimus acquiesça.

L'odeur enivrante de la **Magyk** flottait dans la chambre, diffusant son pouvoir de **désenchantement** dans le sens inverse des aiguilles d'une montre. Septimus ressentait sa chaleur, et sa peau le picotait comme après un bain dans l'océan. Il prit plusieurs inspirations profondes, parfaitement immobile. Le **désenchantement** affecte quiconque possède la **Magyk** en lui, et lors de ses premières visites, il avait souffert de vertiges extrêmes. À présent, il n'éprouvait plus qu'un léger étourdissement qui finissait par se dissiper. En revanche, il n'avait jamais pu s'accoutumer à la vision du cocon de **désenchantement**, un hamac délicat en laine cardée premier choix qui semblait flotter dans le vide, même s'il était suspendu à des **cordes de Forrest** invisibles, invention d'un magicien extraordinaire des temps anciens.

Septimus s'avança lentement, comme s'il se déplaçait sous l'eau, traversant des remous. La forme enfouie dans le cocon était si frêle que, parfois, Septimus craignait de la voir disparaître. Mais jusqu'ici, Syrah Syara avait échappé à l'évaporation, même si c'était là un danger bien connu du processus de **désenchantement**, et que le risque augmentait de jour en jour.

Le visage de la jeune fille, presque transparent, reflétait la clarté bleuâtre de la chambre. Avec ses tresses lisses et son expression figée, elle ressemblait un peu à une poupée, à mille lieues de la sauvageonne échevelée que Septimus avait découverte sur l'île de la Syrène.

– Bonjour, Syrah, dit-il à mi-voix. C'est moi, Septimus.

Syrah ne réagit pas, mais ça ne signifiait pas qu'elle n'avait pas entendu. À leur réveil, beaucoup de **désenchantés** gardaient un souvenir très précis des conversations qui avaient eu lieu dans leur chambre.

– Je suis venu plus tôt aujourd'hui, reprit Septimus. Le soleil n'est pas encore levé. Je voulais te prévenir que je ne pourrai pas te rendre visite pendant quelques jours...

Il se tut pour voir si ses paroles avaient un effet sur la malade, et son absence de réaction l'irrita un peu. Il avait espéré que son visage trahirait un peu de déception, même brièvement.

– Je vais bientôt aborder ma semaine **ténébreuse**, poursuivit-il. Tu es passée par là, aussi tu sais combien l'appréhension est forte avant. Tu es la seule à qui je puisse en parler. Tu me comprends ? Je ne peux me confier qu'à quelqu'un qui a été l'apprenti d'un magicien extraordinaire. Ça ne laisse pas grand monde, à part Marcia et toi. J'aurais pu en parler à Alther, avant qu'il... Tu sais. Tu me diras, le Château est rempli de fantômes de magiciens et d'apprentis extraordinaires, mais Alther est différent... Enfin, il l'était. Il donnait presque l'impression d'être vivant. Il me manque terriblement, Syrah. C'est pourquoi... Eh bien, j'ai l'intention de le ramener. Marcia ne veut pas que je le fasse, mais elle ne pourra pas m'en empêcher. C'est l'apprenti qui choisit ce qu'il fera durant sa semaine **ténébreuse**. Ma décision est prise. Je vais descendre dans le **palais obscur**.

Septimus se demanda s'il en avait trop dit. Si Syrah pouvait réellement l'entendre, elle allait vivre dans l'angoisse jusqu'à son retour. Il se traita aussitôt d'idiot : si l'état de Syrah le préoccupait, rien n'indiquait qu'elle se souciait de lui. Plus probablement, songea-t-il, elle serait soulagée d'apprendre qu'elle n'aurait plus à subir ses bavardages pendant quelque temps. Il sourit amèrement, se rappelant une réflexion que Jenna lui avait faite quelques jours plus tôt : « Arrête de te croire le centre du monde, Sep. »

Il prit congé, un peu gêné :

– Au revoir... J'espère que tu te porteras bien jusqu'à mon retour. Je reviendrai dès que possible.

Il aurait bien voulu déposer un baiser sur le front de la jeune fille, mais le **désenchantement** excluait tout contact entre le patient et le monde tangible. À cet égard, l'invention des **cordes de Forrest** avait constitué une avancée capitale : en créant une barrière magique entre le cocon et le sol, elles contribuaient pour beaucoup au succès de l'opération – quand celle-ci se soldait par un succès.

Septimus retraversa l'antichambre et émergea dans l'infirmerie. Rose lui adressa un salut de la main, qu'il lui retourna gauchement avant de regagner le couloir, se répétant : *Arrête de te croire le centre du monde, crétin.*

Pourtant, crétin ou pas, ce jour-là, tout concourait à lui donner l'impression qu'il était bien le centre du monde. Quatorze étant le double de sept, le nombre magique par excellence, cet anniversaire revêtait une importance toute particulière pour un apprenti extraordinaire, et les habitants de la tour se bousculaient pour lui présenter leurs vœux car ils savaient qu'ils n'auraient pas l'occasion de le faire dans la soirée, Marcia ayant annulé le traditionnel banquet. En effet, la magicienne extraordinaire n'avait pas digéré la décision de Sarah Heap d'organiser au palais une fête en l'honneur de son fils.

Toutefois, tandis qu'il vaquait à ses occupations matinales – livrer aux magiciens les **charmes** qu'ils avaient commandés, **rechercher** une paire de lunettes égarée, aider à maîtriser un sort particulièrement retors au quatrième étage – Septimus percevait une nuance de mélancolie derrière les félicitations. La tour bruissait en permanence de commérages, et aucun magicien n'ignorait que le jeune garçon allait bientôt franchir une étape décisive de son apprentissage avec la semaine **ténébreuse**, alors même que le moment de celle-ci était réputé secret.

C'est pourquoi la plupart, après lui avoir souhaité un « Joyeux anniversaire », croyaient bon d'ajouter : « Puisses-tu en fêter beaucoup d'autres, apprenti. » Au fil de la matinée, Septimus se vit offrir tout un assortiment de cadeaux dont aucun n'était emballé – ainsi le voulait la tradition, afin de déjouer les tentatives d'**infiltration**, un maléfice très ancien qui avait failli coûter cher à Marcia. Il en accepta quelques-uns, dont une paire de chaussettes violettes tricotées main censées lui porter chance, un paquet de **Mastick** à la banane inépuisable et trois brosses à cheveux magiques, et refusa poliment une quantité invraisemblable de **charmes protecteurs**.

Pendant que l'escalier d'argent le conduisait au rez-de-chaussée pour une dernière mission, il se fit la réflexion que tous les vœux qu'on lui avait adressés jusque-là évoquaient davantage des condoléances, comme s'il avait perdu un proche ou était lui-même sur le point de mourir. Il traversa lentement le vaste hall, lisant les messages qui s'inscrivaient sur le sol devant lui. BON ANNIVERSAIRE, APPRENTI, déchiffra-t-il, et juste au-dessus : PRENDS GARDE À TOI, APPRENTI. Il soupira. Si même la tour s'y mettait...

Il frappa à la porte du minuscule réduit coincé au pied des immenses portes en argent. Hildegarde Pigeon, une jeune sous-magicienne à la tenue impeccable, ouvrit. Septimus sourit, car il appréciait beaucoup Hildegarde.

– Joyeux anniversaire ! s'exclama celle-ci.

– Merci.

– Quatorze ans... C'est un jour important. Et la princesse fête également le sien.

– C'est vrai, acquiesça Septimus, un peu honteux : il avait oublié d'acheter un cadeau pour Jenna.

– Elle doit passer vers midi, a dit dame Marcia. Ça ne semblait pas lui faire plaisir...

– Il n'y a pas grand-chose qui fasse plaisir à Marcia ces jours-ci, répondit Septimus, se demandant pourquoi Jenna ne l'avait pas averti de sa visite.

Hildegarde ressentit son malaise.

– Alors, vous êtes content de votre journée ? demanda-t-elle.

– Euh, oui. Je suis monté à l'infirmerie ce matin. Vous devez vous réjouir d'en être sortie.

– C'est vrai. Mais mon séjour là-bas m'a fait le plus grand bien. Syrah aussi en sortira guérie, vous verrez.

– Je l'espère. Je suis venu chercher mes bottes.

– Oh ! Une seconde, je vous prie.

Hildegarde disparut à l'intérieur du réduit et revint presque aussitôt avec une boîte sur laquelle on pouvait lire en lettres d'or : « Terry Tarsal, fournisseur officiel de la magicienne extraordinaire ». Le cordonnier avait en effet décidé d'exploiter ses relations parfois tumultueuses avec Marcia à des fins publicitaires.

Septimus souleva le couvercle de la boîte et jeta un coup d'œil à l'intérieur.

– Ouf ! soupira-t-il. Il a juste réparé ma vieille paire. Marcia m'a fait peur. Elle parlait de lui en commander des neuves, vertes avec des lacets violets...

Hildegarde grimaça.

– Dans ce cas, vous l'avez échappé belle.

– Je ne vous le fais pas dire !

– Il y a aussi une lettre pour vous, ajouta Hildegarde en lui tendant une enveloppe légèrement froissée et humide.

Septimus l'examina. L'écriture lui était inconnue, et en même temps étrangement familière. Soudain il comprit pourquoi : elle mêlait des traits de sa propre écriture et de celle de son père.

– Euh, Septimus ?

La voix d'Hildegarde l'arracha à ses réflexions.

– Oui ?

– Je sais que je ne devrais pas en parler parce que c'est confidentiel et tout et tout, mais... Je voulais vous souhaiter bonne chance. Je penserai à vous.

– Oh ! Merci. C'est très gentil de votre part.

Hildegarde rosit puis elle se retira à l'intérieur de son réduit.

Septimus rejoignit l'escalier d'argent, tenant la boîte sous son bras et l'enveloppe à la main. Ce n'est qu'une fois dans sa chambre, au dernier étage de la tour, qu'il ouvrit celle-ci et lut la lettre :

Cher Septimus,

Je te souhaite un joyeux anniversaire pour tes quatorze ans.

J'imagine que tu as été étonné de recevoir une lettre de moi, mais je tenais à m'excuser du mal que je t'ai fait. Je n'ai rien à dire pour ma défense, sinon que je crois que je n'avais pas toute ma tête à ce moment-là. La Ténèbre *avait sûrement affecté mon esprit. Mais j'assume mes responsabilités. C'est volontairement que je l'ai invoquée le soir de ton souper d'apprenti, aussi tout est ma faute.*

J'espère qu'un jour tu pourras me pardonner.

Je sais que tu as bien avancé dans tes études, et que tu as certainement acquis beaucoup de connaissances. Pourtant, j'espère que tu laisseras ton grand frère te donner un conseil : prends garde à la Ténèbre.

Affectueusement,
Simon (Heap)

Septimus se laissa tomber sur son lit, accablé. Apparemment, même Simon avait entendu parler de sa semaine **ténébreuse**.

⸸ 5 ⸸
RETROUVAILLES EN TOUS GENRES

Pendant que Septimus relisait la lettre de Simon, la messagère qui avait apporté celle-ci se gelait les pieds. Les deux paires d'épaisses chaussettes rayées que Lucy Gringe portait en hiver n'offraient qu'une faible protection contre le froid de l'aube. Cachée dans l'ombre de la tour de la porte Nord, la jeune fille rassemblait son courage afin d'annoncer sa présence à sa mère.

Lucy s'était présentée tôt devant la tour. Elle avait prévu d'aborder son père avant que sa mère ne lui apporte son chocolat matinal. Elle savait que sous des dehors bourrus, Augustus Gringe cachait des trésors de tendresse pour elle. « Papa est

bonne pâte, dans le fond », avait-elle dit à Simon avant leur séparation. « Le problème, c'est maman. »

Mais Lucy avait été prise de court en découvrant, adossé à la tour, le long de la route conduisant au pont, un comptoir de fortune surmonté d'une pancarte indiquant CHEZ GRINGE et d'où s'échappait le fumet entre tous reconnaissable (malheureusement) du ragoût de sa mère ainsi qu'un vacarme, tout aussi reconnaissable, de tintements de couvercles de marmites, de jurons, de coups sourds trahissant des gestes brusques et une humeur irascible.

Lucy se rencogna dans l'ombre, hésitante. L'odeur rance du ragoût finit par la décider. Elle attendit que sa mère se penche sur le contenu d'une de ses marmites pour passer devant son échoppe. Sa ruse fonctionna. Mme Gringe, occupée à se demander si sa clientèle trouverait à redire à la présence d'une souris tombée dans le ragoût pendant la nuit, ne releva pas la tête.

Gringe, un gaillard trapu, aux cheveux ras, vêtu d'un pourpoint en cuir crasseux, était assis à l'intérieur de la tour de garde, à l'abri du vent glacial et surtout des effluves du ragoût. La journée s'annonçait paisible. Tous les habitants du Château étaient soit à la foire d'hiver, qui avait duré plus longtemps que les années précédentes, soit en train de préparer les festivités de la nuit la plus longue, durant laquelle des bougies brûleraient jusqu'à l'aube aux fenêtres des maisons. N'ayant rien de mieux à faire, Gringe polissait les quelques pièces qu'il avait récoltées ce matin-là auprès d'une poignée de marchands du Nord mal réveillés, une tâche que son épouse lui avait déléguée depuis, comme il s'en plaignait fréquemment, qu'elle était devenue « obsédée » par son ragoût.

Quand Gringe leva les yeux vers la visiteuse, s'attendant à ce qu'elle apporte sa contribution à son maigre tas de pièces, il ne reconnut pas immédiatement sa fille. Cette jeune femme aux grands yeux noisette, au sourire inquiet, paraissait plus adulte que sa Lucy, que son absence prolongée avait encore rajeunie dans les souvenirs attendris de son père. Même après qu'elle eut prononcé le mot « papa » d'une voix mouillée de larmes, il continua à la fixer d'un air perplexe, puis l'évidence se fraya un chemin vers son cerveau obtus. Il se leva alors d'un bond et écrasa sa fille contre sa poitrine, hurlant : « Lucy ! Oh, Lucy ! »

Le soulagement envahit Lucy. Finalement, tout allait bien se passer...

Une heure plus tard, assise avec ses parents dans la petite pièce au-dessus du local du gardien (son père avait confié la surveillance du pont à son aide, tandis que le ragoût de sa mère se surveillait lui-même), Lucy avait eu le temps de réviser son jugement : tout se passerait bien, si elle se montrait habile et ne contrariait pas trop sa mère.

Cette dernière, lancée à plein régime, détaillait pour la dixième fois au moins la longue liste des manquements dont sa fille s'était rendue coupable :

– Quand je pense que t'as fui avec le fils Heap, ce bon à rien, sans te soucier de ton père ni de moi, et que t'es restée deux ans sans nous donner de nouvelles...

– Je t'ai écrit, protesta Lucy, mais tu ne m'as pas répondu.

– Tu crois que j'ai le temps pour ça ? répliqua Mme Gringe, piquée au vif.

– Mais, maman...

– J'ai un poste de garde à faire tourner, moi, des ragoûts à mijoter... Et ça toute seule, ajouta-t-elle en regardant ostensiblement son mari, comme si elle l'associait aux méfaits de leur fille.

Gêné, Gringe tenta d'intervenir :

– Ma colombe, notre Lucy est devenue une grande fille. Elle a mieux à faire que rester chez ses vieux parents...

– Comment ça, vieux ? s'indigna Mme Gringe.

– C'est pas ce que j'ai voulu...

– Pas étonnant que je fasse plus que mon âge, avec tous les soucis que ta fille me cause. Elle avait pas quatorze ans qu'elle courait déjà après ce vaurien. Elle a même voulu l'épouser ! Je te demande un peu... Faut-il te rappeler les ennuis qu'elle nous a attirés avec la garde ? On a été assez bons pour lui pardonner, et comment elle nous a remerciés ? En fichant le camp ! Et jamais un mot de... de...

Mme Gringe sortit un mouchoir taché de sauce de sa poche et souffla dedans.

Lucy ne s'attendait pas à une telle avalanche de reproches. Elle leva un regard désemparé vers son père et le vit articuler les mots : *Excuse-toi.*

– Maman ? fit-elle d'une voix hésitante.

La voix de sa mère lui parvint, étouffée par le mouchoir :

– Quoi ?

– Je... je te demande pardon.

Mme Gringe releva vivement la tête.

– C'est vrai ? demanda-t-elle, étonnée.

– Oui.

– Oh !

Mme Gringe se moucha bruyamment.

– Maman, papa, écoutez-moi, reprit Lucy. Simon et moi, on voudrait se marier...

Sa mère renifla d'un air accusateur.

– Comment, c'est pas encore fait ?

– Non. Si je suis partie, c'était pour chercher Simon... et je l'ai trouvé !

Lucy se retint d'ajouter : *Que ça vous plaise ou non*, comme elle l'aurait sans doute fait encore quelques mois plus tôt.

– Après l'avoir trouvé, enchaîna-t-elle, j'ai compris que je voulais un vrai mariage. Un mariage en blanc...

– Peuh ! fit Mme Gringe.

– Oui, maman. Et je veux que papa et toi soyez là, et aussi les parents de Simon. Et je veux que vous vous réjouissiez pour nous.

– Ça, c'est la meilleure !

– Maman, je t'en prie, écoute-moi ! Je suis revenue pour une seule raison : vous demander d'assister à notre mariage.

Mme Gringe mit quelques secondes à assimiler cette nouvelle, sous les regards anxieux de son mari et de sa fille.

– C'est une invitation ? demanda-t-elle.

En guise de réponse, Lucy sortit de sa poche un carton froissé bordé d'un liseré blanc qu'elle tendit à sa mère. Celle-ci l'examina d'un œil soupçonneux. Puis elle se leva et serra sa fille dans ses bras.

– Mon bébé va se marier ! sanglota-t-elle.

Elle se tourna ensuite vers son mari :

– Il va me falloir un chapeau neuf.

Soudain des pas résonnèrent dans l'escalier, et l'aide de Gringe fit irruption dans la pièce.

– Pour un cheval, on demande combien ? interrogea-t-il.

– C'est écrit sur la liste que je t'ai laissée, répondit Gringe, mécontent. Un cheval et son cavalier : un penny. Maintenant, file et récupère l'argent avant qu'ils se fatiguent de t'attendre, idiot !

Le jeune garçon insista :

– Mais s'il y a juste le cheval ?

Gringe leva les yeux au ciel.

– T'as qu'à lui prendre tout le contenu de sa bourse. Sinon, retiens-le jusqu'à ce que son propriétaire l'ait rattrapé. À ton avis ?

– Justement, j'en sais rien. C'est pour ça que je suis monté demander.

– Je ferais mieux d'aller régler cette affaire, soupira Gringe en se levant.

– Je vais t'aider, déclara Lucy, redoutant de rester seule avec sa mère.

Un sourire fendit le visage de Gringe.

– Ça, c'est ma Lucy ! s'exclama-t-il.

À l'extérieur de la tour, Lucy et son père découvrirent un grand cheval noir, attaché à un anneau fixé au mur. Le cheval regarda la jeune fille, qui lui rendit son regard.

– Tonnerre ! fit Lucy dans un souffle.

Gringe leva les yeux vers le ciel.

– De l'orage ? On dirait plutôt qu'y va neiger, oui.

– C'est le nom du cheval, expliqua Lucy en caressant la crinière de celui-ci. Tonnerre... Il appartient à Simon.

– Ah ! C'est lui qui t'a amenée.

– Non, papa. Je suis venue avec la barge du Port.

– Tu me rassures ! Ç'aurait pas été prudent de monter un cheval sans selle ni rien.

Intriguée, Lucy flatta l'encolure de Tonnerre, qui pressa son museau contre son épaule.

– Bonjour, toi, lui murmura-t-elle. Qu'est-ce que tu fabriques ici ?

Le regard de Tonnerre se fixa de nouveau sur elle, et Lucy regretta de ne pouvoir le déchiffrer. Simon y serait parvenu, lui. Tonnerre et lui semblaient lire dans les pensées l'un de l'autre. Simon et Tonnerre... Soudain Lucy comprit.

– Il est arrivé malheur à Simon ! s'écria-t-elle. Tonnerre est venu m'en avertir !

Gringe se rembrunit. Sa femme avait raison : depuis que Lucy fréquentait l'aîné des fils Heap, tout allait de travers. Devant l'expression anxieuse de sa fille, il regretta une fois de plus qu'elle ne se soit pas plutôt amourachée d'un honnête garçon sans histoire.

– Poussin, lui dit-il avec douceur, on n'est même pas sûrs que ce soit Tonnerre. Il y a des tas de chevaux noirs au Château. Et même si c'est lui, eh bien, ça ne prouve pas qu'il soit arrivé quelque chose de mal. Au contraire : s'il s'est échappé, c'est un miracle qu'il ait pu rejoindre le Château et te retrouver avant qu'on le vole. Tu sais quoi ? On va lui trouver une selle et tout le bazar, et tu le ramèneras toi-même au Port. Mieux vaut ça qu'une vieille barge puante.

Gringe adressa un sourire rassurant à sa fille, qui sourit à son tour, presque timidement. L'un comme l'autre faisait de son mieux.

À contrecœur, Tonnerre laissa Lucy le conduire à l'écurie de la tour de garde. Là, la jeune fille lui donna de l'eau, de la paille fraîche, et étala sur son dos une couverture bien chaude. Quand elle sortit, il tenta de la suivre. Lucy repoussa vivement le vantail inférieur de la porte. Tonnerre passa la tête à l'extérieur et posa sur elle un regard plein de reproche.

– Oh ! Tonnerre... soupira-t-elle. Dis-moi que Simon va bien, je t'en prie.

Mais le cheval resta muet.

Quelques minutes plus tard, Mme Gringe descendit à son tour afin de jeter un coup d'œil à son ragoût. Elle sortit juste à temps pour voir Lucy, ses rubans flottant au vent, courir en direction du dédale de maisons qui s'adossaient au mur du Château. Persuadée que sa fille fuyait à nouveau, elle passa sa fureur sur la marmite la plus proche, dont elle remua rageusement le contenu. Ce faisant, elle constata avec satisfaction que le ragoût marronnasse avait parfaitement assimilé la souris noyée.

En réalité, Lucy ne fuyait pas. Elle se dirigeait vers le chemin de ronde qui longeait le mur d'enceinte du Château et la conduirait à la tour de guet de la porte Est, siège du Bureau des rats coursiers. Là officiaient Stanley et ses quatre petits rats (qui avaient bien grandi), entourés d'une collection d'amis et de parasites divers.

En chemin, la jeune fille rédigea mentalement plusieurs

versions du message qu'elle comptait envoyer à Simon. Quand elle atteignit, essoufflée, la petite porte de la tour de guet et pénétra dans le Bureau, elle avait opté pour une formulation simple, concise et bon marché : *Tonnerre au Château. Tu vas bien ? Réponds STP. Ta Lucy.*

Une demi-heure plus tard, Stanley attrapait de justesse la barge de onze heures à destination du Port. Lucy avait insisté pour qu'il se charge personnellement de son message, ajoutant qu'elle n'avait confiance qu'en lui. Stanley se demandait s'il devait en être flatté ou s'en désoler. Ses hésitations ne tardèrent pas à s'envoler : caché au fond d'un panier à poissons pour éviter le chat du bord, il eut bientôt tout loisir de ruminer sur le mauvais sort qui l'obligeait à affronter la Rivière pour délivrer un bulletin météo. En plus, il venait de comprendre que le destinataire du message appartenait à cette famille de fichus magiciens, les Heap. Car Stanley partageait l'opinion de Mme Gringe au moins sur un point : les Heap n'apportaient que des ennuis.

6
L'HEURE DU CHOIX

Tandis que Gringe cherchait « une selle et tout le bazar », Septimus se trouvait « en réunion », ainsi que l'avait formulé Marcia. Assis sur un tabouret près de la cheminée du salon de sa tutrice, il tenait sur ses genoux son journal d'apprentissage. L'épais volume à la couverture bleu et or était ouvert à la première page du chapitre intitulé « La semaine **ténébreuse** ».

Marcia savait que la **Magyk** la plus puissante, celle que Septimus serait amené à utiliser tout au long de la prochaine phase de son apprentissage, nécessitait un contact personnel avec la **Ténèbre**. Pourtant, elle appréhendait cette étape. Certains de ses prédécesseurs avaient pris plaisir à jouer avec l'équilibre délicat entre **Magyk** et **Ténèbre**, comme un mécanicien expérimenté effectuant un réglage de précision.

Marcia, pour sa part, préférait recourir le moins possible à la **Ténèbre** et se reposer sur ses pouvoirs intrinsèques. Les puristes auraient qualifié sa conception de la **Magyk** de « partiale », mais seulement dans son dos. En vérité, les magiciens les plus puissants étaient capables de réaliser cet équilibre parfait, d'où la tradition de la semaine **ténébreuse**. Durant celle-ci, l'apprenti extraordinaire acquérait l'expérience qui lui permettrait de développer ses talents en harmonie avec l'ensemble de l'univers, **Ténèbre** comprise.

Marcia avait une raison supplémentaire de redouter la semaine **ténébreuse** de Septimus. Elle avait remarqué que depuis quelque temps, la tour exigeait davantage de **Magyk** pour fonctionner. Elle avait connu plusieurs défaillances mineures – un jour, l'escalier s'était brusquement arrêté, sans raison, et des messages sans queue ni tête étaient apparus sur le sol du hall. Une semaine plus tôt, les magiciens de service avaient combattu une invasion d'araignées **ténébreuses** à l'aide d'une **fumigation**, et pas plus tard que la veille, Marcia avait dû changer à deux reprises le mot de passe des grandes portes en argent. Isolé, aucun de ces incidents ne l'aurait inquiétée, mais leur accumulation avait fini par la rendre nerveuse.

Cette nervosité expliquait les propos qu'elle tint ce jour-là à son apprenti :

– Je sais que la décision te revient, Septimus, mais je préférerais que tu remettes ta semaine **ténébreuse** à plus tard.

Marcia était assise tout au bord du sofa, occupé presque entièrement par un homme grand et mince, à la barbe pointue. Couché en rond comme un chat, il dormait d'un sommeil profond. Ses longs doigts fins reposaient sur le velours du sofa, dont la couleur pourpre contrastait très vivement avec le jaune de son costume et de son chapeau en forme de pyramide de beignets. Cet étrange personnage n'était autre qu'Eugène Ni, le génie de Septimus, entré en hibernation quatre semaines plus tôt, quand le froid s'était installé. Un ronflement sonore venait parfois troubler sa respiration lente et régulière.

Marcia n'était pas enchantée de devoir partager son sofa, mais elle aimait encore mieux Eugène Ni endormi que réveillé. Ignorant un nouveau ronflement du génie, Marcia ouvrit le *Calendrier de l'apprenti*, un antique volume, à l'origine relié en cuir vert, posé en équilibre sur ses genoux. Elle tourna lentement les pages parcheminées jusqu'à trouver le passage qu'elle recherchait et déchiffra le texte serré à travers ses minuscules lunettes dorées.

– Par bonheur, l'époque à laquelle tu es entré en apprentissage te laisse le plus large choix possible. Tu peux attendre jusqu'à sept semaines après la fête du solstice d'hiver pour entreprendre ta semaine **ténébreuse**. N'est-ce pas, Marcellus ?

Marcia regarda l'homme assis dans un fauteuil face à Septimus par-dessus ses lunettes comme si elle le mettait au défi de la contredire.

C'était seulement la deuxième fois que Marcia invitait Marcellus Pye dans ses appartements, et encore ne l'avait-elle fait que pour respecter une très ancienne tradition qui voulait que l'alchimiste du Château soit associé au choix de la date à laquelle l'apprenti extraordinaire pénétrait seul dans le royaume de la **Ténèbre**. En effet, les alchimistes étaient réputés entretenir des liens étroits avec celle-ci, sans parler de leur obsession du moment propice.

Bien entendu, cette tradition avait disparu quand l'alchimie était tombée en désuétude. Mais pour la première fois depuis des siècles, le Château abritait un authentique alchimiste en la personne de Marcellus. Après mûre réflexion, Marcia l'avait convié à prendre part à leur discussion, ce qu'elle commençait à regretter.

Marcellus Pye brillait de mille feux à la clarté de l'âtre. Son long manteau de velours noir doublé de fourrure exhibait une profusion extravagante de boucles et d'attaches dorées. Toutefois, le plus étonnant dans sa tenue était ses chaussures : faites d'un cuir rouge et souple, elles possédaient des pointes effilées terminées par deux rubans noirs que Marcellus attachait au-dessous du genou pour éviter de trop souvent trébucher dessus. À condition de pouvoir détacher son regard de ses chaussures, un observateur attentif aurait remarqué qu'il portait également une paire de minuscules lunettes en or sous l'épaisse frange brune qui renforçait l'aspect vieillot de son costume. Le livre posé sur ses genoux, moins épais que celui de Marcia, était justement intitulé *Moi, Marcellus*. L'alchimiste étudia longuement l'almanach qui constituait la dernière partie de son œuvre avant de répondre à Marcia :

– C'est peut-être exact en ce qui concerne le *Calendrier de l'apprenti*, mais...

– Mais quoi ? fit Marcia, exaspérée.

– Rrrrron... Pchiiii !

– Juste ciel, quel est ce bruit ?

– C'est Eugène Ni. Je vous ai averti qu'il ronflait. Si seulement vous écoutiez ce qu'on vous dit...

– Eugène... Ni ?

– Le génie de Septimus, bon sang ! Ignorez-le. J'y arrive bien, moi.

– Ah oui ! Bien. Comme je le disais avant d'être interrompu, si l'on se fie à mon propre almanach, infiniment plus précis que le vôtre, et que mon apprenti m'a d'ailleurs aidé à...

– *Ex*-apprenti, rectifia Marcia d'un ton hargneux.

– Je vous fais remarquer que je ne lui ai jamais donné congé, répliqua Marcellus. Par conséquent, je le considère toujours comme mon apprenti.

Cependant, l'objet de la controverse s'agitait sur son tabouret, gêné.

– Septimus n'est pas devenu votre apprenti de son plein gré, rétorqua Marcia, refusant de laisser le dernier mot à Marcellus. Il était déjà le mien.

– Si vous prenez la peine d'y réfléchir, vous verrez qu'il était mon apprenti avant de devenir le vôtre... environ cinq siècles plus tard, acheva l'alchimiste avec un sourire satisfait qui horripila la magicienne.

Sa riposte fut immédiate :

– Pas du point de vue de Septimus, le seul qui devrait nous importer. D'ailleurs, si nous avons cette discussion, c'est parce que nous nous soucions de sa sécurité... N'ai-je pas raison, monsieur Pye ?

– Cela va sans dire, répondit Marcellus d'un air pincé.

– Je répète donc ce que je disais plus tôt, au cas où vous l'auriez également oublié : Septimus dispose d'un créneau de sept semaines pour accomplir sa semaine **ténébreuse**. S'il la commence ce soir, à la nouvelle lune, comme vous l'avez suggéré...

– Et comme il en a exprimé le souhait, glissa Marcellus.

– Vous savez pertinemment qu'il ne l'a fait que parce que vous l'aviez suggéré. Cette nuit est la plus dangereuse qu'il puisse choisir. S'il attend la pleine lune, dans deux semaines, ce sera beaucoup moins risqué pour lui et pour la...

Marcia se tut. Elle craignait qu'en choisissant cette nuit particulière pour pénétrer dans le royaume de la **Ténèbre** Septimus ne compromette un peu plus le bon fonctionnement de la tour, mais elle n'avait aucune envie d'évoquer ses inquiétudes devant Marcellus.

– Moins risqué pour quoi ? demanda celui-ci d'un ton soupçonneux.

Il se doutait que Marcia lui cachait quelque chose.

– Ça ne vous regarde pas.

Agacé, l'alchimiste referma son livre d'un geste brusque, se leva et s'inclina sèchement devant la magicienne extraordinaire.

– Vous avez sollicité mon avis, lui dit-il, et je vous l'ai donné. Je regrette qu'il ne soit pas de votre goût, mais je le réaffirme, le moment le plus propice pour que Septimus entreprenne sa semaine **ténébreuse** est celui de la nouvelle lune. Cet aspect lui assurera la plus grande efficacité possible, et je gage que c'est ce qu'il désire. Il a quatorze ans – aujourd'hui même, me semble-t-il, précisa-t-il avec un sourire à l'adresse de Septimus. La plupart considèrent qu'à cet âge, on est apte à prendre des décisions importantes. Je crois que vous devriez respecter son choix, Marcia. Sur ce, je vous souhaite une bonne journée.

Marcellus s'inclina de nouveau, plus profondément cette fois, et se dirigea vers la porte.

Septimus se leva d'un bond.

– Je vous accompagne jusqu'à l'escalier, dit-il.

Marcellus avait eu un peu de mal à maîtriser l'escalier lors de la montée, et il était apparu devant Marcia étourdi et échevelé.

Tandis qu'ils traversaient le palier, Marcellus jeta un coup d'œil derrière lui pour s'assurer que Marcia ne l'avait pas fait suivre par une créature chargée de lui rapporter ses propos. Rassuré, il se tourna vers Septimus et lui souffla :

– J'espère que tu sais que je ne t'aurais jamais conseillé d'entrer dans la **Ténèbre** à ce moment précis si je ne te destinais pas un moyen de protection que je crois infaillible.

Il plongea son regard brun dans celui de son apprenti (ou ex-apprenti, suivant le camp dans lequel on se range) et ajouta :

– En vérité, je me préoccupe de toi autant que dame Marcia Overstrand.

Septimus rosit tandis que Marcellus poursuivait :

– Je n'en ai pas parlé devant elle car je préfère cacher certaines choses à la communauté des magiciens, même dans ces circonstances. Ils sont trop portés sur les commérages. Mais toi, tu es mon apprenti. Passe me voir cet après-midi ; j'ai quelque chose à te donner.

Septimus acquiesça.

– Merci, Marcellus. À plus tard.

Il aida l'alchimiste à prendre pied sur l'escalier et régla celui-ci en mode « délicat », normalement destiné aux magiciens et visiteurs âgés. Un sourire aux lèvres, il accompagna la descente de son maître du regard jusqu'à ce qu'il ait disparu dans les profondeurs de la tour : ce genre de détails trahissaient l'âge réel de Marcellus.

Septimus regagna ensuite son tabouret, près de la cheminée. Le silence se prolongea jusqu'à ce que Marcia le rompe :

– Je ne veux pas perdre mon apprenti. Surtout, je ne veux pas te perdre, toi.

– Il ne m'arrivera rien, affirma Septimus. Je vous le promets.

– Il ne faut jamais promettre à la légère.

– Rrrron... Pchiiii !

Marcia lança un regard agacé au génie, puis elle reprit :

– Je n'ai pas voulu en parler devant M. Pye, mais je m'inquiète des problèmes techniques qu'a connus la tour récemment. Ouvrir un passage vers la **Ténèbre** n'est jamais sans risque.

– Je sais. Je me suis entraîné toute la semaine à créer des **barrières**.

– Ça n'en reste pas moins un exercice dangereux, surtout en période de nouvelle lune. C'est pourquoi je te demande de revenir sur ta décision et d'attendre la pleine lune.

– Mais, d'après Marcellus, c'est probablement la seule chance que j'aie de ramener Alther.

– Qu'est-ce qu'il en sait ? répliqua Marcia d'un ton coupant. Alther penserait certainement comme moi, ajouta-t-elle en toute mauvaise foi.

– Comment pouvez-vous dire ça ? Vous ne savez même pas si Alther est encore en état de penser !

– Septimus, je t'interdis ! Crois-moi, je donnerais tout pour pouvoir remonter le temps et empêcher son **bannissement**. Il ne se passe pas une heure sans que j'y pense. Et ensuite, il m'a fallu l'annoncer à Alice...

Elle secoua la tête, incapable de poursuivre.

Cette fois, ce fut Septimus qui rompit le silence :

– Marcia ?

– Oui ?

– Vous dites souvent que nous devons être parfaitement sincères l'un avec l'autre...

– Et... ?

– RRRRRON !

– J'ai une question à vous poser. Promettez-moi d'y répondre franchement.

Marcia eut l'air froissée.

– Promis !

– À ma place, si vous saviez n'avoir qu'une seule chance de sauver Alther, est-ce que vous ne la saisiriez pas, malgré le danger ?

– Je n'aurai jamais la chance dont tu parles. Je suis déjà **connue** dans la **Ténèbre**. Par conséquent, le **palais obscur** m'est à jamais fermé.

Septimus se leva et considéra Marcia, tassée sur le sofa.

– Vous n'avez pas répondu, dit-il, puisant son audace dans leur différence de taille.

– En effet, reconnut presque humblement Marcia.

– Je répète : si vous n'aviez qu'une chance de ramener Alther, est-ce que vous la saisiriez ?

Même Eugène Ni n'osa pas troubler le silence qui suivit. Enfin, Marcia répondit.

– Oui, dit-elle d'un ton égal. Je pense que je le ferais.

– Merci. Je partirai donc ce soir, à minuit.

Avec un soupir, Marcia se leva et se dirigea vers son bureau.

Elle en revint quelques minutes plus tard, tenant à la main une grande clé en fer attachée à un cordon noir.

– La clé du donjon numéro un, dit-elle à son apprenti. Prends-la avant que je change d'avis.

Septimus rangea la clé dans une poche intérieure de sa tunique. Elle lui parut lourde et encombrante, et il se fit la réflexion qu'il serait soulagé de la rendre quand il n'en aurait plus besoin.

– Il ne m'arrivera rien, assura-t-il. J'aurai quelque chose pour me protéger.

Loin de rassurer Marcia, cette précision redoubla son mécontentement.

– Ne me dis pas que Marcellus Pye t'a proposé sa camelote ? Si tu comptes dessus pour te défendre, tu commets une grave erreur. Tout ce qu'il réussira à faire, c'est endormir ta vigilance en te procurant un sentiment de sécurité mensonger. Les alchimistes étaient tous des charlatans, Septimus. Beaux parleurs, certes, mais quand il s'agissait de passer à l'action... Tout leur prétendu art n'était que de la poudre aux yeux !

– Je suis sûr que Marcellus...

– Oublie un peu ton Marcellus ! Dans cette épreuve, tu ne pourras compter que sur toi-même et sur tes pouvoirs magiques.

Marcia jeta un coup d'œil à sa montre et soupira.

– Déjà midi. Comme si cet alchimiste à la manque ne me causait pas assez de soucis, je vais maintenant devoir subir une enquiquineuse de princesse qui va me brandir au visage les recommandations ineptes de ce maudit bouquin rouge, conçu à seule fin de pourrir l'existence des magiciens extraordinaires. La peste soit des quatorzièmes anniversaires !

Sur ces paroles, Marcia disparut dans son bureau, laissant Septimus seul devant la cheminée. Il y resta un moment, à contempler le feu et jouir du silence parfois troublé par un ronflement. Il repensa aux paroles de Marcia. Au fond de lui, il savait qu'elle se trompait au sujet de Marcellus. L'alchimie n'était pas que de la poudre aux yeux, il en avait lui-même fait l'expérience, mais il avait renoncé à convaincre sa tutrice. Sa semaine **ténébreuse** n'avait pas encore commencé qu'elle avait déjà réussi à l'éloigner de tous les gens qu'il aimait. Il aurait souhaité que Marcia approuve son projet, mais en définitive, c'était lui, pas elle, qui allait affronter la **Ténèbre**, et il le ferait à sa manière.

– Rrrrron...

Septimus se leva. Marcellus l'attendait.

7
LA PORTEUSE DU LIVRE

L'« enquiquineuse de princesse », comme l'appelait Marcia, avait connu une matinée aussi protocolaire que celle de Septimus. À neuf heures précises, une grande femme vêtue d'une robe à l'ancienne mode, avec de longs rubans pendant des manches, avait frappé aux portes du palais.

Comme le magicien de faction prenait son petit déjeuner, ce fut Sarah Heap qui lui ouvrit.

– C'est pourquoi ? s'enquit-elle d'un air peu aimable.

– Je suis la porteuse du livre, annonça la femme d'un ton solennel.

Elle entra sans attendre d'y être invitée, diffusant dans son sillage une forte odeur de naphtaline mêlée à des relents de poisson.

– Si c'est un cadeau, déposez-le ici,

dit Sarah, indiquant une longue table couverte de paquets multicolores. On ne les ouvrira que ce soir.

La porteuse du livre ne montrait aucune intention de se diriger vers la table. Elle dominait Sarah de toute sa taille, encore rehaussée par un chignon instable d'un blanc neigeux, fixé par un assortiment de peignes.

– Mais je suis la porteuse du *livre* ! répéta-t-elle avec une expression incrédule.

– Je sais, vous l'avez déjà dit. Posez-le sur la table. Ça tombe bien, Jenna adore lire. Maintenant, si vous voulez bien m'excuser, j'ai du travail. Vous connaissez le chemin...

– Il n'est pas question que je parte ! protesta la visiteuse. Je suis venue voir la princesse. Veuillez m'annoncer, bonne femme.

Sarah faillit s'étouffer d'indignation, mais Jenna arriva à point nommé pour éviter à la situation de s'envenimer.

– Maman, dit-elle, débouchant du promenoir, tu n'aurais pas vu mon... Oh !

Jenna s'arrêta net à la vue de la grande femme à l'allure autoritaire. Sa robe rouge et grise à l'ancienne mode et ses rubans dorés lui rappelaient désagréablement son séjour au palais à l'époque de l'effroyable reine Etheldredda.

– Qui... qui êtes-vous ? bredouilla-t-elle.

La porteuse du livre s'abîma en une profonde révérence, et ses longs rubans retombèrent avec grâce dans la poussière.

– Votre Altesse..., murmura-t-elle. Permettez-moi de vous présenter mes humbles félicitations en ce jour de récognition. Je suis ici pour vous remettre LE livre, comme je l'ai remis jadis à votre mère, et comme ma propre mère l'a remis à sa mère, et la mère de ma mère à la mère de sa mère...

Sarah crut devoir traduire :

– Elle t'a offert un livre, Jenna. C'est gentil, non ? Je lui ai dit de le poser sur la table avec les autres cadeaux que tu déballeras ce soir.

– Bonne femme, je vous conseille de tenir votre langue et de retourner à votre besogne.

– Dites donc, vous...

Jenna, qui commençait à soupçonner quelque chose d'important, intervint :

– Maman, tout va bien. Je crois que c'est, tu sais, un truc de princesse.

Elle se tourna vers la femme et dit d'un ton authentiquement royal :

– Je vous remercie, porteuse du livre. À présent, souffrez que je vous présente ma mère, dame Sarah Heap.

La visiteuse s'inclina sèchement devant Sarah.

– Je vous prie de m'excuser, dame Sarah. À cause de votre costume, je vous ai prise pour une domestique.

– Avec tout le travail qu'il y a, il faut bien que quelqu'un s'en charge, répliqua Sarah d'un ton acerbe. Si vous voulez avoir chaud, vous pouvez vous entretenir avec Jenna dans mon boudoir. Je viens juste d'y allumer le feu.

Sur ces paroles, elle s'éloigna d'un air digne, ses cheveux blonds mêlés de gris flottant sur ses épaules.

La visiteuse la suivit d'un regard désapprobateur jusqu'à ce qu'elle ait disparu à l'intérieur du promenoir. Elle avait la même expression quand elle s'adressa ensuite à Jenna :

– Un « boudoir » ne saurait accueillir un entretien de cette importance. Traditionnellement, la présentation du livre a lieu dans la salle du trône. Si Votre Altesse veut bien ouvrir la marche...

Jenna était entrée dans la salle du trône pour la dernière fois cinq siècles plus tôt, sous le règne d'Etheldredda la Terrible, et elle n'en gardait pas un bon souvenir. Avant cela – ou après, d'un point de vue chronologique – elle y avait été en une seule occasion dont elle avait heureusement tout oublié. C'était là que sa vraie mère, la reine Cerys, avait été tuée d'une balle dans le cœur, le jour même de sa naissance, quatorze ans plus tôt. Elle répugnait à y remettre les pieds, surtout dans ces circonstances.

– La salle du trône est fermée, affirma-t-elle. Elle ne sert jamais.

Pour la première fois depuis son arrivée, la porteuse du livre parut apprécier ce qu'elle entendait.

– Une sage décision, acquiesça-t-elle. Jusqu'à présent, vous n'en aviez pas l'utilité, en effet. Mais le jour de votre quatorzième anniversaire marque votre premier acte officiel. Et la tradition veut que celui-ci ait la salle du trône pour cadre, comme je l'ai déjà mentionné.

La porteuse du livre avait accompagné ses paroles d'un sourire complice, comme si elle partageait avec la princesse un secret inaccessible au commun des mortels. Jenna avait déjà vu ce sourire condescendant chez certaines filles, à l'école, et il lui inspirait une franche antipathie.

Elle s'apprêtait à lui rétorquer qu'elle n'avait pas l'intention de rouvrir la salle du trône, ni pour elle ni pour personne, et qu'elle n'en possédait même pas la clé, quand Silas apparut.

Jenna se tourna aussitôt vers lui, quêtant son soutien, et dans son émotion, elle en oublia ses manières princières :

– Papa, dis-lui qu'on n'a pas la clé de la salle du...

À son grand étonnement, Silas tira alors de sa poche une lourde clé incrustée de pierres rouges qu'il lui tendit en s'inclinant.

Jenna éclata de rire et refusa de prendre la clé.

– Papa, ne sois pas bête ! Depuis quand tu me salues ?

– Depuis que tu as quatorze ans, répondit Silas.

Son sérieux inquiéta Jenna. Que lui arrivait-il ? À l'entendre, on aurait dit que cet anniversaire allait bouleverser toute son existence, et ça, elle ne le voulait pas.

– La semaine dernière, Marcia m'a prévenu de la visite de cette... personne, reprit Silas, désignant la porteuse du livre scandalisée. Elle m'a aussi donné cette clé, précisant qu'à compter de ce jour, le moment propice pouvait survenir n'importe quand.

– Propice pour quoi ? interrogea Jenna, furieuse.

Elle détestait qu'on décide de sa vie sans lui demander son avis. Il lui semblait revivre le jour de son dixième anniversaire, où on l'avait brusquement arrachée à sa famille. Et cette fois encore, Marcia était dans le coup.

– Tu sais bien, poupette, répondit Silas d'un ton apaisant. Pour ton couronnement. Tu as l'âge requis, à présent. Ça ne veut pas dire que ça va arriver, mais c'est une possibilité. C'est pourquoi cette dame...

Devant l'expression courroucée de la porteuse du livre, il s'empressa de rectifier :

– Cette noble et importante dame se trouve ici. La charge

de porteuse du livre est héréditaire. Et la tradition veut que la princesse la reçoive dans la salle du trône. C'est un symbole, vois-tu... Le présage de ce que tu deviendras un jour.

– Pourquoi ne m'en as-tu pas parlé ?

– Je n'ai pas voulu te gâcher ton anniversaire, avoua Silas d'un air penaud. Ni à toi ni à ta mère. Je sais que tu n'aimes pas la salle du trône. J'ai eu tort, et je t'en demande pardon.

– Ça ne fait rien, soupira Jenna. Je veux bien y entrer, si tu viens aussi et te charges de la clé. C'est d'accord ?

Elle avait accompagné ses paroles d'un regard entendu.

– Ah ! Hum, d'accord, dit Silas, comprenant ce qu'elle attendait de lui. Je viens.

– C'est une cérémonie privée, protesta la porteuse du livre. Il n'est pas convenable qu'un roturier...

– Vous parlez de mon père, lui rappela Jenna d'un ton glacial.

– Cet homme n'est pas votre père !

Jenna perdit patience.

– En effet. Mon « vrai » père n'a pas fait l'effort d'être là pour mon anniversaire. Lui, si. Alors, il vient avec moi.

Sur ces paroles définitives, Jenna prit le bras de Silas et ils montèrent posément le large escalier qui conduisait au premier étage, obligeant la porteuse du livre à les suivre.

La salle du trône constituait le cœur du palais. Ils firent halte devant ses deux grandes portes. Avec le temps, les feuilles d'or qui les décoraient étaient devenues si minces qu'on distinguait la peinture rouge à travers. Si Jenna admirait leur majesté, elle n'avait aucune envie de les voir ouvertes.

Elle se tourna vers Silas, qui introduisit la clé dans la serrure. Une étincelle de **Magyk** jaillit de celle-ci. La clé fit un quart de tour et resta coincée.

– **Bloquée**, annonça Silas. Essaie, Jenna...

Jenna constata avec soulagement que la clé était bel et bien **bloquée**.

– Rien à faire, confirma-t-elle.

Devant l'expression soupçonneuse de la porteuse du livre, elle proposa :

– Vous voulez essayer ?

La visiteuse lui arracha la clé des mains, puis elle l'enfonça dans la serrure et la tourna brutalement.

Le **sort** de Silas résista. La porteuse du livre secoua vigoureusement la clé et la remua à plusieurs reprises dans la serrure avant de s'avouer vaincue.

– Tant pis, soupira-t-elle. L'antichambre royale fera l'affaire.

Jenna se retint de lui demander pourquoi elle n'avait pas suggéré plus tôt cette solution. Elle pensait connaître la réponse : la porteuse du livre espérait qu'un peu de la splendeur de la salle du trône rejaillirait sur elle. Des gens comme elle, Jenna en avait rencontré au palais d'Etheldredda, et elle y avait appris comment les traiter.

Comme son nom l'indiquait, l'antichambre royale était réservée à l'usage exclusif de la souveraine. Celle-ci y revêtait son costume de cérémonie et s'y retirait parfois entre deux audiences. Elle était sombre et poussiéreuse, pourtant Jenna aimait s'y isoler pour travailler. Elle y pénétra, suivie par la porteuse du livre. Silas s'excusa avant de les laisser et, cette fois, Jenna ne le retint pas.

La pièce était étroite et toute en longueur, avec une fenêtre haute donnant sur la voie du Magicien. Un rideau miteux dissimulait une porte de communication avec la salle du trône, que Jenna avait fait condamner avec des planches. Le froid était extrême, mais du bois attendait dans l'âtre. Jenna prit le briquet sur la cheminée et enflamma la mousse sèche à la base de la pile de bûches. Elle alluma également les bougies, et bientôt, l'antichambre baigna dans une douce lumière dorée qui la faisait paraître plus chaude qu'elle ne l'était en réalité.

La porteuse du livre prit son temps pour s'installer au petit bureau situé sous la fenêtre. Parmi une collection de fauteuils dépareillés, Jenna repéra celui (tapissé de rouge et or, avec des coussins moelleux et un pied cassé) dans lequel elle aimait se blottir pour lire et l'approcha de la cheminée.

Trois longues heures plus tard, debout aux portes du palais, Jenna regardait sa visiteuse s'éloigner en direction de la voie du Magicien, ses longs rubans flottant dans le vent glacial qui soufflait de la Rivière. Elle serrait entre ses mains un petit livre rouge intitulé *Les Règles de la royauté*.

Elle regagna ensuite l'antichambre royale, ravie de s'y retrouver seule, et rapprocha son fauteuil du feu afin d'examiner le livre. La reliure en cuir rouge, douce au toucher, avait été usée, réalisa-t-elle avec un frisson, par les doigts de sa mère, de sa grand-mère, et de toutes les reines qui les avaient précédées. Les pages aux tranches dorées, si fines qu'elles semblaient presque translucides, n'étaient imprimées que d'un côté. Les caractères minuscules, pleins d'ornements et de fioritures, en compliquaient la lecture, ce qui expliquait qu'il ait fallu si longtemps à la porteuse pour le déchiffrer et en expliquer le sens à Jenna. Celle-ci l'ouvrit directement à la page qu'elle souhaitait relire.

Protocole : tour du Magicien
(Remplacer « reine » par « HTTP », si approprié)

Durant le cours de trois heures qu'elle venait de recevoir, Jenna avait appris que HTTP était l'abréviation d'Héritière du Trône Titulaire et Présomptive. À l'intérieur du chapitre, deux paragraphes avaient particulièrement retenu son attention :

I – LE DROIT D'ÊTRE INFORMÉE
L'HTTP a le droit d'être informée de tous les faits afférents à la sécurité et la prospérité tant du palais que du Château. Par conséquent, le magicien extraordinaire – ou, par défaut, l'apprenti extraordinaire – est tenu de répondre à ses questions pleinement, sincèrement et sans délai.

Jenna sourit. Si elle appréciait beaucoup cette clause, elle aurait parié que ce n'était pas le cas de Marcia. Elle lut encore plus attentivement le paragraphe suivant :

II – SÉCURITÉ DU PALAIS
C'est à l'HTTP et à elle seule qu'il appartient de juger si la sécurité du palais est ou non menacée. Le cas échéant, elle est libre de solliciter l'aide du magicien ou de l'apprenti extraordinaire à tout moment. La tour doit alors accorder la priorité absolue à sa demande, toutes affaires cessantes.

Jenna se fit la réflexion que Septimus n'avait pas dû lire cela.

Elle s'imprégna du second paragraphe, appréciant l'insistance avec laquelle les mots « HTTP », « à tout moment », « priorité absolue » avaient été soulignés en rouge. Apparemment, elle n'était pas la première princesse à rencontrer ce genre de problème. Elle appréciait tout particulièrement les mots qu'une main déterminée avait tracés au bas de la page : « Un magicien se remplace aisément. Pas la reine. »

Elle se leva, s'étirant tel un chat, jeta de l'eau sur le feu et referma la porte de l'antichambre royale sur le silence, décidée à se rendre à la tour « toutes affaires cessantes ».

Dans le hall, elle se heurta à Sarah, occupée à tendre des guirlandes avec l'aide de Billy Pot et de la cuisinière.

– Dolly est partie ? demanda Sarah.

– Qui ça ?

– Dolly Bingle. Elle travaille à la poissonnerie du Quai Neuf. Sa tête me disait quelque chose, mais c'est fou comme un brin de coiffure et quelques fanfreluches dorées vous changent une femme.

– La porteuse du livre est Dolly Bingle ? fit Jenna, abasourdie.

– Elle-même. Et elle sait parfaitement qui je suis. À ma prochaine visite, elle a intérêt à me faire un rabais sur le haddock, ajouta Sarah avec un sourire malicieux.

↣ 8 ↢

« Chimie » culinaire

Alors qu'elle se dirigeait vers la voie du Magicien, Jenna se revit marcher dans l'allée du palais avec Septimus, la veille au soir. Leur conversation lui avait laissé un souvenir amer, et son dépit était d'autant plus vif à présent qu'elle avait parcouru le petit livre rouge qu'elle transportait dans sa poche. Septimus l'avait traitée comme une gamine indésirable. En lui courant après, elle lui aurait offert une nouvelle chance de la rabaisser. Quel besoin avait-elle de son avis ? Il n'était pas le seul à s'y connaître en **Magyk**. À deux pas du palais travaillait quelqu'un qui ne se ferait pas prier pour l'aider, lui.

Quelques minutes plus tard, Jenna s'arrêtait devant l'Officine de traduction des langues mortes. Elle prit une profonde inspiration avant d'entrer. Elle n'aimait pas Larry, le propriétaire, qui le lui rendait bien. Toutefois, elle ne le prenait pas mal, car pour autant qu'elle avait pu en juger, Larry n'aimait personne. Elle trouvait d'autant plus étonnant que Moustique, en plus de travailler comme scribe pour Larry, ait élu domicile à l'officine depuis que sa mère s'était installée au Port.

Se préparant à affronter les remarques caustiques qui accompagnaient généralement son entrée, elle donna un coup d'épaule dans la porte, qu'elle savait capricieuse – Larry considérait l'accès à son officine comme un privilège qui se méritait. Pour une fois, la porte s'ouvrit sans difficulté. Sur son élan, Jenna traversa la boutique et s'écrasa contre une pile de manuscrits au sommet de laquelle un grand vase qui semblait ancien était posé en équilibre précaire.

De la galerie qui surplombait la boutique, Larry émit un ricanement tandis que Moustique, dans un geste d'une précision impressionnante, rattrapait le vase avant qu'il ne se fracasse.

– Ça va ? demanda-t-il à Jenna, l'aidant à se relever.

Étourdie, elle acquiesça.

Moustique la prit par le bras et l'entraîna vers la bibliothèque, disant tout fort :

– Vos traductions sont prêtes, Votre Altesse. Désirez-vous y jeter un coup d'œil ?

Quand il eut la certitude que son patron ne pouvait pas les entendre, il reprit à voix basse :

– Désolé pour la porte, je n'ai pas eu le temps de t'avertir. Larry l'a graissée hier avant de poser le vase au sommet de la pile de manuscrits. Depuis, il passe tout son temps dans la galerie, à attendre que quelqu'un se laisse prendre au piège, comme toi. Il a déjà demandé à trois personnes de lui rembourser le vase, et elles ont payé !

– Trois ?

– Oui. À chaque fois, il en recolle les débris.

– Vraiment, Moustique, je ne sais pas comment tu fais pour travailler avec cet homme, et encore moins pour habiter chez lui. Surtout que Marcia t'a proposé un emploi à la tour.

Moustique haussa les épaules.

– J'aime les langues bizarres et les vieux manuscrits. Et j'apprends des tas de trucs. Tu n'as pas idée des trésors qu'on voit passer. En plus, je n'ai pas de don pour la **Magyk**. Je deviendrais fou là-bas.

Jenna songea qu'elle serait également devenue folle si elle avait dû vivre à la tour, mais elle n'aurait pas supporté davantage la compagnie de Larry.

– Comparé à Jillie Djinn, Larry est presque agréable, reprit Moustique, à croire qu'il avait lu dans ses pensées. Et j'aime la voie du Magicien. On ne s'y ennuie jamais. Un **frutibulle** ?

– Tu en as au chocolat ?

– Hélas, non, répondit Moustique, la mine déconfite. Seulement aux fruits.

Jenna sortit son précieux **charme chocolaté** de sa poche.

– On pourrait essayer avec ça, suggéra-t-elle.

Moustique acquiesça d'un air dubitatif.

– Larry ! cria-t-il en direction de l'étage. Je fais une pause.

– Tu as dix minutes et pas une de plus, rétorqua Larry d'un ton bourru.

Jenna pénétra derrière Moustique dans une petite cuisine affreusement sale, au fond de l'officine.

– Joyeux anniversaire ! dit Moustique. J'ai un cadeau pour toi, ajouta-t-il, gêné, mais je n'ai pas eu le temps de l'emballer. Je ne pensais pas te voir avant ce soir.

– Oh ! fit Jenna, tout aussi gênée. Je ne venais pas pour ça... En fait, je n'espérais rien.

Soudain, Moustique vit la cuisine à travers le regard de Jenna.

– Pardon pour le désordre, dit-il. Larry m'interdit de faire le ménage. Il prétend que la moisissure est bonne pour la santé.

– La pourriture aussi ? demanda Jenna, considérant un sac de carottes qui se liquéfiaient sur le sol.

– Allons à **Magyk** Sandwich, proposa Moustique, mortifié. J'ai des heures supplémentaires à rattraper.

Environ dix minutes plus tard – Moustique avait montré un aplomb impressionnant en annonçant à Larry qu'il allait déjeuner à l'extérieur et entendait profiter de l'heure entière à laquelle il avait droit – nous retrouvons les deux amis attablés près d'une fenêtre, au premier étage de **Magyk** Sandwich. Ils formaient un joli couple, lui avec sa veste bleue à galons dorés d'amiral et son épaisse chevelure brune qu'il avait pour une fois réussi à discipliner, elle avec son diadème d'or qui brillait doucement à la lumière de la petite bougie posée sur leur table. Encore enveloppée dans son manteau rouge doublé de fourrure, la princesse regarda autour d'elle la salle aux couleurs exubérantes et aux vitres embuées. Elle fut soulagée de constater que personne ne lui prêtait attention – les membres de la coopérative qui exploitait l'établissement affichaient un mépris souverain pour toute forme de hiérarchie. Cette indifférence lui procurait le sentiment d'être une personne ordinaire – ou plutôt, une adulte ordinaire qui déjeunait à l'extérieur – et elle trouvait ça presque aussi excitant que de fêter son anniversaire.

– Qu'est-ce que tu prends ? demanda Moustique, lui tendant la carte.

Celle-ci, très colorée, représentait les différents sandwichs accompagnés de slogans humoristiques mais ne donnait aucune indication sur leur composition.

Jenna fixa son choix sur un empilement de mini-sandwichs portant le nom de « Pyramide » tandis que Moustique optait pour une préparation cubique appelée « Chimie ». Le jeune garçon se dirigea vers le comptoir afin de commander – la direction collégiale de **Magyk** Sandwich réprouvait l'exploitation du personnel de service – et revint quelques minutes plus tard avec deux boissons rose et vert, variante maison du frutibulle.

Il posa un des verres devant Jenna et annonça avec un moulinet du bras :

– Fruti **Magyk** fraise menthe. C'est nouveau.

Jenna le remercia et s'abîma dans un silence embarrassé. Ce tête-à-tête avec Moustique rompait avec les relations qu'ils entretenaient au quotidien. Son compagnon semblait partager sa gêne, car ils restèrent plusieurs minutes à observer intensément par la fenêtre les rares passants qui arpentaient d'un pas pressé l'avenue battue par le vent, transportant des boîtes pleines de bougies destinées aux illuminations de la nuit la plus longue.

Jenna finit par briser le silence :

– En fait, j'avais un service à te demander...

– Ah oui ? fit Moustique, ravi.

– Oui. J'en ai parlé à Septimus hier soir, mais il n'a pas voulu m'aider.

Moustique se rembrunit. Ne remarquant rien, Jenna enchaîna :

– Il est bizarre depuis quelque temps, tu ne trouves pas ? Quand j'essaie d'avoir une discussion avec lui à ce sujet, il se défile toujours.

Moustique se rembrunit encore davantage. Il en avait assez de toujours passer après Septimus. C'était une des raisons qui l'avaient incité à décliner la proposition d'emploi de Marcia.

– Pyramide ! Chimie ! cria une voix depuis le comptoir.

Moustique se leva pour aller chercher leur commande, donnant à Jenna l'impression d'avoir commis une gaffe. Il revint bientôt avec une pyramide branlante et un impressionnant sandwich cubique.

– Oh ! s'exclama Jenna, admirative. Merci.

Elle prit le triangle au sommet de la pile et mordit dedans. Il était fourré au concombre et au poisson fumé, et assaisonné d'une délicieuse sauce maison.

Moustique considéra sa propre assiette avec dépit. Le cube, taillé dans le cœur d'une miche de pain, était percé de neuf trous remplis de sauces et de préparations de couleurs diverses. Un filet de fumée s'élevait de son centre. S'il mordait dedans, la garniture s'étalerait autour de sa bouche et dégoulinerait sur la table, le faisant ressembler à un petit garçon. Pourquoi n'avait-il pas choisi quelque chose de simple ?

Il entreprit de découper le cube. Une flaque visqueuse aux

couleurs de l'arc-en-ciel envahit son assiette tandis que lui-même devenait tout rouge. Quel désastre !

– Au fait... C'était quoi, le service que tu voulais demander à Septimus ? interrogea-t-il afin de détourner l'attention de Jenna de son assiette.

– Il se passe quelque chose au palais, dans le grenier. Plus personne n'a le droit d'y monter – pas même moi – depuis que papa y a découvert un placard **scellé**. Mais parfois, quand je me trouve dans ma chambre, j'entends marcher au-dessus de ma tête.

– Sans doute des rats, répondit Moustique, considérant son sandwich d'un air accablé. Il y en a d'énormes près de la Rivière.

– Ce sont des pas humains, affirma Jenna.

– Certains fantômes arrivent à **produire** des bruits de pas. Il paraît que ça ne leur est pas très difficile. Et il y a beaucoup de fantômes au palais.

Jenna secoua la tête. C'était l'explication qu'avaient avancée Silas et Sarah.

– Pourtant, quelqu'un emprunte l'escalier, insista-t-elle. On distingue des traces dans la poussière des marches. J'ai cru que c'était maman – il lui arrive de se balader la nuit dans le palais quand elle n'arrive pas à dormir – mais quand je lui ai posé la question, elle m'a répondu qu'elle n'était pas montée là-haut depuis une éternité. Alors, hier, j'ai décidé d'aller voir par moi-même.

Moustique détacha le regard de son sandwich éventré et demanda :

– Tu as vu quelque chose ?

Pendant que Jenna lui racontait son étrange expérience de la veille, la consternation se peignit sur le visage de Moustique.

– Ce que tu décris ressemble à une **infestation**, dit-il. Pas bon, ça.

– Tu veux dire que le grenier est envahi de cafards, ou d'autres nuisibles ?

– Non, pas ce genre d'infestation. C'est le mot qu'on employait au Manuscriptorium. Je suppose que les magiciens en ont un autre...

– Un mot pour désigner quoi ?

Moustique baissa la voix – il n'est pas bon d'évoquer la **Ténèbre** en public :

– Le fait, pour un agent de la **Ténébre**, de s'introduire chez quelqu'un et d'y établir un **domaine ténébreux**, expliqua-t-il, regardant autour de lui pour s'assurer que personne n'écoutait.

Jenna frissonna.

– Un **domaine ténébreux** ? murmura-t-elle.

– C'est comme une nappe de brouillard, mais formée de **Ténèbre**. Elle peut devenir très puissante si on ne s'en débarrasse pas. Pour se développer, elle aspire l'énergie vitale des malheureux qu'elle attire en leur promettant tout ce qu'ils désirent.

– Tu veux dire que ce grenier abrite vraiment quelque chose de mauvais ? fit Jenna, effrayée.

Jusque-là, elle doutait encore de la réalité de ses soupçons, mais les explications de Moustique avaient achevé de la convaincre.

– Oui, répondit-il, catégorique. Tu sais, je crois que tu devrais demander à Marcia d'y jeter un coup d'œil.

– Mais si je la fais venir au palais aujourd'hui, maman va piquer une crise... Ce que j'aimerais, c'est que tu me donnes d'abord ton avis. Si tu me confirmes qu'il s'agit d'un... tu sais quoi, j'irai aussitôt trouver Marcia... Promis !

Comment Moustique aurait-il pu refuser ?

– D'accord, dit-il.

Un sourire éclaira le visage de Jenna.

– Oh ! Merci beaucoup.

Moustique sortit sa précieuse montre de sa veste.

– Je serai au palais vers... Disons, trois heures et demie. Ça me laisse le temps de récupérer un **charme protecteur** à la tour. Il fera encore jour à ce moment-là. Mieux vaut ne pas approcher cette saleté après la tombée de la nuit.

Jenna se rappela alors que la dernière fois que Moustique lui avait apporté son concours, cela lui avait coûté son emploi.

– Et Larry ?

– Ne t'inquiète pas. Avec toutes les heures supplémentaires que j'ai faites, il me doit bien ça. Et il est assez accommodant, du moment qu'on ne lui raconte pas d'histoires. Rien à voir avec Jillie Djinn. Alors, d'accord pour trois heures et demie ?

– Encore merci, Moustique.

Jenna baissa les yeux vers le magma visqueux d'où s'élevaient des crépitements alarmants sur l'assiette de son compagnon.

– Je n'arriverai jamais à manger tout ça, dit-elle, poussant la pyramide de sandwichs presque intacte au centre de la table. On partage ?

++9++ LES INSÉPARABLES

En quittant **Magyk** Sandwich, Jenna et Moustique furent saisis par le froid. Quelques flocons tournoyaient dans le ciel gris. Jenna s'enveloppa étroitement dans son manteau tandis que son compagnon boutonnait sa veste et enroulait sa longue écharpe en laine autour de son cou.

Soudain un cri retentit pas loin d'eux :

– Hé ! Moustique !

Un jeune homme grand et maigre descendait la voie du Magicien, venant dans leur direction. Il agita la main et pressa l'allure pour les rejoindre.

– Votre Altesse...

Le jeune homme essoufflé salua Jenna, gênée, d'une inclinaison de la tête.

– Salut, Vulpin, dit Moustique.

– Salut, Mouss, répondit

Vulpin, tapant du pied et se frottant les mains pour se réchauffer.

Il grelottait dans sa tunique grise de scribe, et son long nez pointu brillait tel un fanal au milieu de son visage pâle et étroit.

– T'as le temps d'avaler un sandwich à la saucisse avec moi ? reprit-il à l'adresse de Moustique.

– Pas aujourd'hui. Je dois récupérer un **charme protecteur** à la tour.

Vulpin sourit, dévoilant des canines pointues qui étincelaient à la clarté des vitrines du café.

– Pourquoi aller chez la concurrence ? Je te signale que tu as devant toi le maître scribe responsable des **charmes** du Manuscriptorium...

– Ah ouais ? Depuis quand ?

– Depuis ce matin, à huit heures vingt-deux *précises*, répondit Vulpin, imitant à la perfection sa patronne, la première scribe hermétique, Jillie Djinn.

– Oh ! Félicitations.

– Et je serais très honoré de vous avoir pour premier client, monsieur Moustique.

– Je veux, mon neveu !

– Donc, nous pouvons procéder aux formalités.

– À vrai dire, répondit Moustique, embarrassé, je préférerais ne pas entrer au Manuscriptorium...

– Pas besoin. Je déclare ouvert le premier service de livraison de **charmes** à domicile.

Vulpin sortit de sa poche un carnet auquel était attaché un crayon. Moustique reconnut le matériel réglementaire du Manuscriptorium.

– Pour commencer, monsieur Moustique, je vous demanderai de répondre à quelques questions afin de cerner au mieux vos besoins. Contrairement aux produits standard délivrés par la TDM, les nôtres sont garantis sur mesure. Vous souhaitez un **charme** qui agisse à l'intérieur ou à l'extérieur ?

– Euh... À l'intérieur, répondit Moustique, déstabilisé par le boniment de Vulpin.

– En hauteur ou en profondeur ?

– Qu'est-ce que tu entends par là ?

– Je n'en sais rien. Mais ça sonne bien, tu ne trouves pas ?

Moustique éclata de rire.

– Idiot, va ! Pendant un instant, j'ai cru que tu étais sérieux...

– Je suis parfaitement sérieux, protesta Vulpin. Je m'efforce juste de pimenter un peu la chose. Un **charme** pour l'intérieur, c'est tout ce que j'ai besoin de savoir.

– Et la puissance ? interrogea Moustique.

– Oups ! Ça m'était sorti de l'esprit. Petite, moyenne ou grande ? Pardon. Je voulais dire...

Moustique vint au secours de son ami :

– Minimum, médium, maximum.

– C'est ça. Alors ?

Moustique se tourna vers Jenna, qui répondit :

– Maximum. Par précaution.

– Je vais voir ce qu'on a en réserve. Livraison dans une heure sur ton lieu de travail ?

– Merci. Si tu ne me trouves pas, dis à Larry que c'est pour le boulot.

– C'est noté. On déjeune ensemble demain ?

– Ça marche. À plus, Vulpy !

Vulpin se dirigea ensuite vers la porte multicolore de **Magyk** Sandwich avec la démarche d'un héron déambulant dans les marais.

Sitôt seule, Jenna prit la direction du champ de foire. Elle cherchait toujours un cadeau d'anniversaire original pour Septimus, mais surtout, elle ne désirait pas regagner le palais avant l'heure de son rendez-vous avec Moustique. Si Sarah la voyait, elle l'entraînerait dans une nouvelle discussion au sujet de Simon. Jenna avait attendu d'être seule dans sa chambre pour lire la lettre de son grand frère. Elle l'avait ensuite chiffonnée et jetée par terre, et quand Sarah lui avait demandé des détails sur son contenu, elle s'était montrée laconique : « Il dit qu'il regrette. »

Chaque année, les habitants du Château étaient nombreux à venir s'approvisionner en étoffes de laine, bougies, lanternes, fourrures et peaux de mouton, viandes, poissons et fruits séchés à la foire d'hiver, avant que le Grand Gel ne les isole du reste du monde durant six semaines ou plus. Ils s'y régalaient également de tartes, feuilletés, châtaignes grillées, et de la variété presque infinie de vins chauds qu'on y servait. Quand ils étaient las de parcourir les étals, ils se posaient pour regarder les jongleurs, acrobates et cracheurs de feu qui se produisaient à l'intérieur d'un espace délimité par des cordes, devant le bureau des marchands.

En dépit du chaos qui semblait y régner, la foire était parfaitement organisée. Les marchands devaient se conformer à des règles rigoureuses, l'attribution des étals obéissait à un système de licences très strict, et le marché était divisé en secteurs suivant la nature des biens qu'on y vendait. Toutefois, en ce jour de clôture, une foule de badauds surexcités avaient envahi les allées, à l'affût d'une affaire ou d'un cadeau de dernière minute pour la fête du solstice d'hiver, se ruant sur des articles dont ils n'avaient pas vraiment besoin, « au cas où ». Les commerçants aux yeux pâles et à l'accent chantant s'époumonaient à vanter leur marchandise, tentant d'écouler tout un bric-à-brac qui n'avait pas trouvé preneur jusque-là. Leurs cris couvraient le vacarme ambiant, rappelant à chacun qu'on n'était plus qu'à quelques jours de la fête du solstice d'hiver, et qu'ensuite arriverait le Grand Gel.

Jenna ne manquait jamais de visiter le mail des Artisans. Depuis qu'elle était toute petite, elle n'avait dérogé à cette règle qu'une seule fois, l'hiver de ses dix ans. Cette section, créée à une époque relativement récente, s'étirait en bordure de l'avenue et autour de la vaste place circulaire à l'extrémité de l'ancienne voie Cérémonielle. Chaque année, elle flânait parmi les étals, dressant mentalement une liste de cadeaux d'anniversaire idéale. Il était rare qu'elle reçoive quoi que ce soit figurant sur sa liste, mais cela n'enlevait rien au plaisir que lui procuraient ces moments de rêverie. N'ayant rien trouvé d'original à offrir à Septimus à l'intérieur de la foire proprement dite, elle décida de tenter sa chance au mail. Pour accéder à celui-ci, elle dut d'abord traverser la section des fourreurs, où elle reconnut l'odeur âcre des peaux de foryx. Tandis qu'elle jouait des coudes au milieu de la foule, elle se fit la réflexion amère que le respect que les habitants du

Château témoignaient habituellement à leur princesse n'était pas de mise à la foire.

L'air était nettement plus respirable le long du mail, et Jenna retrouva bientôt l'excitation qui accompagnait chacun de ses anniversaires. Elle recommença à flâner, scrutant les étals. Elle fit deux fois le tour de la place sans rien voir qui lui plaise, mais elle commençait à soupçonner que son incapacité à choisir un cadeau pour Septimus tenait moins au choix qui s'offrait à elle qu'à son état d'esprit. En dernier recours, elle se dirigea vers son étal de bijoux et d'amulettes préféré, à proximité de la guérite de péage du mail.

L'étal appartenait à Sophie Barley, une talentueuse jeune femme originaire du Port. (Contrairement au reste de la foire, le mail louait des emplacements à des commerçants non affiliés à la Ligue des marchands du Nord. Ceux-ci venaient le plus souvent du Port, les habitants du Château préférant acheter plutôt que vendre.) À la place de l'aimable Sophie, Jenna eut la surprise de découvrir trois vendeuses à l'allure étrange, vêtues de différentes nuances de noir. En retrait derrière l'étal, une vieille femme au visage plâtré de blanc était avachie dans un fauteuil croulant, les yeux clos. Une silhouette mince se tenait à ses côtés, enveloppée dans une cape tachée de boue, les traits dissimulés dans l'ombre d'une capuche.

Comme Jenna approchait, un murmure excité s'échappa de la capuche :

– Ça alors ! La princesse !

– Ne t'en mêle pas, imbécile ! gronda celle des trois vendeuses qui paraissait commander les autres.

Elle avait une expression féroce, et quand elle releva brièvement la tête, Jenna décela dans son regard une méchanceté qui lui glaça le sang.

– Je peux vous aider ? demanda-t-elle.

Les deux autres vendeuses – une grande asperge aux cheveux relevés sur le dessus de la tête et une petite grassouillette au plastron constellé de taches de nourriture – se poussèrent du coude et gloussèrent dans le dos de leur chef.

Jenna n'avait pas besoin d'aide. Sophie, elle, la laissait examiner sa marchandise tout à sa guise et essayer ce qui lui plaisait. Et elle n'avait certes pas l'habitude de lui arracher des mains le premier bijou qu'elle touchait en débitant : « Ça fait une demi-couronne. On ne rend pas la monnaie. Emballe-le, Daphné », comme le fit la chef des vendeuses avec le délicat pendentif en forme de cœur flanqué de deux minuscules ailes que Jenna venait de cueillir sur son tapis de velours.

– Je n'ai pas l'intention de l'acheter ! protesta Jenna.

– Pourquoi l'avez-vous pris, alors ?

– Je voulais juste le regarder.

– Pour ça, vous pouviez très bien le laisser sur la table. Toucher, c'est vendu.

Jenna dévisagea la femme. Elle eut l'impression de l'avoir déjà vue quelque part, et ses acolytes aussi.

– Où est Sophie ? demanda-t-elle.

– Qui ?

– Sophie Barley. Cet étal lui appartient. Où est-elle ?

La femme dévoila une rangée de dents noircies.

– Elle n'a pas pu venir. Elle a été... retenue ailleurs.

Ses deux complices ricanèrent de plus belle dans son dos.

Jenna fit mine de s'éloigner. Sans Sophie, les bijoux exposés lui paraissaient beaucoup moins séduisants.

– Attendez ! fit une voix stridente derrière elle.

Jenna se retourna.

– On a de très jolis **charmes**. Et ceux-là, on peut les toucher sans payer. Pas vrai ?

– La ferme, Dorinda ! C'est mon affaire.

La chef jeta un regard noir à la silhouette enveloppée dans la cape, debout près de la vieille, puis elle fit volte-face vers Jenna, et les coins de sa bouche se relevèrent dans une tentative de sourire.

– En effet, Votre Altesse, nous avons une ravissante collection de **charmes**. Vraiment... charmants.

Elle eut une sorte de hoquet que Jenna interpréta comme un rire, à moins qu'elle n'ait été prise d'une quinte de toux. Puis elle indiqua deux coffrets en bois sur le devant de l'étal. Intriguée, Jenna s'approcha. Chacun contenait un bijou en forme d'oiseau, niché dans un morceau d'étoffe blanche. Les oiseaux, très différents des articles que vendait habituellement Sophie, brillaient d'un éclat bleuté qui rappela à Jenna les martins-pêcheurs qu'elle observait parfois, enfant, à travers la lucarne au-dessus de son lit. Fascinée malgré elle, elle admira leur plumage, restitué avec une telle minutie qu'on l'aurait cru réel. Elle avança un doigt vers l'un d'eux pour le caresser et éloigna aussitôt sa main, comme s'il l'avait piquée avec son bec. L'oiseau était vivant. Son corps doux et tiède palpitait d'une respiration affolée.

Les paupières de la vieille femme dans le fauteuil se soulevèrent brusquement, comme celles d'une poupée quand on la redresse.

– Prends le petit oiseau dans ta main, ma jolie, dit-elle d'une voix enjôleuse.

Jenna recula.

La chef des vendeuses se retourna vers la vieille, furieuse.

– Imbécile ! grinça-t-elle. Je vous avais dit de me laisser faire...

Au même moment, la femme enveloppée dans la cape poussa un cri à la fois excité et horrifié. La vieille s'était levée d'un bond, montrant une agilité insoupçonnée, et pointait un index crasseux vers celle qui l'avait insultée.

– Ne me parle plus jamais sur ce ton, gronda-t-elle.

Le visage de la vendeuse devint aussi blanc que celui de la vieille.

– Pardon, Grande... Je m'excuse, se reprit-elle.

Jenna comprit alors à qui elle avait affaire.

– Hé ! s'exclama-t-elle. Vous êtes...

La vendeuse se pencha par-dessus l'étal et la fixa d'un regard mauvais.

– Oui ? lui lança-t-elle d'un air de défi.

Jenna jugea plus prudent de taire sa découverte.

– Vous êtes méchante, acheva-t-elle piteusement.

Puis elle s'éloigna en hâte tandis que les sorcières du Port – car c'étaient elles – accompagnaient sa retraite d'un concert de gloussements et de ricanements frénétiques.

– Je savais que ça ne marcherait pas, déclara Daphné – la petite boulotte au plastron maculé de taches – d'un ton maussade une fois que Jenna eut disparu dans la foule. Les princesses ne se laissent pas facilement attraper. Les filles de Wendron ont essayé d'avoir celle-ci, et elles ont échoué.

– Peuh ! fit Linda, la méchante. Celles de Wendron auraient beaucoup à apprendre. En fait, j'ai hâte de leur donner la leçon qu'elles méritent, ajouta-t-elle avec un rire désagréable.

La sorcière encapuchonnée, debout près de la Grande Mère du coven, fit entendre un cri plaintif :

– Elle n'a pas pris l'oiseau !

– Arrête de geindre, Dorinda, lui rétorqua Linda. Elle ne l'a pas pris, mais elle l'a touché.

Penchée au-dessus de l'étal, Linda souffla alors un long ruban de vapeur grise qui s'enroula autour des oiseaux. Les autres, qui s'étaient approchées, distinguèrent un mouvement rapide, et deux minuscules oiseaux au plumage irisé s'élevèrent dans les airs. Aussi rapide qu'un chat, Linda les cueillit au vol et les brandit d'un air triomphant devant ses sœurs.

Elle sortit une petite cage en argent reliée à une chaîne, aussi précieuse que les bijoux exposés sur l'étal, des plis de la guenille noire qui lui servait de robe. Ayant dévissé le fond, elle ouvrit la main droite et abattit vivement la cage sur l'oiseau qu'elle retenait dans celle-ci. Malgré sa taille, la minuscule créature paniquée se trouvait à l'étroit dans sa nouvelle prison. Linda la poussa du doigt avant de remettre le fond en place. Puis elle attacha la chaîne autour de son cou, exhibant la cage comme un pendentif extravagant.

– Mon otage, expliqua-t-elle.

Les autres sorcières acquiescèrent, impressionnées et aussi un peu effrayées, comme toujours avec Linda.

Celle-ci approcha sa main gauche de la cage et desserra lentement les doigts, faisant apparaître le second oiseau. Le malheureux lança un cri de détresse à la vue de son compagnon prisonnier. Linda planta ses yeux dans les siens et lui parla d'une voix basse et menaçante. Posé sur sa paume, l'oiseau écoutait, tétanisé. Quand elle eut fini, il prit son envol et s'immobilisa au-dessus de la cage qui se balançait au bout de la chaîne d'argent. Linda pointa vers lui un ongle crochu, et il disparut. Devenu invisible, il s'éloigna à tire d'ailes, décrivant au-dessus de la place une trajectoire erratique qui suivait celle de Jenna.

– Des inséparables, commenta Linda. Ah ! L'amour... Quelle bêtise ! Mais grâce à cette bêtise, dit-elle, montrant sa paume vide, cet oiseau est prêt à me manger dans la main... Et bientôt, la princesse en fera autant, ajouta-t-elle en refermant le poing.

✦ 10 ✦
AU GRENIER

Jenna et l'oiseau invisible arrivèrent aux grilles du palais en même temps que Moustique.

– Je croyais... être en retard, dit ce dernier, essoufflé. Vulpin... Maître scribe, tu parles !

– Quoi, il ne l'est pas ? fit Jenna, étonnée.

– Il le serait si Jillie Djinn le laissait faire son boulot. Le temps qu'il regagne le Manuscriptorium, elle avait enfermé tous les **charmes** dans le cabinet hermétique – « pour procéder à leur inventaire », a-t-elle prétendu – et elle lui en a refusé l'accès.

Jenna leva les yeux au ciel.

– Quelle folle ! Heureusement que tu n'as plus affaire à elle... Mais alors, tu n'as pas pu te procurer un **charme protecteur** ?

– Ne t'inquiète pas, répondit Moustique, souriant. Je n'en aurai sans doute pas besoin. Et puis, Vulpin m'a donné ça. Il dit que ça me sera plus utile.

Il sortit un petit morceau de bois

plat et légèrement incurvé de la poche intérieure de sa veste d'amiral et le montra à Jenna.

– Il provient d'un capitaine de vaisseau qui l'a échangé contre un philtre d'amour. Tu dois le placer près de ton cœur, comme ça, expliqua Moustique en remettant le morceau de bois dans sa poche. À en croire Vulpin, si tu as très peur, il le sent et te transporte au dernier endroit où tu t'es senti en sécurité. On y va ?

Ils remontèrent l'allée sous un épais nuage noir provenant du Port. Jenna ne voulant pas risquer de rencontrer Sarah, ils empruntèrent le chemin qui contournait le palais. Quand ils atteignirent la petite porte au pied de la tourelle Est, une bise glaciale soufflait de la Rivière et il commençait à pleuvoir de la neige fondue. Une rafale soudaine referma brutalement la porte derrière eux, et l'écho se répercuta le long du promenoir.

Une obscurité inhabituelle régnait à l'intérieur. Quand Nicko était revenu sain et sauf de son voyage dans le temps, Jenna avait célébré l'occasion en invitant Maizie Smalls, qui allumait les torchères le long de la voie du Magicien, à vivre au palais. En échange de deux pièces avec vue sur la Rivière et d'un repas quotidien, Maizie veillait à ce qu'il brûle en permanence une bougie dans chaque pièce du palais et à ce que le promenoir soit correctement éclairé. Mais elle n'entamait sa « tournée d'allumage », comme elle l'appelait, qu'une demi-heure avant la nuit, et malgré le ciel plombé, celle-ci n'était pas censée tomber avant une heure.

En temps normal, Jenna trouvait déjà le promenoir et son bric-à-brac d'objets bizarres effrayants, mais la lumière déclinante accentuait son malaise. Aussi, quand Moustique alluma sa vieille lampe d'inspection des tunnels de glace (un des souvenirs qu'il avait conservés du Manuscriptorium) et braqua son faisceau bleuâtre sur un trio de têtes réduites ricanantes, elle ne put retenir un cri.

– Désolée, dit-elle, plaquant une main sur sa bouche. J'ai les nerfs à vif.

– OOOOOUHHHH, fit Moustique d'une voix sinistre, éclairant son visage par-dessous.

– Arrête, Moustique ! C'est horrible...

Moustique dirigea alors la lampe devant lui. Le couloir était si long qu'on n'en distinguait pas l'extrémité.

– Moi non plus, je ne suis pas tranquille, murmura le jeune garçon. J'ai l'impression que quelque chose nous suit, ajouta-t-il en jetant un coup d'œil par-dessus son épaule, mais je ne vois rien.

Jenna se retourna à son tour. Elle aussi, elle avait cru percevoir une présence aussi discrète que le battement d'ailes d'un papillon, mais elle n'en avait rien dit pour ne pas inquiéter son compagnon. L'image du papillon lui rappela les deux oiseaux frissonnant au fond de leurs coffrets...

– Je ne vois rien non plus, dit-elle à voix haute, surtout afin de se rassurer.

L'oiseau invisible se reposa quelques minutes sur une des têtes réduites – ce vol prolongé fatiguait ses minuscules ailes – avant de reprendre sa filature.

Ils dépassèrent rapidement le boudoir de Sarah Heap, puis une porte sur laquelle on pouvait lire Éditions palatines écrit à la craie : le bureau de Silas. Jenna fut soulagée de constater que les deux étaient vides. Ils parvinrent bientôt à un escalier étroit qui menait au premier étage. Celui-ci comportait surtout des appartements privés donnant sur la Rivière, à l'arrière du bâtiment, ainsi que la salle du trône désaffectée. Un large couloir à l'atmosphère feutrée le traversait. D'épaisses tentures poussiéreuses masquaient la plupart des fenêtres et des portes, atténuant les courants d'air. Le tapis qui revêtait le centre du sol – le plus long au monde, prétendait la rumeur – avait été confectionné sur place, par une équipe d'ouvriers itinérants.

La pénombre semblait étouffer l'écho de leurs pas. Jenna croyait l'étage inoccupé à cette heure de la journée, mais comme ils dépassaient la porte de Maizie Smalls, celle-ci s'ouvrit et l'allumeuse de torchères surgit devant eux.

– Oh ! fit Maizie, surprise. Bonjour, Votre Altesse... et Moustique. Je ne m'attendais pas à vous voir... Surtout ici, au premier étage, ajouta-t-elle, regardant le jeune garçon d'un air soupçonneux.

Moustique se prit à espérer que la quasi-obscurité dissimulerait la rougeur qui avait envahi son visage.

– Vous êtes en avance, remarqua Jenna, agacée.

– C'est ce soir la nuit la plus longue, princesse. Je dois allumer toutes les torches avant le crépuscule, et je donne toujours un coup de main pour les illuminations de la voie du Magicien. Je n'ai pas une minute à perdre.

Maizie tira une petite montre de sa poche et y jeta un rapide coup d'œil avant d'enchaîner :

– J'ai allumé toutes les bougies des étages. M. Pot s'occupera de celles du rez-de-chaussée. Après ça, vous serez parés.

Au même moment, un crépitement leur fit lever les yeux. Une rafale de neige fondue s'était abattue sur un dôme.

– C'est un temps à ne pas mettre un chien dehors, soupira Maizie. Bon, il faut que j'y aille.

Jenna et Moustique se remirent en marche dans un silence gêné. Ils passèrent devant l'entrée du couloir qui conduisait à la chambre de Jenna, et à sire Hereward. Le vieux fantôme leva son bras unique pour les saluer, et peu après, ils atteignirent le pied de l'escalier du grenier.

Un rideau de velours rouge élimé, fixé au mur par un assortiment de clous rouillés, en barrait l'accès. Jenna reconnut aussitôt la manière de Silas Heap.

– On dirait que papa a fini par m'écouter, murmura-t-elle.

– Ça fait un peu bricolé, jugea Moustique.

– Papa est le roi du bricolage.

– Je suppose que ce rideau cache un **portique de sécurité**. Certains ont un aspect bizarre. Tu permets que je regarde ça de plus près ?

– Je t'en prie.

Moustique prit son couteau multifonction dans sa poche et sélectionna la lame qui permettait d'arracher de vieux clous d'un mur en plâtre. Au premier qu'il tenta d'extraire, une large plaque de plâtre se détacha du mur et le rideau tomba sur lui, l'enveloppant d'un nuage de poussière et d'araignées mortes.

– Ouf ! fit-il. Eurgh... Laiffe-moi. *Laiffe-moi* !

Le rideau ne réagit pas. Convaincu d'avoir affaire à une créature maléfique descendue du grenier, Moustique se mit à le larder de coups d'arrache-clou.

– Argh… Au f'cours !

– Tiens-toi tranquille ! lui cria Jenna, s'efforçant de le débarrasser du rideau. Arrête de te débattre !

Sa voix finit par parvenir aux oreilles de Moustique.

– Hein ? fit-il.

– Je disais, tiens-toi tranquille quelques secondes. Et arrête de massacrer ce pauvre rideau.

Celui-ci cessa de s'agiter, et Jenna put libérer sa proie couverte de poussière.

– Atchoum ! éternua Moustique.

Jenna considéra les débris de velours sur le sol et éclata de rire.

– Moustique : un. Rideau : zéro.

Son compagnon, mortifié, brossa les manches de sa veste et passa prudemment un bras dans l'espace libéré par le rideau.

– Pas de **portique**, remarqua-t-il. Ou s'il y en avait un, le rideau l'a entraîné dans sa chute. Sans doute les deux étaient-ils **liés**. Maintenant que j'y pense, j'ai ressenti des picotements quand il s'est abattu sur moi. C'est ce qui m'a fait croire qu'il… eh bien, qu'il m'attaquait. Si je me suis débattu, ce n'est pas parce que j'ai paniqué, mais parce qu'il se passait un truc pas normal.

– Ah oui… Mais si la barrière que papa a installée est tombée, il faudrait peut-être le prévenir ?

– Je vais d'abord faire un tour là-haut, dit Moustique, désireux de se racheter après l'épisode du rideau.

– Je ne…

Résolu à ne pas gâcher cette occasion d'impressionner la princesse, Moustique s'engagea dans l'escalier avant qu'elle puisse l'arrêter.

– ... pense pas que ce soit prudent, acheva Jenna.

Moustique se retourna.

– Tout va bien se passer, assura-t-il.

– Je ne crois pas, non.

Jenna venait d'apercevoir la nappe d'ombre mouvante au sommet de l'escalier.

– Je vais juste jeter un coup d'œil, pour pouvoir dire à Marcia de quoi il retourne, plaida Moustique.

Comme Jenna faisait mine de le rejoindre, il lui barra le chemin :

– Non, dit-il. Laisse-moi faire. C'est toi qui me l'as demandé, je te rappelle.

– L'espèce de brume est toujours là, rétorqua Jenna, levant les yeux vers le palier. J'avais oublié à quel point elle était terrifiante. On ferait mieux d'aller chercher papa, ou même Marcia. Je le pense vraiment.

– Je te dis que tout va bien se passer, insista Moustique. Je jette un coup d'œil et je redescends. D'accord ?

Il paraissait tellement solide, tellement imposant, que Jenna recula.

– D'accord, dit-elle à contrecœur. Mais je t'en prie, sois prudent.

Moustique tira une longue chaîne d'une de ses poches, en détacha sa montre et plaça celle-ci dans la main de Jenna.

– Je ne resterai là-haut que quelques secondes, le temps de voir ce qui s'y passe. Si je ne suis pas de retour d'ici... trois minutes, tu iras chercher Silas. Ça va comme ça ?

Jenna hésita avant d'acquiescer.

Moustique entreprit de monter l'escalier raide, conscient

que Jenna surveillait ses moindres mouvements. À l'approche du sommet, la peur s'insinua en lui, et il s'arrêta. Trois marches plus haut, juste devant lui, se dressait un mur de ténèbres mouvantes, tourbillonnantes, infiniment plus menaçantes que la pénombre de fin d'après-midi d'hiver mêlée à des vapeurs magiques qu'il espérait secrètement découvrir.

– Tu vois quelque chose ? demanda Jenna.

Sa voix lui semblait déjà très lointaine.

– Non... Pas vraiment.

– Tu devrais peut-être redescendre.

C'était aussi l'avis de Moustique. Mais quand il se retourna et vit le regard plein d'attente de Jenna levé vers lui, il sut qu'il devait poursuivre. Déterminé à ne plus jamais céder à la peur devant elle, il s'obligea à gravir les quelques marches jusqu'au palier.

Au pied de l'escalier, Jenna vit la masse obscure déployer en direction de Moustique un appendice nébuleux qui s'enroula autour de ses jambes. Le jeune garçon eut alors la certitude que son père l'attendait au cœur de la pénombre. Pour le rejoindre, il n'avait qu'à se fondre en elle. Il fit un pas en avant... et disparut.

Jenna baissa les yeux vers la montre et commença à compter les minutes. Au-dessus d'elle, un petit oiseau invisible l'observait, agitant les ailes sans bruit et comptant également les longues minutes qui le séparaient du moment où il ramènerait la princesse à son compagnon captif.

II
AU CŒUR DU DOMAINE TÉNÉBREUX

Moustique s'enfonça dans la pénombre mouvante, et une vague de bonheur le submergea. Il savait à présent que son père n'avait pas succombé à une morsure de serpent, comme le prétendaient sa mère et une lettre de condoléances au papier presque usé émanant des autorités du Port. Non seulement il était vivant, mais il se trouvait là, à cet endroit même, et il avait hâte de voir son fils.

Moustique pénétra plus avant dans l'obscurité. Il avait la sensation de fouler le fond d'un océan sombre et tumultueux avec des semelles de plomb. La brume étouffait le moindre son, et sa respiration même paraissait ralentie. Des **créatures** – même s'il ne les percevait pas sous cette forme – se mouvaient en bordure de son champ visuel, tirant sur ses vêtements, le poussant dans le dos. Conscient de vivre le moment le plus important de son existence, il avançait d'un pas lent, presque solennel. Il n'avait qu'à pousser la bonne porte pour se retrouver face à la personne qu'il avait toujours désiré rencontrer.

Il progressait le long d'un corridor apparemment sans fin, dépassant des chambres où s'entassaient de vieux matelas, des cadres de lit cassés et des meubles mis au rebut, mais aucune n'abritait son père. Soudain un éternuement parvint à ses oreilles. Son cœur fit un bond. Enfin, il touchait au but. Combien de fois avait-il entendu sa mère se lamenter : « Si ton père n'avait pas été allergique à tout et n'importe quoi, il n'aurait pas enflé comme une baudruche quand ce serpent l'a mordu, et il serait toujours en vie » ? Un peu nerveux, le jeune garçon s'approcha de la chambre d'où provenait l'éternuement. Par la porte entrouverte, il aperçut une forme humaine couchée dans un lit étroit, la couverture remontée jusqu'aux oreilles. Comme il entrait sur la pointe des pieds, un nouvel éternuement secoua la forme étendue. Moustique s'immobilisa. Les mots qu'il avait toujours rêvé de prononcer lui brûlaient les lèvres. Il prit une profonde inspiration et se lança :

– Bonjour, papa. C'est moi, ton f...

La silhouette se dressa dans le lit.

– Heeeein ?

– Toi ! souffla Moustique, abasourdi. Tu n'es pas mon...

Merrin Mérédith, les cheveux en bataille, les narines rouges et écorchées, paraissait encore plus abasourdi que lui. Il éternua violemment et se moucha dans son drap.

Moustique se ressaisit. Son unique chance de connaître son père venait de s'évanouir. La tristesse l'envahit, aussitôt remplacée par la peur : son imprudence lui apparaissait à présent. Il s'était précipité tête baissée dans un **domaine ténébreux**. S'efforçant de garder son calme, il considéra Merrin, recroquevillé sur le lit. L'ex-apprenti de DomDaniel offrait un spectacle pathétique. De longues mèches de cheveux gras barraient son front constellé de boutons. Alors qu'il tripotait fébrilement sa couverture, le regard de Moustique tomba sur son pouce gauche, enflé et décoloré, et sur la sinistre bague à deux faces qu'il se rappelait l'avoir vu porter à l'époque déjà lointaine où il travaillait au Manuscriptorium.

C'est juste Merrin Mérédith, pensa-t-il. *Un parfait tocard. Même en un million d'années, il serait incapable d'*engendrer *un* domaine ténébreux *digne de ce nom.*

Mais ces réflexions ne parvenaient pas à le rassurer. Ce qui le troublait, c'était le fait d'avoir retrouvé ses esprits à l'instant où il pénétrait dans la chambre. Si Merrin était bien à l'origine du **domaine**, il se trouvait précisément au centre de celui-ci – dans son « œil » – à l'abri des turbulences causées par la **Ténèbre**. Le seul moyen d'en avoir le cœur net était de quitter la chambre, mais Moustique répugnait à prendre ce risque. Un **domaine ténébreux** affectait la perception du temps et de l'espace. Il vous donnait l'impression de faire quelques pas quand vous parcouriez en réalité des dizaines de lieues. En fait, il lui avait semblé marcher une éternité le long du couloir. Qui sait s'il n'avait pas quitté le palais à son insu ? Il pouvait être n'importe où, dans les Maleterres, au fond de la Crique funeste ou du Donjon numéro un.

Son unique chance d'en sortir sans danger, songea-t-il, était de convaincre Merrin que sa tentative avait échoué et de l'amener à quitter le **domaine** avec lui. Pas évident, mais jouable. Évitant soigneusement de mentir pour ne pas renforcer le pouvoir de la **Ténèbre**, il attaqua :

– Tu peux me dire ce que tu fabriques au palais ?

– Atchoum ! Je pourrais te retourner la question. Ton nouveau patron t'a viré, ou quoi ? T'as rien de mieux à faire que de fouiner chez les gens ?

– Ça, c'est ta spécialité, lui rétorqua Moustique. En parlant de se faire virer... On m'a rapporté que Jillie Djinn avait fini par se rendre à l'évidence et te flanquer à la porte du Manuscriptorium. Il lui en aura fallu, du temps !

– La sale vache... marmonna Merrin.

Pour une fois, Moustique ne pouvait lui donner tort.

– D'abord, elle m'a pas flanqué dehors... Enfin, pas longtemps. Maintenant, cette face de tanche fait tout ce que je lui demande, grâce à *ça* !

Et Merrin brandit sous le nez de Moustique l'anneau d'or orné de deux têtes à l'expression maléfique, sculptées dans le jade, qu'il portait au pouce gauche : la bague à deux faces.

– T'as trouvé ça où ? demanda Moustique d'un ton méprisant. À la Grotte-Gothic ?

– T'y connais rien, andouille. C'est de l'authentique. Grâce à ça, ces petits péteux de scribes filent doux devant moi. C'est moi qui fais la pluie et le beau temps dans la baraque.

Tout en narguant Moustique, Merrin glissa discrètement la main sous son oreiller, vérifiant pour la vingtième fois de la journée que son exemplaire du *Codex* Tenebrae – le redoutable petit livre qu'il avait dérobé à l'observatoire à l'époque où il travaillait pour Simon Heap et qui l'avait conduit à la bague à deux faces – s'y trouvait toujours. La reliure en était cornée et légèrement moite, mais son contact provoqua chez lui un regain de confiance.

– Et bientôt, je ferai la pluie et le beau temps dans tout le Château, se vanta-t-il. L'imposteur, Septimus Heap, et son abruti de dragon n'auront qu'à bien se tenir. Tout ce qu'il sait faire, je le fais dix fois mieux ! Ça, par exemple, ajouta Merrin en écartant les bras.

– Quoi donc ? Se terrer dans le grenier du palais et étaler de la morve sur son drap ?

Durant une seconde, Moustique sentit son adversaire vaciller.

– Tu sais très bien de quoi je parle, protesta Merrin. Avec *ça*, je peux attirer n'importe qui ici. Pas plus tard qu'hier, la princesse, cette pimbêche, a mis son petit pied dedans, et ce matin, le vieux Heap y a passé sa tête de crétin. Ils ont pris peur et se sont enfuis, mais ça ne fait rien. On a obtenu ce qu'on voulait.

– « On » ?

– Ouais, j'ai du soutien, figure-toi. Tu ferais bien de te méfier, le larbin, parce qu'aujourd'hui, je t'ai bel et bien attrapé ! Et toi qui espérais trouver ton imbécile de père...

Moustique avait oublié à quel point Merrin pouvait se montrer odieux. Il se retint de lui coller son poing dans la figure. Ça n'en valait pas la peine, comme n'aurait pas manqué de le lui rappeler Jenna.

– Si je suis là, rétorqua-t-il, c'est parce que la princesse m'a demandé de chercher la cause des bruits qu'elle entendait dans le grenier. Je lui ai dit qu'à mon avis ça venait des rats, et j'avais raison. J'ai débusqué un gros rat stupide.

– Je t'interdis de me traiter de rat stupide ! s'emporta Merrin. C'est toi qui es stupide d'avoir foncé dedans...

– Dans quoi ? Dans la porcherie qui te sert de chambre ?

– T'as rien remarqué ? interrogea Merrin, quelque peu ébranlé.

– Tout ce que j'ai vu, c'est des pièces vides et d'autres remplies de vieilleries, répondit Moustique, toujours attentif à dire la vérité.

– Et rien d'autre ?

Sentant poindre la victoire, Moustique évita de répondre directement.

– Enfin, qu'est-ce que tu racontes ? dit-il d'un ton hargneux.

Merrin parut se décomposer.

– Rien ne marche jamais comme je voudrais, gémit-il, levant les yeux vers Moustique, en quête de soutien. C'est parce que je ne suis pas dans mon assiette. Sans cet horrible rhume, j'aurais réussi.

– Réussi quoi ?

– Occupe-toi de tes oignons.

Moustique fit mine de s'éloigner, espérant avoir convaincu Merrin de l'échec de son **domaine ténébreux**.

– Dans ce cas, je te laisse. Je dirai aux Heap où te trouver.

– Attends ! cria Merrin comme il allait atteindre la porte.

Moustique s'arrêta. Il ressentit un soulagement intense qu'il s'efforça de cacher.

– Oui ?

– Je t'en prie, Moustique, ne leur dis rien. J'ai nulle part où aller, je suis malade comme un chien, et tout le monde s'en fiche...

Merrin examina le drap, cherchant un endroit propre pour se moucher.

– À qui la faute ?

– La mienne, je sais... Comme toujours. C'est trop injuste...

Tandis que Merrin tripotait nerveusement sa bague, une averse de grêle crépita contre la vitre. Il leva un regard suppliant vers Moustique.

– Il fait froid dehors, et la nuit va tomber. S'il te plaît...

Moustique passa à l'étape suivante de son plan :

– Écoute, dit-il à Merrin, Sarah Heap est gentille. Elle ne te jettera pas à la rue, pas dans ton état... Elle prendra soin de toi jusqu'à ce que tu ailles mieux.

Cette fois, il n'avait pas eu à se forcer pour dire la vérité.

– Tu crois ? fit Merrin.

– Oui. Sarah Heap veillerait sur n'importe qui, même sur toi.

N'ayant pu trouver un seul coin de drap sec, Merrin se moucha dans la couverture.

Moustique insista :

– Et si tu redescendais avec moi ? Il fait chaud, en bas.

– D'accord, dit Merrin.

Pris d'une quinte de toux, il laissa retomber sa tête sur son oreiller taché.

– Je... je me sens trop faible pour me lever, murmura-t-il.

– Ne dis pas de bêtises ! Ce n'est qu'un rhume...

– J'ai... j'ai la grippe. Peut-être même une pneu... pneumonie.

Pour une fois, Merrin semblait sincère. Il n'avait vraiment pas bonne mine. La fièvre brûlait dans son regard, et il avait du mal à respirer.

– Je vais descendre avec toi, reprit-il d'une voix rauque. Je vais me rendre, promis. Mais tu vas devoir m'aider...

À contrecœur, Moustique s'approcha du lit. Il sentait la crasse, la sueur et la maladie.

– Merci, murmura Merrin, fixant étrangement l'espace derrière Moustique.

Celui-ci ressentit un picotement désagréable le long du dos, et la température chuta de plusieurs degrés dans la petite chambre déjà glaciale. Merrin tendit vers lui une main poissée de morve, et quand Moustique se pencha vers lui, rassemblant son courage avant de le saisir, il se redressa vivement et lui agrippa l'avant-bras, serrant de toutes ses forces. La bague à deux faces s'enfonça dans sa chair et devint brûlante, lui arrachant un cri de douleur.

– C'est pas moi qui suis stupide, souffla Merrin, regardant toujours un point derrière Moustique. C'est toi !

Moustique frissonna. Il savait que quelque chose d'horrible se trouvait derrière lui et n'osait se retourner.

Même s'il l'avait fait, il n'aurait pu voir la masse grouillante de **créatures** qui se pressaient dans son dos, inquiètes de voir leur maître perdre son emprise sur le **domaine**. Merrin les avait fait apparaître dans les Maleterres dix-huit mois plus tôt, le jour où il s'était emparé de la bague. Quand celle-ci avait atteint sa pleine puissance, il les avait convoquées au palais afin d'accomplir son « plan », comme il l'appelait.

– T'es dans mon domaine **ténébreux**, croassa-t-il, et je sais que tu le sais !

Moustique chancela. La douleur irradiait dans son bras et jusque sous son crâne. Il avait la nausée, et la tête lui tournait.

Il tenta de se dégager mais Merrin avait une poigne d'acier. De sa main libre, l'ex-apprenti de DomDaniel tira de sous ses couvertures un petit livre écorné qu'il agita triomphalement devant sa victime.

– Tu vois ce bouquin ? Je l'ai lu en entier. Grâce à lui, je peux faire des trucs dont t'as même pas idée. Attends un peu, le larbin... Bientôt, tout le monde dans ce petit Château puant et encore plus dans ce gourbi, le Manuscriptorium, regrettera de ne pas avoir été plus gentil avec moi. Ça oui ! Ce palais n'est plus à l'idiote de princesse, mais à moi ! Puis ce sera le tour du Château, et j'aurai tout ce que je veux. Tout !

Merrin postillonnait. Moustique aurait voulu s'essuyer la joue mais il était incapable de bouger.

– Quant à ce Septimus Heap... Il va se mordre les doigts d'avoir volé mon nom. Une fois que je lui aurai réglé son compte, il n'y aura plus qu'un Septimus Heap, et ce sera moi. Le Manuscriptorium, la tour du Magicien, tout sera à moi, et j'aurai un dragon dix fois plus fort que l'espèce de monstre bouffé aux mites sur lequel il se pavane.

– Dans tes rêves, oui ! lui rétorqua Moustique avec une confiance qu'il était loin d'éprouver. Derrière les rodomontades de Merrin, il soupçonnait une puissance telle qu'il était tenté de le croire.

Merrin ne prit pas la peine de répondre. Serrant le bras de Moustique d'une main et le livre ouvert de l'autre, il commença à lire d'une voix basse et monotone. Un **brouillard ténébreux** enveloppa Moustique. Les mots terribles lui parvenaient comme s'il s'était trouvé au fond d'un puits très sombre et profond. La peur le submergea, et sa respiration s'accéléra. Il lui semblait voir Merrin à l'extrémité d'un tunnel, brandissant son livre et ouvrant la bouche pour lui dire... Quoi donc ? Moustique ne devait jamais le savoir.

Au prix d'un effort surhumain, il tendit son bras libre et arracha le livre à Merrin.

– ...**Disparais** ! s'écria celui-ci.

Puis il protesta :

– Hé ! Rends-moi ça !

Mais Moustique ne lui rendit pas le livre. Il n'était plus là.

12
Boomerang

Moustique atterrit dans un endroit sombre et très inconfortable. Comprimé dans un espace exigu, les genoux repliés sur la poitrine, les bras noués au-dessus de la tête, il tenta de bouger mais il avait la sensation d'être pris dans un étau. La panique l'envahit. Qu'est-ce que Merrin lui avait fait ?

L'inconfort de sa position ne tarda pas à s'aggraver. Il éprouvait des fourmillements désagréables dans les bras, les jambes, et ne sentait déjà plus ses pieds. Coincée dans un angle, sa tête était calée contre le livre qu'il serrait toujours dans sa main gauche. Ses coudes et ses genoux meurtris appuyaient sur une surface dure. Le pire était l'impression, plus forte de seconde en seconde, qu'il allait devenir fou s'il ne pouvait pas s'étirer immédiatement.

Il prit une profonde inspiration, tâchant de se calmer, puis il ouvrit les yeux et scruta l'obscurité. Un rai de lumière filtrait à travers un interstice, trop faible pour qu'il puisse distinguer quoi que ce soit. Toutefois, cette vague clarté lui permit de contrôler sa peur, et il découvrit qu'il pouvait remuer – à peine – les doigts de la main droite. Surmontant la douleur, il les étira et gratta légèrement la paroi de sa prison, s'efforçant de deviner de quoi elle était faite. Une écharde glissée sous un ongle lui fournit la réponse : du bois. Une vague de terreur le submergea : il se trouvait dans un cercueil ! Un cri de détresse qui semblait provenir d'un animal pris au piège lui glaça le sang. Il lui fallut plusieurs secondes pour réaliser que ce hurlement désespéré avait jailli de sa gorge.

Derrière les battements affolés de son cœur, il prit soudain conscience d'un murmure assourdi qui lui parvenait à travers les parois du cercueil. Son imagination s'emballa. Il avait lu un jour que les **créatures** chuchotaient quand elles étaient affamées – ou en colère ? Il tenta de se rappeler. Les **créatures** connaissaient-elles la faim, et si oui, étaient-elles susceptibles de le manger, lui ? Si ça se trouvait, elles étaient juste en colère... Devait-il s'en réjouir ? Sans doute pas. D'un autre côté, il aurait donné n'importe quoi pour pouvoir sortir de sa prison et étirer ses membres. En fait, il aurait volontiers affronté un millier de **créatures** en échange du plaisir de déplier son dos et de se redresser de toute sa taille.

Il poussa une plainte sonore. Le murmure s'amplifia, noyant le bruit de son sang dans ses veines, puis un des côtés du cercueil se mit à trembler. Moustique ferma les yeux. D'une minute à l'autre, une **créature** arracherait la planche. Avec beaucoup de chance, il aurait alors quelques secondes pour étirer ses bras et ses jambes ankylosés. Et ensuite ? Ensuite, c'en serait terminé d'O. Moustique Moustique. Le jeune garçon songea à sa mère et étouffa un sanglot. Elle ne saurait jamais ce qu'il était advenu de son fils. Mais peut-être cela valait-il mieux... Le chuchotement devint plus insistant, et Moustique se prépara au pire.

Soudain le côté du cercueil fut arraché, et la lumière pénétra à flots dans sa prison. Moustique jaillit du placard des dépôts en attente du Manuscriptorium et s'écrasa sur le sol. Quelqu'un cria.

– C'est *toi* ? fit la voix de Vulpin.

Étendu sur le dos, Moustique se sentait aussi ramolli qu'un flan qu'on aurait démoulé avant qu'il soit complètement cuit. Il souleva les paupières et son regard plongea dans les narines de Vulpin. Le spectacle n'avait rien d'agréable.

– Quooooaaa ? coassa-t-il.

Plusieurs scribes s'étaient massés autour de Vulpin.

– Hé ! Moustique, tu te sens bien ? demanda une jeune fille aux cheveux bruns et courts.

Avec une expression soucieuse, elle s'agenouilla près de lui et l'aida à s'asseoir.

– Merci, Romilly. Maintenant, oui. Mais pendant un moment, j'ai cru que... que je ne me sentirais plus jamais bien.

Il secoua la tête pour chasser les pensées terrifiantes qui l'avaient assailli quelques minutes plus tôt.

Soudain une voix affreusement familière s'éleva :

– Que... Atchoum ! Que se passe-t-il ici, monsieur Vulpin ?

Vulpin se releva d'un bond.

– Rien de grave, mademoiselle Djinn, répondit-il. Juste un incident dans le placard des dépôts en attente. Un **charme** boomerang qui est revenu à l'improviste.

La silhouette replète de la première scribe, drapée dans une robe en soie bleu nuit, venait d'apparaître sur le seuil. Heureusement, grâce aux mesures d'économie qu'elle avait prises, il faisait trop sombre dans la salle du Manuscriptorium pour qu'elle voie ce qui se passait à proximité du placard.

– Il semble que vous soyez incapable de contrôler même un **charme** isolé, monsieur Vulpin, remarqua-t-elle. Si d'autres incidents devaient survenir – Atchoum ! – je serais amenée à reconsidérer votre promotion.

– Je... je... bredouilla Vulpin.

Jillie Djinn se moucha bruyamment et examina le résultat avec soin.

– Et d'abord, reprit-elle, comment se fait-il que ce **charme** ne figure pas dans l'inventaire ?

Comme Vulpin restait sans voix, Romilly vola à son secours :

– Il vient juste de rentrer, mademoiselle.

– Mademoiselle Badger, ce n'est pas à vous que je m'adressais, mais au scribe responsable des **charmes**. J'attends qu'il me réponde.

– Il vient juste de rentrer, mademoiselle, répéta Vulpin.

– Atchoum ! Dans ce cas, monsieur Vulpin, je vous ordonne de me le remettre *sur-le-champ* afin qu'il soit inscrit à l'inventaire.

– Passe-moi le **charme**, murmura Vulpin, affolé, à l'oreille de Moustique. Vite, avant qu'elle rapplique !

Moustique glissa une main tremblante dans la poche intérieure de sa veste d'amiral et en sortit le petit morceau de bois poli et légèrement incurvé.

– Merci, vieux, murmura-t-il en le tendant à Vulpin.

Les hauts pupitres du Manuscriptorium se dressaient dans la pénombre tels des arbres dépouillés par l'hiver. Ils semblaient former une haie d'honneur pour Vulpin quand le jeune homme remonta la salle sur toute sa longueur afin de remettre le minuscule boomerang à la première scribe hermétique.

– Pourquoi tous les scribes ont-ils quitté leur pupitre ? demanda celle-ci d'un ton soupçonneux.

– Eh bien, il y a eu un petit problème. Mais c'est réglé maintenant...

– Quel genre de – atchoum ! – problème ?

– Euh...

Vulpin n'était pas réputé pour sa vivacité d'esprit.

– Fort bien. Si vous n'êtes pas à même de me fournir une explication, je vais aller y voir par moi-même. Oh ! Pour l'amour du ciel, écartez-vous de mon chemin !

Vulpin se dandinait devant sa patronne comme s'il gardait une cage de but invisible, mais malheureusement, il n'était pas non plus réputé pour ses talents sportifs. La première scribe hermétique le repoussa d'une bourrade et s'avança entre les rangées de pupitres serrés.

Les scribes, qui s'étaient massés autour de Moustique afin de le protéger, voyant un boulet enveloppé de soie bleu nuit foncer droit sur eux, resserrèrent les rangs en prévision du choc.

– Qu'est-ce qui se passe ici ? attaqua Jillie Djinn. Pourquoi n'êtes-vous pas au travail ?

La voix de Romilly s'éleva à l'arrière du groupe :

– Il y a eu un accident.

– Un *accident* ?

– Quelque chose est tombé du placard à l'improviste.

– Les accidents surviennent toujours à l'improviste, observa Jillie Djinn d'un ton acerbe. Vous allez me rédiger un rapport détaillé précisant l'heure *exacte* de l'incident en question – atchoum ! – et vous me l'apporterez à signer.

– Bien, mademoiselle Djinn. Mais d'abord, je dois aller me faire un pansement en salle de **Physik**. Je n'en ai pas pour longtemps.

– Faites vite, mademoiselle Badger.

Jillie Djinn renifla d'un air pincé. Elle soupçonnait qu'on lui cachait quelque chose. Elle tenta de regarder par-dessus les scribes, mais les plus grands, emmenés par Barnabé Lagnel, qui se cognait la tête chaque fois qu'il passait une porte, se pressèrent alors autour d'elle.

– Je vous demande pardon, mademoiselle, dit un jeune homme dégingandé aux cheveux bruns et fins, mais en attendant le retour de Mlle Badger, auriez-vous la bonté de vérifier mes opérations ? Je ne suis pas sûr d'avoir bien calculé le nombre moyen de secondes de retard des visiteurs à leur premier rendez-vous au cours des sept dernières semaines. J'ai peur d'avoir fait une erreur de virgule...

– Monsieur Bécasseau, soupira Jillie Djinn, quand apprendrez-vous à placer correctement la virgule ?

– Cette fois, il me semble que j'ai *presque* compris... Quand vous aurez jeté un coup d'œil à ceci, ce sera parfaitement clair.

Bécasseau savait que Jillie Djinn ne laissait jamais passer une occasion d'expliquer l'usage de la virgule. Et donc, tandis que la première scribe hermétique se lançait dans un exposé tortueux et que Bécasseau étouffait moult bâillements, Romilly Badger évacua discrètement Moustique vers la salle de **Physik**.

Celle-ci, petite et décrépite, était mal éclairée par une minuscule fenêtre donnant sur la cour du Manuscriptorium. Elle contenait un lit au sommier défoncé, deux chaises et une table sur laquelle était posée une grande boîte rouge. Romilly fit asseoir Moustique, toujours secoué de frissons, au bord du lit et drapa une couverture sur ses épaules. Vulpin entra sans bruit et s'adossa à la porte.

– T'as une mine de déterré, remarqua-t-il.

Moustique parvint à sourire.

– Merci, vieux.

– Je suis vraiment désolé. Je croyais que ce stupide boomerang te ramènerait en sécurité, et non là où il était juste avant que je te le donne.

– Tu n'as pas à t'excuser, Vulpy. Crois-moi, ce placard valait mille fois mieux que l'endroit où j'aurais probablement atterri sans ton **charme**. Je regrette juste de ne pas avoir compris tout de suite où je me trouvais. Ça m'aurait évité de causer un tel raffut, acheva Moustique avec un sourire penaud.

Ses souvenirs se brouillaient. Il lui semblait vaguement avoir crié « Au secours » – ou pire, « Maman » – mais peut-être l'avait-il seulement fait dans sa tête... Du moins, il l'espérait.

– Non, t'as été très courageux.

Vulpin lui sourit, puis il se tourna vers Romilly et demanda :

– Où est-ce que tu t'es coupée ?

– Je n'ai rien, expliqua patiemment Romilly. Le pansement n'était qu'un prétexte pour emmener Moustique.

– Oh ! Je vois. Très malin.

Les deux garçons regardèrent Romilly ouvrir la boîte rouge et en sortir une large bande qu'elle enroula autour de son pouce.

– Je croyais que... commença Vulpin, décontenancé.

– À charge de preuve, dit Romilly d'un air mystérieux. Bien. Je vais m'assurer que la voie est libre, et ensuite, Moustique, on te fera sortir d'ici sans que tu-sais-qui remarque quoi que ce soit.

Vulpin referma vivement la porte derrière la jeune fille et reprit sa position.

– Elle est futée, dit-il d'un ton admiratif.

Moustique acquiesça. Il se sentait encore bizarre, mais il attribuait cette impression au fait de se retrouver sur son ancien lieu de travail (un travail et un lieu qu'il avait passionnément aimés) plutôt qu'à l'action de Merrin.

– Tu nous manques, tu sais, déclara brusquement Vulpin.

– Vous aussi, vous me manquez, murmura Moustique.

– Depuis ton départ, c'est devenu invivable. Pour tout dire, je songe sérieusement à démissionner. Bécasseau et Romilly aussi.

– Ah oui ?

– Oui. Tu penses que Larry embaucherait trois assistants supplémentaires ?

– J'aimerais bien !

Le silence se prolongea quelques minutes, puis Vulpin reprit :

– Au fait, tu avais besoin d'un **charme protecteur** pour quoi ? Ça devait être affreux, pour que le boomerang t'ait ramené aussi vite.

– Ça l'était. Tu te souviens de Merrin Mérédith, le parasite ?

– Lui ?

– Il m'a **renvoyé**.

– Non ? Pas étonnant que tu sois en vrac.

– Attends, il y a pire. Figure-toi qu'il se planque dans le grenier du palais...

– Tu veux rire ?

– ... et je crois qu'il y a **engendré un domaine ténébreux**.

– Comment ? demanda Vulpin, incrédule.

– Tu sais, son horrible bague à deux faces ? Je pensais que c'était une imitation, le genre de camelote que vend la Grotte-Gothic, mais à présent, j'ai des doutes.

Vulpin prit place sur une chaise près de son ami. L'inquiétude se lisait sur son visage.

– Si tu as raison, ça explique certaines choses, dit-il à mi-voix. Mlle Djinn semble sous son emprise. Elle lui laisse faire tout ce qu'il veut, à croire qu'elle en a peur. Elle l'a viré au moins à trois reprises, mais chaque fois, il est revenu comme si de rien n'était, et le plus étrange, c'est qu'elle n'avait aucun souvenir de l'avoir renvoyé. En sa présence, elle paraît absente, comme si elle n'était plus elle-même. Ça fiche les jetons.

– Je veux bien te croire.

Vulpin baissa les yeux vers le sol, et Moustique comprit qu'il s'apprêtait à lui faire un aveu difficile. Il attendit en silence que le jeune scribe ait rassemblé ses pensées.

– Quand je la vois dans cet état, reprit enfin Vulpin, elle me fait penser à mon paternel...

Vulpin père, le précédent premier scribe hermétique, était tombé en disgrâce pour avoir comploté la mort de Marcia Overstrand avec Simon Heap.

– Je sais que personne n'y croit, enchaîna le jeune homme, mais si mon père a pris part à ce trafic d'ossements, c'était contre sa volonté. Il m'a toujours dit que la **Ténèbre** l'avait attiré à elle. Et une fois qu'elle te tient, elle ne te lâche plus.

Moustique acquiesça gravement.

Se sentant encouragé, Vulpin ajouta d'une voix timide :

– Je suis allé le voir la semaine dernière...

– Je croyais que Marcia l'avait exilé dans les Lointaines Contrées ? s'étonna Moustique.

– C'est vrai, répondit Vulpin à contrecœur. Mais il avait trop le mal du pays, alors il est revenu secrètement. Il a changé de nom et s'est installé au Port. Oh ! Pas dans le meilleur quartier, mais il s'en fiche. Tu n'en parleras à personne, dis ?

– Tu peux compter sur moi.

– Merci. Je ne vais pas le voir souvent, pour ne pas éveiller les soupçons. Mais ces derniers temps, il s'est passé ici des trucs qui m'ont inquiété, et je voulais lui en toucher un mot. Il m'a confirmé que c'était grave. Ce gamin, Merrin Mérédith... Il a mis Jillie Djinn dans sa poche, comme Simon Heap avec mon père.

– Je ne lui ai jamais fait confiance, affirma Moustique. Il avait déjà sa bague quand il s'est pointé ici la première fois.

– Moi non plus, je ne crois pas qu'elle soit fausse, murmura Vulpin, jetant un coup d'œil vers la porte.

– Mais comment l'aurait-il eue ? La vraie appartenait à DomDaniel...

– ... lequel est mort.

– Mais comme tu le sais, il faut l'enlever « en sens **contraire** ». Je ne peux pas croire que ce morpion ait tranché le pouce de DomDaniel...

– De sa part, rien ne me surprendrait.

– Je vais faire un saut à la Grotte-Gothic et leur demander s'ils vendent des copies de la bague à deux faces, décida Moustique. S'ils me répondent que non, j'irai consulter Marcia pour savoir ce qu'elle en pense.

– Pendant que tu te renseigneras, ne sois pas étonné de voir des magiciens débarquer et te poser des tas de questions. Un jour, j'ai voulu acheter un **charme ténébreux** pour faire une farce à Bécasseau. Ils m'ont fait toute une histoire...

Au même moment, quelqu'un frappa des coups discrets à la porte : *tap-tap... Tip. Tap.* Moustique sursauta.

– T'inquiète, lui dit Vulpin. C'est un code entre nous. La voie est libre.

Une minute plus tard, Moustique se glissait hors du Manuscriptorium. Il fut surpris par l'agitation qui régnait à l'extérieur. Sitôt après la fermeture de la foire d'hiver, au coucher du soleil, la foule s'était répandue dans la voie du Magicien afin d'assister au coup d'envoi des illuminations de la nuit la plus longue. Le jeune garçon réfléchissait aux événements qu'il venait de vivre, adossé à un réverbère, quand il vit Maizie Smalls marcher droit vers lui. Les badauds s'écartèrent sur son passage. Ils la regardèrent appuyer son échelle contre le réverbère en argent noirci et monter avec agilité, brandissant son allume-torche qui illuminait leurs visages levés.

La petite troupe d'enfants qui l'avaient suivie tout le long de l'avenue se massèrent au pied de l'échelle et poussèrent des cris de joie quand la torche s'embrasa, éclairant le crépuscule. Seul Moustique ne se réjouit pas. La vue de Maizie avait achevé de dissiper le brouillard qui régnait encore dans ses pensées.

– Jenna ! s'exclama-t-il.

Et il partit en courant vers le palais, évitant tant bien que mal les passants qui affluaient toujours.

13
À LA GROTTE-GOTHIC

Il avait parcouru la moitié de l'avenue quand il aperçut Jenna qui venait en sens inverse. Son manteau rouge se déployait dans son dos, ses longs cheveux bruns flottaient sur ses épaules, son diadème d'or étincelait à la lumière des torches. Les piétons qui la croisaient s'écartaient de son chemin, impressionnés, et la suivaient longuement du regard. Le petit oiseau invisible qui volait en zigzag derrière elle s'efforçait de la repérer au scintillement de sa couronne parmi la foule.

En entrant au Manuscriptorium, chaque scribe faisait le serment de se soumettre à un règlement qui lui interdisait entre autres de « courir, crier, jurer, chanter ou danser dans la voie du Magicien ». Jusque-là, Moustique l'avait toujours respecté à la lettre près, mais quand il vit Jenna s'éloigner d'un pas rapide en direction de la Grande Arche qui signalait l'entrée de la cour du Magicien, ses principes s'envolèrent. Il se mit à courir, hurlant à pleins poumons : « Jenna ! Hé ! *Jenna* ! » Comme plusieurs passants se retournaient sur lui avec des expressions choquées, il se reprit :

– Hé ! Votre Altesse ! Stop !

Jenna ralentit, mais seulement pour se frayer un passage à travers la foule qui s'était formée autour de Maizie Smalls, occupée à allumer la dernière torche de la voie. Voyant qu'elle s'apprêtait à le dépasser sans lui prêter attention, il étendit le bras pour l'arrêter.

La colère brilla dans le regard de la princesse.

– Écarte-toi de mon chemin, espèce de... C'est toi ? Oh ! Moustique...

Et elle se jeta à son cou.

– Regardez, fit une voix dans la foule. C'est la princesse et le garçon qui...

– Allons ailleurs, proposa Moustique.

Il se dégagea à regret et s'éloigna, tirant Jenna par le bras. Tandis qu'ils traversaient la voie du Magicien et s'enfonçaient dans la pénombre de la sente du Sac d'os, une étroite ruelle qui rejoignait l'allée de l'Enchevêtre, la princesse ne cessa de le bombarder de questions :

– Moustique, qu'est-ce qui s'est passé ? Quand j'ai vu que tu ne revenais pas, j'ai eu si peur... Comment es-tu arrivé ici ? Et où va-t-on ?

– À la Grotte-Gothic, répondit Moustique.

– Quoi ?

Jenna s'arrêta net et secoua vigoureusement la tête tel un poney. Moustique s'arrêta également : quand un poney s'immobilise au milieu de la sente du Sac d'os, tout le monde en fait autant.

– Je ne ferai pas un pas de plus tant que tu ne m'auras pas expliqué ce qui se passe, déclara-t-elle d'un ton authentiquement royal.

– Je te l'expliquerai en chemin, d'accord ?

– Tu veux dire, pendant que tu m'entraîneras vers la Grotte-Gothic, ce taudis minable où tous les cinglés se donnent rendez-vous ?

– Tout juste. Bon, on peut y aller, maintenant ? Ça empeste, ici.

Jenna céda.

– C'est bon. Mais j'espère pour toi que ça en vaut la peine.

La description que Jenna avait faite de la Grotte-Gothic était rigoureusement exacte : la petite boutique sombre et vétuste occupait l'extrémité de la sentine Funèbre, dans la partie la plus délabrée de l'Enchevêtre. Quand Moustique en poussa la porte, un hurlement effroyable retentit au-dessus de leurs têtes, faisant sursauter Jenna – et l'oiseau invisible. Ce dernier se ressaisit et franchit le seuil juste avant que la porte ne se referme.

Moustique et Jenna restèrent immobiles le temps de se repérer. Au bout d'un moment, ils aperçurent des lumières vacillantes qui se déplaçaient dans l'obscurité, apparaissant et disparaissant à l'improviste. Le son surnaturel d'une flûte nasale leur parvenait de très loin, et une âcre odeur d'encens imprégnait l'atmosphère confinée de la boutique. Jenna éternua. Quand leurs yeux furent habitués à la pénombre, ils distinguèrent des silhouettes qui déambulaient entre des piles de livres branlantes et des rayonnages surchargés, une chandelle à la main.

Soudain une vive clarté les éblouit, puis un grand jeune homme s'approcha d'eux et leur tendit les bougies qu'il venait d'allumer avec ces mots :

– Bienvenue à la Grotte-Gothic.

– Lobo ? s'exclama Jenna. Qu'est-ce que tu fabriques ici ?

– Heeein ? fit le vendeur d'une voix qui évoquait celle de Lobo d'une manière troublante.

La princesse leva sa chandelle afin d'examiner le jeune homme. Il avait à peu près la même taille et la même carrure que Lobo, avec lequel il présentait une indéniable ressemblance, mais ses cheveux courts et hérissés étaient d'un noir profond, et non châtain clair comme ceux de leur ami.

– Pardon, dit-elle. Je vous avais pris pour un autre.

– Eh bien, je ne suis pas « Lobo », même si je le regrette... Trop cool, comme nom !

– C'est drôle, mais vous parlez exactement comme lui. Tu ne trouves pas, Moustique ?

– Si.

– Moustique ? Ça, c'est moins cool. Mais... Je rêve pas, vous êtes la princesse ? Ouah ! Qu'est-ce qui vous amène ?

– On aimerait savoir si vous vendez des copies de la bague à deux faces, répondit Jenna.

– Si on vend *quoi* ?

– Vendez-vous, ou avez-vous déjà vendu, des imitations de la bague à deux faces ? demanda Moustique d'une voix lente et intelligible.

– Hein ?

– La bague **ténébreuse**, insista Moustique.

– J'hallucine, bredouilla le vendeur, sidéré.

– Alors ?

– Vous voulez vraiment le savoir ?

– Oui, répondit Moustique, s'efforçant de garder patience.

– Dans ce cas, venez avec moi, je vous prie.

Soupçonnant qu'ils venaient de commettre une gaffe, Moustique et Jenna suivirent le jeune homme. La tâche se révéla moins facile que prévu. Sa robe noire se fondait dans l'obscurité, et sa parfaite connaissance des lieux lui permettait de se diriger sans bougie dans le dédale formé par les piles de livres et les rangées d'étagères. Jenna, qui marchait sur ses talons, se repérait au frottement de sa robe sur le plancher pour ne pas le perdre. Il leur sembla cheminer une éternité entre deux hautes murailles de marchandises diverses (le labyrinthe était conçu de manière à obliger les clients à passer deux fois devant chaque article), manquant à chaque pas de trébucher sur un os en plâtre, une cape ou une tunique noire bon marché, de fausses dents de dracule (une créature mythique, censée se nourrir de sang humain), un flacon de sang synthétique, un seau rempli de bijoux incrustés de crânes, de **charmes**, de hamsters momifiés (ces derniers faisaient fureur), une pile de recueils de **sorts** populaires, un plateau de Pagaille Poursuite, un pot de peinture phosphorescente, un bocal d'insectes en gélatine, de toiles d'araignée, d'yeux de gloutons, ou mille autres exemples du bric-à-brac qui constituait le stock de la « Crotte-Gothic », ainsi que la surnommaient les plus sarcastiques.

Enfin, ils débouchèrent dans un espace étroit et poussiéreux à l'arrière de la boutique, éclairé par de hauts cierges noirs. Des caisses jamais ouvertes s'y entassaient jusqu'au plafond. Le son étrange de la flûte nasale, plus audible à présent, semblait provenir de derrière une petite porte, naturellement peinte en noir et surmontée d'un arc gothique. Comme le vendeur leur faisait signe de le suivre, Jenna trébucha sur un crâne en carton. Déséquilibrée, elle s'appuya au chambranle de la porte, qui parut vouloir céder sous son poids.

Le jeune garçon frappa à la porte. La flûte se tut aussitôt, au grand soulagement des visiteurs.

– Oui ? fit une voix d'homme.

– C'est moi, Matt. J'ai un code rouge, là. La princesse et l'ex-scribe du Manuscrip...

– Très amusant, Marcus. Apporte-moi une tasse de thé, tu veux bien ?

– Sérieusement, monsieur Igor. C'est bien elle, la princesse.

La voix reprit, avec une pointe d'irritation :

– Marcus, je t'ai déjà dit de ne pas me raconter n'importe quoi. Bon, tu me l'apportes, cette tasse de thé ?

Le vendeur se tourna vers Jenna et Moustique :

– Désolé. Il est toujours bizarre à la tombée de la nuit. Je vais lui chercher ce qu'il demande, et après, il vous recevra.

– On n'a pas besoin de le voir, dit Moustique, exaspéré. Tout ce qu'on veut savoir, c'est si vous avez déjà vendu de fausses bagues à deux faces.

– Il n'y a que lui qui peut vous répondre. C'est le règlement. Encore désolé.

Avec un sourire contraint, le jeune garçon disparut à l'intérieur du labyrinthe.

– On ne va pas poireauter ici toute la nuit ! protesta Jenna.

Elle frappa à la porte et entra sans attendre d'y être invitée, suivie par Moustique.

Assis à un minuscule bureau, un homme au long visage livide terminé par une barbiche en pointe faisait une réussite.

– Déjà de retour, Marcus ? murmura-t-il sans regarder. Pose ça là, je te prie...

Ne voyant apparaître aucune tasse de thé, il releva enfin la tête et resta bouche bée de stupeur. Puis il bondit sur ses pieds, éparpillant les cartes, et s'inclina profondément.

– Nom d'une goule ! bredouilla-t-il. Votre Altesse, je suis confus. Je n'imaginais pas une seconde...

Il regarda autour de lui et demanda :

– Où est passé Marcus ? Pourquoi ne m'a-t-il pas averti de votre visite ?

– Matt vous a dit que j'étais là, remarqua Jenna, déconcertée.

– Matt, Marcus, c'est pareil, répondit mystérieusement Igor. Je vous en prie, Votre Altesse, asseyez-vous. Vous aussi, scribe Moustique.

Comme ce dernier ouvrait la bouche, Igor l'arrêta du geste.

– Non, ne dites rien. Je suis au courant. Mais scribe un jour, scribe toujours, pas vrai ? Qu'est-ce qui me vaut l'honneur de votre visite ?

Jenna parla sans détour :

– Nous aimerions savoir si vous avez déjà vendu des copies de la bague à deux faces.

Igor devint encore plus pâle.

– C'est donc bien un code rouge, dit-il. Je suis affreusement gêné... Mais ça fait partie des clauses de notre licence.

Il se pencha et pressa un bouton rouge sous son bureau.

– Une simple formalité, expliqua-t-il avec un sourire contraint. Je vous en prie, ne restez pas debout...

Il leur indiqua deux chaises bancales contre le mur. Les visiteurs s'y assirent avec précaution sans qu'il les quitte une seconde des yeux.

– Votre Altesse...

Jenna l'interrompit :

– S'il vous plaît, appelez-moi Jenna.

– Je crains de me montrer trop familier. Est-ce que « princesse » vous convient ?

Jenna acquiesça.

– Princesse, si une autre que vous m'avait posé cette question, je l'aurais gardée dans cette pièce jusqu'à l'arrivée du magicien de service. Mais naturellement, il n'est pas question que je vous retienne contre votre gré...

– Enfin, que voulez-vous dire ?

– Eh bien, nous possédons une liste d'objets **ténébreux – charmes**, sorts, potions, etc. La bague à deux faces se trouve en tête de liste. Si quelqu'un nous pose des questions à leur sujet, nous devons immédiatement en informer la tour du Magicien.

– Mais pourquoi ? l'interrogea Jenna.

– Je n'en sais rien, avoua Igor. La tour ne nous dit pas grand-chose. Mais j'imagine que le seul fait d'être informé de l'existence d'un de ces objets et d'en désirer une copie trahit une connaissance de la **Ténèbre** pour le moins suspecte, voire dangereuse. Sauf dans votre cas, princesse, ajouta-t-il précipitamment. Il est normal que vous vous intéressiez à tout.

– Alors, c'est oui ou non ? insista Jenna.

Igor parut décontenancé.

– Oui ou non ?

– Avez-vous vendu des copies de cette fichue bague ?

– Bien sûr que non ! se récria Igor, choqué. Pour qui nous prenez-vous ?

– Je vous demande pardon, dit Jenna. Je ne voulais pas vous vexer. Mais il fallait que nous sachions.

Igor baissa la voix :

– À votre place, princesse, je chasserais vite cette bague de mon esprit. Ne vous mêlez pas de ces choses-là. Ne prononcez même pas son nom !

Alors qu'il contemplait un point au-dessus de la tête de Jenna, une ombre passa sur son visage.

– Prenez garde, reprit-il. Qui va avec la **Ténèbre** ne va jamais seul.

Puis il se leva et s'inclina cérémonieusement.

– Il se pourrait que vos compagnons de voyage ne soient pas ceux que vous espériez. Marcus va vous raccompagner, à présent.

Jenna et Moustique parcoururent le labyrinthe en sens inverse à la suite de Marcus – ou était-ce Matt ? Ils ne prononcèrent pas un mot, toujours en proie au sentiment d'avoir fait quelque chose de mal. Comme ils dépassaient un bocal de dents de dracule, Jenna s'arrêta.

– C'est combien ? demanda-t-elle.

Matt – ou Marcus – sourit.

– Pour vous, c'est gratuit.

– Oh ! Merci, répondit Jenna, se servant dans le bocal.

Ils finirent par émerger du labyrinthe, et le jeune vendeur leur ouvrit la porte.

– Pardonnez ma curiosité, lui dit Jenna, mais votre prénom est Matt ou Marcus ?

– Matt.

– Alors pourquoi Igor vous appelle-t-il Marcus ?

– Marcus est mon frère jumeau. Igor s'imagine qu'on se fait passer l'un pour l'autre, histoire de se moquer de lui, mais non – c'est débile. Pourtant, quand je lui dis qui je suis, il trouve malin de m'appeler par le prénom de mon frère, et réciproquement. Tout est comme ça ici : bizarre.

– Ça, vous pouvez le dire, approuva Jenna.

L'ouverture de la porte déclencha un nouveau hurlement, puis Jenna et Moustique sortirent dans le vent glacial. Le jeune garçon se tourna vers son amie, les cheveux en désordre, clignant des yeux à cause de la neige fondue qui cinglait son visage.

– Vulpin avait raison, dit-il. Merrin possède la vraie bague. C'est grave. Il faut en avertir immédiatement Marcia.

Jenna referma le col de fourrure de son manteau pour se protéger du froid.

– Je sais, soupira-t-elle. Maman va être furieuse. Elle attendait cette soirée avec impatience. C'était la première fois qu'elle pouvait nous avoir tous les deux, Sep et moi, pour notre anniversaire.

Ils remontèrent la sentine Funèbre en silence, en direction d'un poteau indicateur sur lequel on pouvait lire TOUR DU MAGICIEN. L'oiseau invisible les suivait, secoué par le vent, fouetté par la pluie, mais soutenu par l'espoir de revoir bientôt son compagnon.

– Moustique ? dit soudain Jenna.

– Oui ?

– Je n'en ai jamais parlé à personne – j'avais peur qu'on me prenne pour une folle – mais je crois qu'il y a longtemps que Merrin vit au palais.

– Quoi ?

– Eh bien, à plusieurs reprises, il m'a semblé le voir disparaître au coin d'un couloir, mais je n'en étais pas sûre. Une fois, j'en ai touché un mot à maman, et elle m'a répondu que c'était certainement un fantôme. Mais rappelle-toi, Barney Pot a confié à tante Zelda que Merrin l'avait agressé dans le promenoir. À part elle, personne ne l'a cru, pourtant Barney n'a pas l'habitude de raconter des histoires. S'il disait vrai, ça signifie que Merrin traîne dans les parages depuis plus de dix-huit mois, conclut-elle avec un frisson.

– Mais c'est horrible ! Rien que l'idée qu'il puisse t'épier et rôder la nuit dans le palais...

– Je t'en prie, tais-toi ! Je ne veux même pas y penser.

Tout en parlant, ils avaient atteint le poteau, éclairé par une torche plantée à son sommet. La flèche indiquait une allée vivement illuminée, à laquelle les habitants de l'Enchevêtre donnaient le nom de contre-voie du Magicien. Ils s'y engagèrent et avancèrent d'un pas vif entre deux rangées de maisons coquettes, arborant chacune une bougie allumée derrière une fenêtre. Au bout d'un moment, Jenna manifesta des signes d'inquiétude.

– Tu es sûr que c'est par là ? demanda-t-elle.

– Évidemment ! s'exclama Moustique, perplexe, car Jenna connaissait l'Enchevêtre comme sa poche.

Elle insista :

– J'ai l'impression qu'on n'a pas pris la bonne route.

– Alors, tu te trompes.

Jenna s'arrêta et regarda autour d'elle, comme si elle voyait cette rue pour la première fois. L'oiseau invisible se mit à battre des ailes de plus en plus vite. Le moment approchait !

– Qu'est-ce qui te prend ? fit Moustique.

Durant une fraction de seconde, il lui sembla distinguer un mouvement au-dessus de Jenna.

Celle-ci fit volte-face, furieuse.

– Rien ! Fiche-moi la paix, d'accord ? Si tu as envie de te perdre, libre à toi. Mais ne compte pas sur moi pour te suivre.

Sur ces paroles, elle rebroussa chemin le long de la contre-voie du Magicien, tourna brusquement à gauche et disparut dans une allée étroite et sombre, la tristement célèbre descente de Dan le Désosseur.

14
LA DESCENTE DE DAN LE DÉSOSSEUR

Moustique s'élança derrière Jenna, mais contrairement à elle, il n'avait aucune aptitude pour la course. Très vite, il perdit de vue son manteau rouge déployé derrière elle. Elle sautait les flaques, se fondait dans l'ombre des bâtiments, abordait les nombreux détours de la venelle obscure comme si cet itinéraire lui était familier. Un moment, le jeune garçon se guida sur l'écho de ses pas, mais celui-ci décrut peu à peu, et bientôt, il n'entendit plus que le bruit de ses propres bottes sur les pavés. Jenna, elle, semblait s'être volatilisée.

Le descente de Dan le Désosseur était la pire des ruelles qui partaient de la contre-voie du Magicien. Elle devait son nom à un célèbre bandit et assassin qui avait plus d'une fois échappé à ses poursuivants en plongeant dans l'égout à ciel ouvert à son extrémité. En barbotant parmi les détritus, il gagnait ensuite sa barque, qu'il avait pris la précaution d'amarrer à proximité de l'endroit où l'égout se jetait dans la Rivière.

Jenna n'aurait pu choisir pire destination. De même que Moustique, elle avait fréquenté une des écoles du quartier. Là, elle avait dû en mémoriser le plan et effectuer seule trois circuits minutés avant d'obtenir son certificat d'aptitude à circuler dans l'Enchevêtre. Mais même les habitants les plus aguerris évitaient certaines rues, à commencer par la descente de Dan le Désosseur.

La Descente, comme on l'appelait, abritait la lie de la population du Château, le genre d'individus qu'on ne voyait jamais le jour et qu'on espérait ne pas croiser à la nuit tombée. Ses maisons exhalaient une odeur douceâtre de moisissure ; au moindre bruit de pas, leurs occupants se précipitaient à leur fenêtre et déversaient un seau d'immondices sur le passant qui avait le malheur de leur déplaire. Autant de bonnes raisons de fuir cet endroit maudit, surtout quand il faisait sombre.

Mais Jenna semblait avoir oublié tout ce qu'elle avait jamais appris au sujet de la descente. Escortée par l'oiseau invisible, elle bondissait au-dessus des nids-de-poule, esquivait les tas d'ordures, ignorant les sifflets et les grossièretés qui accompagnaient sa course. Elle ne réagit même pas quand une tomate pourrie, lancée d'une fenêtre, s'écrasa sur son manteau. Elle avait presque atteint l'extrémité de la ruelle quand elle ralentit et s'arrêta dans la lumière terne d'une lanterne rouillée. Tandis qu'elle reprenait sa respiration, elle regarda autour d'elle et parut étonnée de se trouver là. La lanterne se balançait avec des bruits plaintifs au-dessus d'une porte délabrée et garnie de clous. Une inscription presque effacée surmontait une fenêtre condamnée par des planches :

ICI ON DÉVOILE L'AVENIR
À QUICONQUE ENTRE SANS FAILLIR
LA MAISON NE FAIT PAS CRÉDIT.

Le vent secoua dangereusement la lanterne, et Jenna frissonna. Que faisait-elle là ? Et d'abord, où était-elle ? La liste des endroits interdits, autrefois apprise par cœur, lui revint brusquement en mémoire. Elle avait non seulement pénétré dans la descente de Dan le Désosseur, réalisa-t-elle avec effroi, mais elle se tenait à présent devant l'entrée de la Masure maudite. Quelques années plus tôt, celle-ci avait suscité un certain émoi dans le quartier quand une patrouille de magiciens, emmenée par Marcia Overstrand en personne, l'avait entièrement **désinfectée** avant de la **sceller**.

N'importe quel enfant de l'Enchevêtre savait que la Masure maudite était proche de l'extrémité de la descente de Dan le Désosseur, laquelle se terminait en cul-de-sac. Jenna n'avait donc d'autre choix que de retourner sur ses pas, et cette idée la terrifiait. La lanterne grinçait au bout de sa chaîne. Soudain une rafale de pluie trempa son manteau. Elle secoua la tête pour dissiper la torpeur nauséeuse qui l'avait envahie.

Elle rassemblait son courage avant de rebrousser chemin quand elle entendit des pas qui venaient dans sa direction. Vite, elle se renfonça dans l'ombre de la Masure, le dos plaqué au mur, espérant échapper au regard de l'intrus.

À son grand soulagement, elle vit alors Moustique apparaître à l'angle d'une maison voisine.

– Jenna ! souffla-t-il, également soulagé. Qu'est-ce que tu fiches ici ?

– Je... je l'ignore, répondit la jeune fille.

C'était la pure vérité. Il lui semblait qu'elle venait d'émerger d'un mauvais rêve.

– Allons-nous-en, reprit Moustique, promenant un regard inquiet autour de lui. La rue se termine en cul-de-sac, et il n'est pas question de rester ici. On va devoir repartir par où on est venus.

– Je sais.

Moustique se remit en marche. Jenna voulut lui emboîter le pas, mais elle ne put bouger. Elle se retourna pour vérifier que son manteau n'était pas accroché à quelque chose, puis elle tira sur sa robe. Elle se désola de constater qu'elle était tachée de boue, mais rien ne la retenait non plus. Elle souleva ensuite un pied, puis l'autre, sans rencontrer de difficulté. Mais quand elle voulut de nouveau suivre Moustique, elle resta figée sur place.

Cédant à la panique, elle hurla :

– Moustiiiiique !

Mais aucun son ne franchit ses lèvres. La lanterne au-dessus de sa tête s'éteignit avec un crépitement, et l'obscurité l'enveloppa.

Moustique n'avait parcouru que quelques mètres quand il s'aperçut que Jenna ne le suivait pas. Enfin, à quoi jouait-elle ? Il fit demi-tour. En tournant le coin de la maison voisine de la Masure maudite, il découvrit la lanterne au-dessus de la porte cloutée éteinte. Quant à son amie, elle avait disparu.

Il s'approcha de la porte et appela à mi-voix :

– Jenna ? Jenna !

Pas de réponse. Une averse glacée s'abattit sur Moustique, qui frissonna dans sa veste d'amiral et fit un tour de plus avec son écharpe en laine. Il aurait payé cher pour être ailleurs et savoir ce qui avait pu passer par la tête de Jenna. Parfois, il avait du mal à la comprendre. Persuadé qu'elle avait tenté une fois de plus de se débarrasser de lui, il se remit en marche, mécontent. Quoi qu'elle ait pu projeter, il n'était pas question qu'il la laisse seule dans la descente de Dan le Désosseur.

Le fond de l'impasse était également désert. L'agacement de Moustique céda la place à l'inquiétude. Il se pencha au-dessus de la bouche d'égout, qu'une bonne âme avait recouverte de deux planches pourries avec un avertissement griffonné à la main : ATTENTION ! Il s'agenouilla et braqua le faisceau bleuté de sa lampe vers les profondeurs du cloaque. Une puanteur infecte le prit à la gorge.

– Jenna ? répéta-t-il.

Il n'obtint pas de réponse, mais son soulagement fut aussitôt balayé par l'image de Jenna, inconsciente au fond du fossé. Il se pencha un peu plus, tenant la lampe à bout de bras. Une forme indistincte émergeait des eaux noires et stagnantes.

Oh non !

– Jenna ? Jenna !

Son cri rendit un écho caverneux.

Soudain quelqu'un toussa derrière lui.

– Salut, fit une voix familière. T'as perdu quelque chose ?

– Lobo ? s'exclama Moustique, puis il releva la tête. Oh ! Pardon. C'est toi...

– Bien vu, répondit le jeune garçon qui se tenait à ses côtés. Et toi, t'es... ?

– Moustique. Tu sais, on s'est vus à la Grotte-Got... Oh ! Je comprends. Tu dois être Marcus.

Marcus sourit.

– T'es passé à la Grotte, hein ? Matt s'y trouvait encore ?

– Hum, oui.

– Tant mieux. J'suis en retard. C'est pour ça que j'ai pris ce raccourci. Et toi, c'est quoi, ton excuse ?

Moustique pointa sa lampe vers la forme étendue dans l'eau.

– Je crois que Jenna est tombée au fond, répondit-il. Regarde !

– Trop cool, ta lampe...

Marcus se pencha à son tour au-dessus de la bouche d'égout et affirma :

– Y a rien là-dedans, juste un tas de guenilles.

Comme Moustique ne paraissait pas convaincu, il ajouta :

– T'as qu'à descendre et vérifier que c'est pas... Qui t'as dit, déjà ?

– Jenna. La princesse du Château.

Marcus siffla, impressionné.

– Carrément ? Eh bien, si tu penses vraiment que c'est elle, je te conseille d'aller y jeter un coup d'œil. Il y a des échelons le long de la paroi, tu vois ?

Moustique n'avait aucune envie de descendre dans le fossé puant, mais il n'avait pas le choix.

– Je vais faire le guet, lui proposa Marcus pendant qu'il ôtait les deux planches avec précaution. Au cas où quelqu'un voudrait te rançonner...

Seule la tête de Moustique dépassait encore de la bouche d'égout.

– Me *quoi* ? demanda-t-il.

– Te rançonner. Tu sais, y a des types qui te poussent dans le trou et qui ne te laissent remonter que si tu leur files toutes tes affaires.

– Ah oui ? fit Moustique, distrait, scrutant l'obscurité sous lui.

– Ouais. Et crois-moi, c'est pas marrant de remonter toute la rue sans rien sur le dos. Fais attention, les échelons sont rouillés.

– Ah ! Merci.

Avec mille précautions, Moustique entreprit de descendre. Marcus avait dit vrai, les échelons étaient mangés par la corrosion. Avec ça, ils étaient mal fixés dans le mur de brique, et quand le jeune garçon prit pied au fond, le dernier lui resta dans la main. Il le jeta dans la vase, où il s'enfonça avec un bruit mou, et promena le faisceau bleuté de sa lampe autour de lui.

Celle-ci était conçue pour éclairer la blancheur de la glace, et non un cloaque bourbeux. Elle lui révéla néanmoins que la forme dans laquelle il avait craint de reconnaître Jenna inconsciente était bien une pile de vieux vêtements. Désireux de s'en assurer, il s'approcha, s'efforçant d'ignorer l'humidité qui s'infiltrait dans ses bottes, et la poussa du pied. Le tas de guenilles bougea. Un énorme rat en jaillit et détala dans la nuit.

Alerté par le cri qu'avait poussé Moustique, Marcus passa la tête à l'intérieur du trou et demanda :

– Ça va ?

– Ouais, répondit Moustique, qui se sentait ridicule. J'ai vu un rat. Un gros.

– Il y en a des tonnes dans le coin, et pas des rats coursiers. Ceux-là te bouffent la jambe avant que t'aies pu dire ouf. T'as eu de la chance qu'il te laisse tranquille.

– Ah ?

– J'imagine que t'as pas trouvé ta princesse ?

– Non.

– À ta place, je me dépêcherais de remonter. Avec toute la pluie qu'il est tombé, il risque d'y avoir une déferlante.

– Une quoi ?

Moustique avait du mal à distinguer les paroles de Marcus. Un grondement de tonnerre emplissait ses oreilles, plus fort que le battement du sang dans ses artères.

– Une déferl... La vache ! Remonte !

Si Moustique n'avait pas entendu un mot de ce qu'avait dit Marcus, il en avait saisi le sens. Mais quand il tenta d'agripper le premier échelon, sa main se referma sur le vide. Il se rappela alors l'avoir jeté dans la boue. Le grondement était de plus en plus assourdissant. Soudain il vit une main tendue vers lui.

– Attrape ! lui cria Marcus. Vite !

Quelques secondes plus tard, les deux jeunes garçons, étendus sur les pavés, virent un véritable raz-de-marée se répandre dans le fossé au-dessous d'eux.

– Mer... merci, bredouilla Moustique.

– Y a pas de quoi, répondit Marcus, aussi essoufflé que lui. Heureusement que ta princesse n'était pas en bas.

Moustique se releva, passa les mains dans ses cheveux, comme toujours quand il était préoccupé, et le regretta aussitôt.

Où était donc passée Jenna ?

⁜ 15 ⁜
La Masure maudite

Au moment où elle tentait d'appeler Moustique et où la lanterne s'éteignait, Jenna avait entendu la porte de la Masure maudite s'ouvrir avec un grincement sinistre. Terrifiée, elle avait voulu fuir, mais ses pieds étaient restés fermement plantés sur le seuil. Ils n'en avaient bougé que lorsqu'une main avait agrippé le col de son manteau et l'avait tirée à l'intérieur. Une jeune femme dont le costume n'aurait pas détonné parmi les rayons de la Grotte-Gothic avait alors **verrouillé** et **barré** la porte.

Marissa ! avait tenté de crier Jenna, mais cette fois encore, elle n'avait pu émettre aucun son.

– On dirait une carpe, s'était moquée Marissa, ouvrant et refermant la bouche comme un poisson hors de l'eau.

Tenant toujours fermement Jenna par le col de son manteau,

Marissa la dirigea vers un couloir. La maison étroite était typique de l'architecture du Château. Il y régnait une obscurité complète, mais Marissa savait où elle allait. Elle ouvrit une porte et poussa Jenna à l'intérieur d'une pièce toute en longueur. Au fond, deux cierges et un petit feu crépitant dans une imposante cheminée éclairaient une scène domestique à première vue rassurante : une tablée de femmes partageant un repas. Pourtant, Jenna ne fut en rien rassurée, car les femmes n'étaient autres que les sorcières du Port.

À leur entrée, tous les regards avaient convergé vers l'invitée de dernière minute. Serrant le manteau de Jenna d'une poigne de fer, comme si elle craignait qu'elle ne lui échappe, Marissa la guida vers deux chaises libres autour de la table. C'était la première épreuve que le coven lui imposait, et la jeune sorcière l'avait passée avec brio. Les **sorts de silence** et **d'immobilité** avaient parfaitement fonctionné, mais Marissa savait la princesse aussi insaisissable qu'une anguille, aussi ne voulait-elle prendre aucun risque.

Elle poussa la captive vers une des chaises et prit place sur la seconde. Jenna ne réagit pas. Elle fixait intensément la table devant elle, d'abord pour éviter de croiser le regard d'une des sorcières, ensuite parce qu'une fascination horrifiée s'était emparée d'elle à la vue de ce qu'elles mangeaient. Pire que la cuisine de tante Zelda, pourtant une référence en la matière. Zelda Heap, au moins, cuisinait les ingrédients bizarres qu'elle employait jusqu'à les rendre presque méconnaissables, alors que les cafards en saumure qui grouillaient dans des bols et les souris écorchées qui s'étalaient sous une couche de sauce grumeleuse ne faisaient aucun effort pour se déguiser. Prise de nausée, Jenna reporta son attention sur la nappe, constellée de taches et de symboles **ténébreux**.

Linda – la chef vendeuse de l'étal de bijoux – recula sa chaise, qui crissa désagréablement sur le plancher, et se leva. Elle contourna lentement la table et s'approcha de Jenna avec une expression menaçante. Quand elle se pencha vers elle, la princesse respira l'odeur de moisi qui s'échappait de ses vêtements, mêlée à un parfum lourd et entêtant de roses fanées. Soudain la sorcière détendit le bras, comme pour frapper la prisonnière, qui tressaillit malgré elle. Mais Linda fit le geste de saisir quelque chose au-dessus de sa tête.

Elle approcha ensuite son poing fermé du visage de Jenna et marmonna une brève formule avant de desserrer les doigts, révélant le minuscule oiseau chatoyant que Jenna avait refusé de cueillir sur l'étal de bijoux, il y avait de ça une éternité – c'était du moins ce qu'il lui semblait.

– Bien joué, mon mignon, roucoula Linda. Tu nous as **ramené** la princesse. Tu auras ta récompense.

Elle sortit de sous ses vêtements la minuscule cage qu'elle portait autour du cou et la balança devant l'oiseau qui gisait, terrifié, dans sa main.

– Ton compagnon, dit-elle. Regarde-le bien.

Les deux oiseaux échangèrent un long regard, sans bouger ni faire le moindre bruit.

À la surprise générale, Linda lança alors le premier oiseau en l'air en même temps qu'elle jetait la cage par terre. Elle s'apprêtait à l'écraser quand la Grande Mère du coven s'écria :

– Stop !

Linda s'immobilisa, le pied levé.

– Tu as conclu un marché, tu dois tenir parole.

– C'est juste une saleté d'oiseau, plaida Linda.

La Grande Mère se leva avec difficulté.

– On ne renie pas un marché **ténébreux** sans en subir les conséquences, dit-elle. Tu ferais bien de t'en souvenir. Il n'est pas bon qu'une sorcière oublie les Règles. Pas vrai ?

Elle se pencha par-dessus la table, le regard rivé sur Linda.

– Pas vrai ? répéta-t-elle d'un ton lourd de menace.

Linda éloigna lentement son pied de la cage.

– Oui, Grande Mère, dit-elle d'un air maussade.

Daphné, la petite boulotte qui donnait l'impression d'avoir été cousue dans un sac plein d'ordures, se leva à son tour afin de récupérer la cage.

– T'es qu'un monstre, dit-elle courageusement à Linda. C'est pas parce que tu marches tout le temps sur mon capricorne géant que t'as le droit d'écraser n'importe quoi.

Daphné tripota la porte de la cage de ses gros doigts tachés de sauce et finit par l'ouvrir. L'oiseau prisonnier, étourdi, s'abattit sur la table à côté d'un petit tas bien net d'os de souris que la Grande Mère utilisait comme cure-dents.

Jenna avait assisté à la scène avec épouvante, s'efforçant vainement de former un plan. Elle vit l'oiseau qui l'avait amenée à la Masure maudite plonger vers son compagnon et le pousser doucement du bec. L'autre agita les ailes, gonfla ses plumes, et quelques secondes plus tard, les deux inséparables prenaient leur envol et trouvaient refuge dans un recoin sombre de la pièce. Jenna se surprit à les envier.

La Grande Mère se tourna vers elle.

– Eh bien, eh bien, dit-elle avec une grimace terrifiante. N'est-ce pas notre princesse ?

Elle l'inspecta de la tête aux pieds, comme un maquignon qui tente de faire baisser le prix d'un cheval, avant d'ajouter :

– Ça devrait aller.

– Je ne vois toujours pas en quoi on a besoin d'elle, fit une voix plaintive.

Une jeune sorcière, la tête enroulée dans une serviette, s'avança en pleine lumière.

– Je te l'ai déjà expliqué, Dorinda, répliqua la Grande Mère. Avec des oreilles comme les tiennes, je croyais que tu aurais entendu.

– C'est pas ma faaauuute, geignit Dorinda. J'ai jamais voulu des oreilles d'éléphant. Et je vois toujours pas pourquoi on a besoin d'une princesse. Je suis sûre qu'elle va tout gâcher.

– La ferme, fit Linda d'une voix coupante. Sinon...

Dorinda se renfonça dans l'ombre. C'était Linda qui l'avait affligée d'oreilles d'éléphant.

– Comme je l'ai déjà dit, reprit la Grande Mère, la possession de la princesse donne à un coven la suprématie sur tous les autres. Tu as fait le bon choix en venant nous trouver, mon petit, ajouta-t-elle en pressant le bras de Marissa, qui se rengorgea.

Perdant tout intérêt pour leur nouvelle acquisition, les sorcières reprirent leur repas et leurs conversations comme si elles n'avaient pas été interrompues.

Jenna les regarda curer leurs os de souris et piocher des cafards dans les bols avant de les croquer. Son seul motif de satisfaction était la grimace de Marissa quand elle déglutissait pour avaler un cafard. Le coven des sorcières de Wendron, d'où était issue la jeune femme, se nourrissait des produits de la forêt. Jenna avait déjà partagé leur repas, et elle l'avait apprécié. C'était, se rappela-t-elle, la nuit où les mêmes sorcières de Wendron avaient tenté de l'enlever.

Le dîner terminé, la Grande Mère cria d'une voix rauque :

– Matrone ! Viens débarrasser !

Une grosse femme que Jenna aurait juré avoir déjà vue quelque part entra d'un air affairé, un seau à son bras, comme un sac à main. Elle vida les reliefs du repas dans le seau et ressortit d'un pas mal assuré, portant une pile d'assiettes qui oscillait dangereusement. Elle revint quelques minutes plus tard avec le même seau, à présent rempli d'un brouet de sorcières à l'odeur fétide qu'elle répartit à la louche entre les convives. Elle accorda à peine un regard à Jenna, mais quand elle la frôla, celle-ci se rappela où elle l'avait vue : la domestique était en réalité la propriétaire de la Maison-de-Poupée, la pension voisine du coven des sorcières du Port, où Jenna avait jadis passé une nuit mouvementée.

Les sorcières buvaient bruyamment leur brouet, ignorant toujours leur captive. La Grande Mère renversa la tête en arrière afin de vider sa tasse, puis elle se frotta l'estomac avec un soupir de satisfaction. Il n'y avait rien de tel qu'un ragoût de souris et d'asticots suivi d'un bon brouet pour adoucir son humeur. Quand son regard se posa sur Jenna, elle trouva brusquement toutes les grâces à sa nouvelle recrue.

– Bienvenue à toi, princesse Jenna, dit-elle, délogeant un morceau d'oreille de souris coincé entre ses dents. Tu es des nôtres, maintenant.

Plutôt crever, articula silencieusement Jenna, déclenchant l'hilarité du reste du coven.

– Fais-toi une raison, mon ange, lui rétorqua la Grande Mère qui, à force de jeter des **sorts de silence**, excellait à lire sur les lèvres. Que ça te plaise ou non, à minuit, tu deviendras membre à part entière de ce coven.

Comme Jenna secouait énergiquement la tête en signe de refus, la Grande Mère lui offrit son plus beau sourire, révélant deux rangées de dents noircies.

– Tu feras une excellente recrue, affirma-t-elle. Oui, excellente.

Jenna n'était pas particulièrement flattée d'apprendre que la Grande Mère lui trouvait l'étoffe d'une sorcière, et Linda semblait partager sa désapprobation.

– Arrêtez votre baratin, maugréa l'ex-chef vendeuse. Elle fera une sorcière épouvantable. Si elle n'était pas princesse, vous ne l'auriez même pas regardée.

Sa remarque lui valut un regard meurtrier de la Grande Mère, qui se tourna ensuite vers Marissa, sa nouvelle favorite :

– J'ai une nouvelle mission pour toi, mon chou. Conduis la princesse dans la chambre que nous avons préparée à son intention et fais-lui revêtir ses vêtements de sorcière. Veille à lui prendre toutes ses possessions. Je t'autorise à garder sa couronne, si elle te plaît. Elle t'ira très bien.

Jenna poussa un cri de protestation muet et porta la main au cercle d'or qui entourait son front.

– J'adore ces **sorts de silence**, glousse la sorcière dont les cheveux formaient un buisson inextricable sur le dessus de sa tête.

– Tais-toi, Veronica, reprit la Grande Mère d'un ton sévère. Marissa, emmène la princesse.

Visiblement très satisfaite d'elle-même, Marissa releva Jenna de force et la traîna par le bras vers l'épais rideau qui barrait une extrémité de la pièce. Jenna tenta de résister, mais ses pieds la trahirent en emboîtant docilement le pas à Marissa. Au moment où elles atteignaient le rideau, la voix de la Grande Mère leur parvint :

– Quand tu en auras terminé avec elle, Marissa, rapporte-moi son beau manteau rouge fourré. On gèle, ici. Je suis transie.

Linda accompagna la sortie de Marissa d'un regard assassin. Sa position de future Grande Mère du coven, fruit de nombreuses années d'efforts, lui semblait à présent menacée.

La voyant se lever, la vieille Pamela l'interrogea d'un air soupçonneux :

– Où vas-tu ?

Linda se passa une main sur le front d'un geste las.

– La journée a été longue, Grande Mère, répondit-elle. Je vais m'allonger un peu, histoire d'être en forme pour... la cérémonie.

– Bien. Mais tâche d'être à l'heure. Nous commencerons à minuit précis.

La Grande Mère suivit Linda de son regard perçant jusqu'à la porte. Elle écouta ses pas résonner dans l'escalier, entendit craquer le plancher de la chambre et grincer les ressorts du lit de Linda.

La Grande Mère ne maîtrisait pas l'art de **projeter** des bruits de pas ; elle n'imaginait même pas que ce soit possible. Elle avait tort. Tandis que ses pas pénétraient dans la chambre et se jetaient sur son lit, arrachant des gémissements au sommier, Linda, elle, partait dans la direction opposée.

Ignorant tout de la supercherie, Pamela s'adressa aux trois sorcières restantes.

– Nous pouvons nous réjouir, dit-elle en se rengorgeant. Notre coven compte à présent six membres, bientôt sept, dont une princesse !

Soudain un cri jaillit des profondeurs de la maison.

– On dirait que Marissa taquine notre nouvelle recrue, remarqua la Grande Mère avec un sourire indulgent.

Mais comme Linda ne manquait jamais une occasion de le lui rappeler, Pamela était sujette à des trous de mémoire. En l'occurrence, elle avait oublié que Jenna était toujours réduite au silence.

Et en effet, le cri ne provenait pas d'elle, mais de Marissa.

16
L'APPEL GÉNÉRAL

Moustique arriva à la tour du Magicien essoufflé et très énervé.

Ce fut Hildegarde qui lui ouvrit.

– Qu'est-ce que vous faites ici ? demanda-t-elle, étonnée. La princesse et vous avez fait l'objet d'un signalement de la part de la Grotte-Gothic. Vous devriez vous trouver là-bas, en train d'attendre la patrouille...

– Je... Ils nous ont laissés... partir. Je dois parler... à Marcia. Vite !

Hildegarde connaissait assez Moustique pour envoyer de toute urgence un messager chez Marcia. L'escalier magique lancé à pleine vitesse emporta le messager dans un tourbillon bleuté pendant que le jeune garçon faisait les cent pas dans le hall, n'osant fonder de trop grands espoirs sur sa requête.

C'est pourquoi il fut aussi stupéfait qu'Hildegarde en voyant un éclair pourpre apparaître au sommet de l'escalier et descendre celui-ci avec une rapidité vertigineuse.

Quelques minutes plus tard, Marcia prenait pied dans le hall. Elle écouta le récit de Moustique – sa confrontation avec Merrin dans le grenier du palais, la bague à deux faces, le **domaine ténébreux** et la disparition de Jenna – avec une inquiétude croissante.

– Je le savais, murmura-t-elle. Je le savais !

Sitôt qu'il eut fini de parler, elle expédia Hildegarde au Centre de **recherche** et sauvetage, au dix-neuvième étage de la tour, avec l'ordre de retrouver immédiatement Jenna.

– Maintenant, dit-elle, il nous faut lancer un **appel général**. Il n'y a pas une seconde à perdre.

C'était là une tâche relativement aisée, la tour possédant un système d'interphone magique. Quoique très ancien, il fonctionnait toujours, même si plus personne ne savait comment. Pour cette raison, Marcia répugnait à l'employer. Un réseau de fils aussi étendu qu'une toile d'araignée reliait entre eux les différents espaces publics et privés du bâtiment. On l'activait au moyen d'un disque en lapis-lazuli, enchâssé dans le mur près des portes de la tour. Moustique vit Marcia ouvrir brusquement la main, dirigeant un flot d'énergie pourpre vers le centre du disque. Une couche de lapis aussi mince qu'une feuille de papier s'en détacha et flotta jusqu'à la paume de la magicienne extraordinaire. Celle-ci serra le poing et l'approcha de ses lèvres.

– **Appel** à tous les magiciens, récita-t-elle d'un ton monocorde. **Appel** à tous les magiciens. Veuillez vous rendre sans délai – je répète, sans délai – dans le grand hall...

La voix de Marcia se répercuta dans chaque pièce de la tour, aussi nette que si elle se trouvait là en personne, au grand effroi d'un vieux magicien qu'elle avait surpris dans son bain.

L'effet ne se fit pas attendre. L'escalier d'argent ralentit de manière à être accessible à tous, et quelques secondes plus tard, Moustique aperçut les capes bleues des premiers magiciens à répondre à l'**appel**.

Bientôt, apprentis et magiciens se répandirent au pied des marches, ceux-ci déplorant que la magicienne extraordinaire ait décidé d'organiser un exercice juste comme ils s'apprêtaient à prendre le thé, ceux-là commentant la nouvelle avec des voix excitées. Moustique gardait un œil sur l'escalier, tentant d'apercevoir Septimus, mais si de nombreuses robes vertes d'apprentis se détachaient de la marée bleue des magiciens, son ami n'était nulle part.

Quand le dernier magicien eut pris pied dans le hall, Marcia s'adressa à la foule :

– Ceci n'est pas un exercice, mais un véritable **appel général**.

Un murmure étonné accueillit cette annonce.

– Tous les magiciens sont réquisitionnés afin de former au plus tôt une **chaîne** autour du palais. En effet, j'ai décidé de placer celui-ci en **quarantaine**.

Un immense cri de stupeur résonna à travers le hall, et les lumières de la tour, conçues pour refléter l'humeur collective de ses occupants quand elles n'avaient rien de mieux à faire, virèrent au rose ému.

Marcia poursuivit :

– Par conséquent, je vous invite à vous mettre en route sous la conduite de M. Moustique ici présent, et à lui fournir appui et assistance pendant qu'il transmettra cet **appel** aux scribes du Manuscriptorium.

La stupeur se peignit sur le visage de l'intéressé.

– Vous vous dirigerez ensuite vers le palais et prendrez position devant les grilles. Cette opération devra se dérouler dans un silence absolu, j'insiste sur ce point. Il est impératif que notre cible ne voie rien venir. Compris ?

Une rumeur approbatrice parcourut l'assemblée.

– Moustique ? Lève le bras, je te prie, afin que chacun sache qui tu es.

Moustique s'exécuta, songeant qu'il était pourtant facile à identifier grâce à sa veste d'amiral. Mais Marcia, venant d'apprendre que Merrin logeait au palais depuis presque deux ans sans que Silas Heap ait jamais rien soupçonné, tenait en piètre estime le sens de l'observation du magicien ordinaire moyen et était résolue à ne prendre aucun risque.

– Moustique, je te nomme mon émissaire spécial, reprit-elle d'un ton solennel.

Elle décrocha de sa ceinture un minuscule rouleau de parchemin attaché par un mince ruban pourpre et le tendit au jeune garçon, qui le recueillit sur sa paume.

– Ouf ! fit-il, étonné par le poids du parchemin.

– Veille à le tenir à bout de bras pendant qu'il **grandira**, lui recommanda Marcia, au cas où il s'échaufferait. Quand il aura atteint sa taille définitive, tu n'auras qu'à lire ce qui s'inscrira dessus. Ces parchemins émissaires sont relativement intelligents ; celui-ci devrait te permettre de répliquer à la plupart des arguments que Mlle Djinn ne manquera pas de te lancer à la figure. Je t'ai donné le modèle « conflictuel ». Quelque chose me dit que tu en auras besoin, acheva-t-elle avec un soupir.

Moustique partageait son sentiment.

Marcia ajouta :

– Autre chose : si la première scribe hermétique est obligée de laisser tous les scribes sous contrat répondre à un **appel général**, elle-même n'est pas tenue d'y prendre part. Et pour être franche, je préférerais qu'elle s'abstienne. Compris ?

Moustique avait parfaitement compris.

Marcia éleva la voix pour s'adresser à l'ensemble des apprentis et magiciens :

– À présent, je vous prie de bien vouloir quitter la tour en ordre derrière M. Moustique.

– Mais... Septimus n'est pas encore descendu, remarqua Moustique.

– En effet, acquiesça Marcia d'un air ennuyé. Mon apprenti senior a choisi le moment où j'aurais besoin de pouvoir compter sur lui pour s'absenter et aller écouter les fadaises de Marcellus Pye. Je devrais envoyer un magicien le chercher.

Et, ajouta Marcia en elle-même, lui dire qu'il était exclu qu'il entame sa semaine **ténébreuse** cette nuit-là.

Moustique comprit soudain pourquoi Marcia l'avait choisi comme émissaire. Une fois de plus, il servait de doublure à Septimus. Ce constat entama un peu sa fierté, mais à peine.

Tel un gardien d'oies guidant son troupeau turbulent, il entraîna magiciens et apprentis hors de la tour. Sous sa conduite, ils descendirent le large escalier en marbre, traversèrent la cour que la neige fondue rendait glissante et franchirent la Grande Arche incrustée de lapis-lazuli qui débouchait dans la voie du Magicien.

Leur apparition suscita une certaine émotion chez les promeneurs particulièrement nombreux cette nuit-là, la plus longue de l'année. Même le spectacle des fenêtres brillamment éclairées ne pouvait rivaliser avec la vision de Moustique, les dorures de sa veste d'amiral étincelant à la lumière des torches, marchant fièrement à la tête d'une immense vague bleue mouchetée de vert. La foule s'écartait respectueusement à leur passage. Le jeune garçon aurait vécu un moment inoubliable, sans la question qui le taraudait : qu'était-il arrivé à Jenna ?

Cependant, au dix-neuvième étage de la tour, Hildegarde scrutait les moindres recoins du Château, aux commandes d'un énorme projecteur magique. Les trois magiciens ventripotents et assez imbus d'eux-mêmes qui composaient la brigade de **recherche** et sauvetage, quoique contrariés que Marcia Overstrand leur ait préféré une simple sous-magicienne, avaient été forcés de s'incliner. Ils se vengeaient en soumettant la malheureuse à une surveillance aussi étroite qu'exaspérante et en l'abreuvant de conseils condescendants.

Hildegarde s'efforçait de les ignorer pour concentrer ses pouvoirs encore balbutiants sur le projecteur. Mais l'appareil restait obstinément braqué sur la Masure maudite, devant laquelle Moustique avait vu Jenna pour la dernière fois. Hildegarde songea avec amertume qu'elle avait encore des progrès à faire. Selon toute vraisemblance, la princesse se trouvait très loin à présent.

17
Princesse et sorcière

Tandis que le projecteur d'Hildegarde persistait à fixer le toit de la Masure maudite, à l'intérieur de celle-ci, Linda s'approchait furtivement de l'arrière-cuisine où Marissa avait emmené Jenna.

La jeune sorcière avait besoin d'un délai supplémentaire pour mettre au point le **sort** qu'elle destinait à sa rivale, et qui ferait passer les oreilles d'éléphant de Dorinda pour un accessoire de farces et attrapes. Elle se répétait une nouvelle fois la formule, y apportant quelques retouches pour augmenter son pouvoir de nuisance – plus grosses, les verrues – quand le cri qui avait tant réjoui la Grande Mère s'échappa de l'arrière-cuisine. Préoccupée par sa formule, Linda crut également qu'il provenait de Jenna. Elle attendit quelques secondes que Marissa ait terminé ce qu'elle avait com-

mencé. Mais quand un bruit de respiration saccadée lui parvint à travers la porte, elle commença à s'inquiéter. Il était trop tôt pour supprimer la princesse ; elle devait d'abord les aider à vaincre les sorcières de Wendron. Elle ouvrit la porte et s'arrêta net sur le seuil de la pièce.

Un bras passé autour du cou de Marissa, Jenna semblait étrangler celle-ci. Linda apprécia le geste en connaisseuse : plus jeune, elle faisait volontiers le coup de poing, même si elle préférait à présent recourir aux sortilèges.

Fascinée, elle regarda le visage de sa rivale virer peu à peu au violet.

– Lâ... lâche-moi ! gémit Marissa.

Jenna releva alors la tête et découvrit Linda. Marissa ne pouvait en faire autant, mais elle identifia la dauphine de Pamela à ses bottes pointues, aux talons décorés de griffes de dragon.

– Ai... aide-moi, supplia-t-elle d'une voix rauque.

Si tu t'en mêles, tu le regretteras, articula Jenna à l'adresse de Linda.

Celle-ci ne perdait pas une miette du spectacle. Comme nous l'avons dit, elle savait apprécier une bonne bagarre et rêvait depuis longtemps d'assister à une empoignade entre une sorcière et une princesse. Malheureusement, elle avait d'autres projets et devait agir avant que la Grande Mère ne se traîne jusqu'à l'arrière-cuisine pour s'enquérir de ce qui s'y passait.

– Bien joué, dit-elle à Jenna. Continue comme ça, et tu arriveras peut-être à me faire changer d'avis sur les princesses. Maintenant, si tu veux bien la tenir encore un moment...

Linda considérait Marissa comme un serpent sur le point de frapper sa proie. Visiblement, elle mijotait quelque chose, et Jenna soupçonnait que ça n'annonçait rien de bon pour la jeune sorcière.

Linda pointa ses deux index vers sa rivale, plissant les yeux comme un tireur ajustant sa visée. Jenna revit brusquement le Chasseur braquant son pistolet sur elle, et ce souvenir l'emplit d'horreur.

– Surtout, qu'elle ne bouge pas, reprit Linda. Parfait !

Jenna n'aimait pas la tournure que prenaient les événements. Quoi que Linda ait eu l'intention de faire, elle n'avait aucune envie d'y prendre part, mais d'un autre côté, elle n'osait pas relâcher Marissa. Il y avait fort à parier que celle-ci se serait immédiatement retournée contre elle, de même que Linda. Elle était coincée.

Tandis que Linda abaissait lentement les bras, deux minces faisceaux de lumière bleue jaillirent de ses yeux et se fixèrent sur le visage de Marissa. Puis elle se mit à psalmodier :

Cerveau et cœur
Sanglot et stupeur
Sang et squelette
Claquedent et cliquette
Rate et reins
Gratte et geins...

Marissa laissa échapper un gémissement terrifié. Elle avait reconnu le début de la redoutable formule d'**éviction**. Linda avait l'intention de la priver de sa forme humaine, et ce de manière permanente !

– Pitié ! hurla-t-elle. Noooooon...

Linda se mordit la lèvre inférieure, exhibant des incisives jaunies. Une **éviction** exigeait du temps et de la concentration, mais le processus semblait déjà en bonne voie, grâce au concours inespéré de la princesse. Assurément, la présence d'une assistante lui facilitait la tâche. Bouillant d'impatience, elle aborda la partie principale de la formule, à l'issue de laquelle tous les organes de Marissa se transformeraient pour faire d'elle un crapaud. Sa voix devint plus grave, les mots se fondant en une mélopée lente et monotone.

Jenna ressentit la terreur de Marissa, et elle comprit qu'en continuant à l'immobiliser elle allait se rendre complice d'un crime particulièrement odieux. Elle devait faire quelque chose, mais quoi ?

La voix de Linda grimpa brusquement dans les aigus. Les minces traits de lumière bleutée qui jaillissaient de ses yeux trouaient l'obscurité telles des aiguilles, la reliant à sa victime.

– Pitié, Votre Altesse, murmura Marissa. Laissez-moi partir, et je ferai tout ce que vous voudrez. Promis !

Jenna n'avait aucune foi dans les promesses de Marissa. Elle devait la garder en son pouvoir le temps d'obtenir d'elle ce qu'elle désirait. Mais comment ? Elle était réduite au silence. Elle relâcha imperceptiblement son étreinte. Marissa leva vers elle des yeux pleins de larmes.

– Pardon, Votre Altesse. Je regrette, sincèrement. Mais s'il vous plaît, aidez-moi !

De sa main libre, Jenna désigna ses lèvres. Marissa comprit. Elle marmonna quelques mots et dit :

– C'est bon, j'ai levé le **sort**.

La voix de Linda retrouva sa hauteur habituelle, son débit

se ralentit et les mots terrifiants qu'elle prononçait devinrent audibles :

Glandes à venin et
Langue visqueuse,
Gros yeux bombés,
Peau verruqueuse...

Marissa poussa un cri désespéré.

– Je vous en prie...

Jenna testa sa voix :

– Mes pieds ?

Marissa murmura de nouveau quelques mots.

– C'est fait, dit-elle. Vite, vite...

Jenna recula, entraînant Marissa. Elle était libre, *libre* !

Elle lâcha la sorcière, et le chaos se déchaîna.

Voyant Jenna foncer vers la porte, Linda s'interrompit en pleine incantation, stupéfaite. Marissa en profita pour se jeter sur elle en hurlant, la mordant et la bourrant de coups de pieds. Déséquilibrée, Linda tomba à la renverse et se cogna violemment la tête sur les dalles.

Jenna venait de s'engouffrer dans le couloir quand elle distingua dans la pénombre la silhouette massive de la Grande Mère qui venait dans sa direction, vacillant sur les semelles compensées de ses bottes hérissées de piques.

– Marissa, c'est toi ? lança Pamela. Qu'est-ce qui se passe ?

Prise au piège, Jenna battit en retraite vers l'arrière-cuisine et claqua la porte derrière elle. Marissa, assise à califourchon sur Linda, semblait en train de l'étrangler.

Elle leva un regard étonné vers Jenna.

– Elle arrive, expliqua la princesse.

– Qui ça ?

– La Grande Mère.

Marissa pâlit. Quand Linda avait tenté de l'**évincer**, elle avait cru qu'elle agissait sur l'ordre de la Grande Mère. Elle se releva d'un bond, lâchant Linda – qui gémit mais ne bougea pas – et pointa l'index vers la porte à laquelle s'adossait Jenna. Celle-ci se prépara à l'affronter, mais Marissa ordonna :

– **Verrouille**-toi !

La porte fit entendre un déclic.

– Ça ne l'arrêtera pas longtemps, murmura Marissa. Il faut qu'on sorte d'ici.

Elle se dirigea vers l'unique fenêtre de la petite pièce minable, située au-dessus d'une table sur laquelle était posé un paquet d'étoffe noire. Elle sauta sur la table et poussa le battant.

– C'est la seule issue, expliqua-t-elle. Il va falloir sauter, mais le sol est mou. Tiens, mets ça !

Marissa lança le paquet d'étoffe à Jenna, qui l'esquiva. Il s'écrasa au sol avec un bruit mat.

– Tu veux sortir, oui ou non ? demanda Marissa.

– Bien sûr que oui !

– Alors, mets cette cape.

– Pourquoi ?

Marissa poussa un soupir exaspéré.

– Parce que sinon, tu ne sortiras pas d'ici. Cette fenêtre est **interdite** aux cowans.

– Aux quoi ?

– Aux non-initiés, si tu préfères. Comme toi, bécasse.

Quelqu'un secoua la poignée de la porte.

– Marissa ? fit la voix de Pamela. Tout va bien ?

– Oui, Grande Mère, répondit la jeune sorcière d'une voix exagérément enjouée. On a presque terminé. Dépêche-toi de mettre ce fichu truc, souffla-t-elle à Jenna. Il est assez chargé en sorcellerie pour tromper une stupide fenêtre.

Jenna prit la cape du bout des doigts, comme si elle ramassait une crotte de chien.

La vieille Pamela secoua de nouveau la poignée, plus énergiquement.

– Pourquoi cette porte est-elle **verrouillée** ? demanda-t-elle d'un ton soupçonneux.

– La princesse a tenté de s'enfuir, Grande Mère. Mais je l'ai rattrapée. Tu te décides, oui ? ajouta-t-elle à voix basse. Sinon je pars sans toi.

– C'est bon, c'est bon, murmura Jenna.

Elle tenta de se raisonner : après tout, ce n'était qu'un vêtement. Ça ne l'engageait à rien de le porter. Une odeur de moisi s'échappa de la cape quand elle s'enroula dedans.

– Elle te va comme un gant, remarqua Marissa avec un sourire narquois. Monte vite.

Jenna la rejoignit sur la table. Marissa ouvrit en grand la fenêtre, laissant entrer le froid de la nuit.

– Sors le bras, dit-elle.

Jenna tenta de s'exécuter, mais sa main rencontra un obstacle invisible qui évoquait de la bave congelée.

– Berk ! fit-elle, retirant vivement sa main.

Pamela avait l'ouïe extrêmement fine.

– Marissa ? couina-t-elle. Il y a quelqu'un avec toi ?

– Seulement la princesse, Grande Mère, répondit Marissa. La barbe ! ajouta-t-elle, se tournant vers Jenna. La cape ne suffit pas.

Jenna baissa les yeux vers l'ample vêtement noir qui l'enveloppait tel un lambeau de nuit. Elle se sentait différente depuis qu'elle le portait, et ça lui paraissait suffisant.

– Si on veut te sortir d'ici, reprit Marissa, je vais devoir...

– Quoi ? s'enquit Jenna, inquiète.

Au même moment, Pamela se manifesta de nouveau :

– Marissa, j'entends une autre voix que la tienne ! Qu'est-ce que tu fabriques ?

– Rien, Grande Mère ! La princesse est en train de s'habiller. On n'en a plus pour très longtemps.

Marissa se pencha ensuite vers Jenna :

– Je vais devoir te transformer en sorcière.

– Pas question !

– Marissa ! La princesse a parlé. Elle n'est donc plus **muette** ?

– Si ! C'est moi que vous avez entendue.

– Tu mens ! Laisse-moi entrer !

La Grande Mère secoua si violemment la poignée qu'elle se décrocha, rebondit sur le sol et frappa Linda à la tête.

– Meeeeuh... gémit celle-ci.

– C'était quoi, ce bruit ? Ouvre-moi tout de suite, ou j'**enfonce** cette porte et tu auras de gros ennuis ! hurla Pamela.

– Je me tire, annonça Marissa, affolée, à Jenna. Tu préfères rester ? Eh bien, bonne chance. Tu ne pourras pas dire que je n'aurai pas essayé de t'aider.

Sur ces paroles, la jeune sorcière se hissa jusqu'à la fenêtre. Elle en enjambait le rebord quand la porte se fendit sur toute sa hauteur avec un craquement sinistre.

– Attends ! hurla Jenna. Fais ce que tu as dit, vite !

– D'accord, soupira Marissa. Je t'avertis, c'est dégoûtant. Mais on n'a pas le choix.

Elle se pencha alors vers Jenna et plaqua un baiser sur sa joue. Comme la princesse sursautait, elle lui sourit.

– Je t'avais dit que c'était dégoûtant. Ça y est, tu es une sorcière. Mais tu ne fais pas partie du coven. Pour ça, il faudrait que tu les embrasses toutes.

Jenna grimaça.

– Non merci !

Il y eut un nouveau craquement, et la pointe métallique d'une botte apparut dans la fente de la porte.

– Il est temps d'y aller, ma sœur, dit Marissa.

Jenna enjamba la fenêtre et sauta dans la nuit. Elle atterrit sur un tas de compost.

– Cours ! lui souffla Marissa.

Les fugitives traversèrent en courant le jardin à l'abandon, ignorant les griffures des ronces, escaladèrent le mur et retombèrent dans une ruelle. Derrière elles, la Grande Mère, coincée dans l'ouverture de la fenêtre, poussait des cris de rage et leur décochait des maléfices qui s'égaraient dans la végétation et ricochaient sur les murs avant de revenir la frapper tels des boomerangs.

Les deux jeunes sorcières coururent à toutes jambes vers l'extrémité de la ruelle et les lumières rassurantes de la Grotte-Gothic. Jenna referma la porte derrière elles, déclenchant un hurlement effroyable. Elle sourit : comme la boutique lui paraissait normale, à présent !

Marcus approcha, pas le moins du monde impressionné de

voir deux sorcières franchir le seuil de la boutique. Beaucoup de gens aimaient se déguiser pour fêter la nuit la plus longue de l'année. Quelques heures plus tôt, il avait vendu tout le stock de costumes de squelette à l'équipe de **Magyk** Sandwich.

– Je peux vous aider ? demanda-t-il.

Jenna repoussa la capuche de sa cape de sorcière.

– Princesse Jenna ! s'exclama le jeune vendeur. Vous allez bien ? Votre ami... Cafard, c'est ça ? Il vous cherchait.

Jenna avait frissonné de dégoût en entendant le mot « cafard ».

– Il s'appelle Moustique, corrigea-t-elle. Il est ici ?

– Non, mais il va être content de vous savoir saine et sauve. Il devenait cinglé. Mais on dirait que la tour du Magicien a envoyé quelqu'un pour vous. Bonne chance, acheva le jeune garçon avec un clin d'œil.

En effet, la porte s'ouvrit de nouveau avec un hurlement terrifiant, et Hildegarde s'engouffra dans la boutique.

Elle s'arrêta net à la vue des deux sorcières.

– Votre Altesse, c'est vous ? demanda-t-elle, essoufflée.

Le projecteur lui avait dit que la sorcière qu'elle avait vue s'enfuir de la Masure maudite n'était autre que la princesse, mais elle avait refusé de le croire.

– La cape que vous portez, reprit-elle. Ce n'est pas une imitation, vous le savez ?

– Bien sûr, que je le sais, répliqua Jenna d'un ton cassant.

Hildegarde les considéra avec désapprobation, elle et sa compagne, avant d'expliquer :

– Dame Marcia m'a chargée de vous accompagner sans délai au palais. Elle vous y attend. Cette cape ne me paraît pas convenir aux circonstances, aussi je vous suggère de l'enlever.

L'attitude de la sous-magicienne agaçait sérieusement Jenna.

– Pas question, rétorqua-t-elle. Cette cape est à moi, et je la porterai si ça me plaît.

Marissa sourit. En définitive, il y avait peut-être moyen de s'entendre avec cette princesse.

⁜ 18 ⁜

L'ÉMISSAIRE SPÉCIAL

Le flot des magiciens ordinaires s'immobilisa devant une façade étroite et sombre, au numéro 13 de la voie du Magicien. La pancarte au-dessus de la porte indiquait MAGICUS MANUSCRIPTORIUM SA (SORTILÈGES ANONYMES).

Moustique quitta les rangs protecteurs de son armée de magiciens et s'avança vers son ex-lieu de travail. Les fenêtres étaient embuées par l'haleine des vingt et un scribes qui œuvraient à l'intérieur. Le jeune garçon aperçut une bande de lumière jaune pâle au-dessus des piles branlantes de livres et de manuscrits qui remplissaient presque la vitrine, mais même en cette nuit de fête, aucune bougie n'éclairait la devanture. Jillie Djinn interdisait les dépenses superflues.

Moustique plaignait les scribes astreints à un dur labeur tandis que l'avenue bourdonnait d'une activité joyeuse. D'un autre côté, il se réjouissait de les savoir encore là. Il avait craint qu'ils ne soient partis plus tôt en cette occasion particulière, comme c'était autrefois la coutume, mais Jillie Djinn avait encore serré la vis à ses employés depuis son départ. Elle réprouvait le fait de quitter le travail en avance, surtout pour aller s'amuser.

Deux magiciennes, les sœurs Pascaline et Thomasine Serpolet, firent un pas en avant.

– Si vous le souhaitez, monsieur Moustique, nous serions très heureuses de vous escorter.

Moustique les remercia, songeant qu'il aurait besoin de toute l'aide possible. Il prit une profonde inspiration et poussa la porte. Un tintement retentit, et le compteur de visiteurs s'activa. La vue du désordre qui régnait à l'intérieur attrista le jeune garçon. Le comptoir dont il prenait tant de soin disparaissait sous un fouillis de papiers et de sucreries à peine entamées, le sol poussiéreux collait sous les semelles, et une odeur caractéristique de charogne trahissait la présence d'un rongeur mort sous une des nombreuses piles de manuscrits.

Moustique regarda autour de lui, s'attardant sur les minces panneaux moitié bois, moitié verre dépoli qui séparaient cette première salle du Manuscriptorium proprement dit, sur les murs grisâtres dont la peinture s'écaillait, les guirlandes de toiles d'araignée qui pendaient du plafond. Il lui semblait que l'endroit s'était beaucoup dégradé depuis son départ – ou alors, il était trop absorbé par son travail pour le remarquer à l'époque. En revanche, il était certain de n'avoir jamais vu la porte de la réserve des livres rares et dangereux condamnée par deux planches clouées. Comment l'employé chargé de son entretien faisait-il pour y pénétrer ? Le plus probable était qu'il y avait renoncé.

Soudain la porte de séparation avec le Manuscriptorium s'ouvrit à la volée, livrant passage à la première scribe hermétique. Elle avait à la main un grand mouchoir sur lequel, en plus des initiales PSH, elle avait brodé ses multiples titres et qualités avec des fils de couleurs différentes. Voilà donc à quoi elle occupait ses longues soirées solitaires, au dernier étage du Manuscriptorium.

Jillie Djinn s'arrêta net en découvrant Moustique, flanqué des deux magiciennes.

– Oui ? fit-elle d'un ton peu aimable.

Le jeune garçon attendait ce moment, serrant le rouleau que lui avait donné Marcia dans son poing. Il le frappa à deux reprises et le tint à bout de bras tandis qu'une étincelle pourpre parcourait les bords du parchemin, puis une vague de chaleur le submergea. Quand elle reflua, le parchemin avait atteint sa taille définitive. Il était étonnamment fin et délicat (en **Magyk**, la matière ne peut être ni créée ni détruite) ce qui, aux yeux de Moustique, ajoutait encore à son mystère et à son importance. Il lut dans le regard de Jillie Djinn qu'elle était impressionnée, mais elle retrouva rapidement son habituelle expression revêche.

Décidé à faire preuve d'une politesse scrupuleuse, Moustique la salua respectueusement.

– Je vous souhaite le bonsoir, mademoiselle la première scribe hermétique. Je me présente devant vous en tant qu'émissaire spécial de la magicienne extraordinaire.

– Je vois ça, répliqua Jillie Djinn, impassible. Qu'est-ce qu'elle veut encore ?

Endossant son costume officiel avec un plaisir manifeste, Moustique déchiffra les mots qui s'inscrivaient sur le parchemin :

– Je vous informe que la magicienne extraordinaire a lancé un **appel général** à travers le Château. La présence de tous les scribes sous contrat est requise sans délai.

Jillie Djinn enfourcha aussitôt ses grands chevaux :

– Vous direz à la magicienne extraordinaire que nous réalisons ici un travail important. Nos scribes ne sauraient laisser tout en plan pour obéir à ses moindres caprices.

Elle tira d'une de ses nombreuses poches une minuscule montre qu'elle consulta en clignant les yeux.

– Ils seront disponibles à la fermeture de l'établissement, ajouta-t-elle, soit dans deux heures, quarante-deux minutes et trente-cinq secondes.

L'émissaire spécial de Marcia Overstrand tenta de réprimer un sourire pendant que la réponse qu'il espérait défilait devant ses yeux. Il lut à voix haute, savourant chaque mot :

– Le règlement de l'**appel général** stipule que les scribes du Manuscriptorium se rendent disponibles à la requête de la magicienne extraordinaire. Tout manquement à cette obligation entraînerait la révocation de la première scribe hermétique.

Jillie Djinn éternua dans le curriculum vitæ qui lui servait de mouchoir.

– Quelle est la raison de cet **appel** ? demanda-t-elle d'un ton pincé.

Moustique approuvait vivement le texte qui continuait à s'inscrire sur le parchemin. Il n'aurait pas mieux dit.

– Notre mandat ne nous autorise pas à vous délivrer cette information. Toutes questions ou plaintes relatives à cet **appel** devront être adressées par écrit à la tour du Magicien une fois celui-ci levé. Vous recevrez une réponse sous huitaine. À présent, nous vous prions de bien vouloir libérer vos scribes sur l'heure.

Jillie Djinn tourna les talons et s'engouffra dans le Manuscriptorium, claquant la porte derrière elle. Moustique échangea un regard avec ses deux escortes.

– J'avais entendu dire qu'elle n'était pas facile... murmura Pascaline.

– Mais je n'imaginais pas que c'était à ce point, acheva Thomasine.

– Oh ! Je l'ai vue pire que ça, assura Moustique. Bien pire.

Soudain des bavardages animés s'élevèrent derrière la cloison, suivis de bruits de bottes quand les vingt et un scribes sautèrent de leur tabouret.

La voix stridente de Jillie Djinn couvrit le vacarme :

– Non, monsieur Vulpin, il ne s'agit pas d'un congé exceptionnel. Vous resterez tous deux heures, trente-neuf minutes et sept secondes plus tard demain.

La porte du Manuscriptorium s'ouvrit et Vulpin apparut à la tête de la troupe de scribes. La surprise se peignit sur son visage.

– Mouss ? À ta place, je me ferais tout petit. La tour a décrété un entraînement à l'**appel général**, et tu-sais-qui est d'une humeur de chien.

Moustique sourit et agita son parchemin devant Vulpin.

– Je sais, je viens de le lui annoncer.

Vulpin eut un sifflement admiratif.

– Bien joué. Finalement, on l'aura, notre soirée libre. Merci, vieux.

– C'est pas une blague, Vulpin. Il y a bien eu un **appel général**.

– Et c'est toi qui le diriges ? Bravo !

– Je ne suis que le messager.

D'un geste théâtral, Moustique frappa à deux reprises l'extrémité du parchemin, qui **rétrécit** instantanément et devint très froid, avant de le ranger dans sa poche. Puis il s'adressa à l'ensemble des scribes :

– Je vous demande de bien vouloir rejoindre les magiciens ordinaires à l'extérieur. Nous nous dirigerons ensuite vers les grilles du palais, devant lesquelles nous attendrons des instructions. Une fois dehors, merci de garder le silence. Plus vite, je vous prie... Ouille ! Bécasseau, regarde un peu où tu poses les pieds !

– Content de te revoir, Moustique !

Avec un grand sourire, Bécasseau se glissa dans la file auprès de Romilly Badger. L'excitation était presque palpable, et aucun des scribes ne semblait regretter de devoir travailler plus tard le lendemain. Moustique les compta comme ils franchissaient la porte. À la fin, il ne resta plus que lui et Vulpin à l'intérieur.

– Mlle Djinn doit venir aussi ? s'enquit Vulpin à contrecœur. Si oui, je peux aller la chercher...

– Merci, mais Marcia préférerait qu'elle reste en dehors de tout ça.

– Tu m'étonnes ! Dis, avant d'y aller, je dois fermer le placard à **charmes**. Non pas qu'il y ait grand-chose dedans, mais ça fait partie de mon boulot.

Moustique regarda la foule de magiciens, d'apprentis et de scribes qui attendaient l'ordre de départ à l'extérieur.

– Fais vite, dit-il à Vulpin.

Celui-ci quitta la pièce en hâte. Il réapparut une minute plus tard et fit signe à Moustique d'approcher.

– Il est revenu ! dit-il dans un souffle.

– Qui ça ?

– À ton avis ? Daniel Le Chasseur de mouches...

– Merrin ?

– Si tu préfères.

Moustique chargea les sœurs Serpolet de conduire leur petite troupe au palais.

– Je vous rejoindrai dès que possible, leur promit-il.

Puis il se tourna vers Vulpin :

– Montre-moi où tu l'as vu.

Vulpin ouvrit doucement la porte de l'arrière-boutique. Moustique jeta un coup d'œil à l'intérieur, mais il n'aperçut que les rangées de pupitres vides, chacun baignant dans un cercle de lumière pâle. Il n'y avait aucune trace de Merrin, ni de Jillie Djinn.

– Il n'est pas là, murmura-t-il.

Vulpin regarda par-dessus son épaule.

– Zut ! Pourtant, je suis sûr de l'avoir vu. Il a dû entrer dans le cabinet hermétique.

– Il n'en a pas le droit ! fit Moustique, indigné.

– C'est ce que j'ai tenté de dire à Mlle Djinn, mais elle le laisse circuler à sa guise. Si tu veux mon avis, ajouta Vulpin, refermant silencieusement la porte, il mijote quelque chose.

Moustique acquiesça, la mine grave.

– Le sale petit crapaud, marmonna Vulpin entre ses dents.

En effet, le « sale petit crapaud » mijotait quelque chose, et comme l'avait deviné Vulpin, il se trouvait dans le cabinet hermétique.

Merrin avait horreur d'attendre. Aussi, pour passer le temps, il mastiquait un long lacet de réglisse qu'il avait sorti du tiroir secret de la grande table ronde au centre de la pièce. Celui-ci abritait à présent une provision de sucreries poisseuses, tandis que son contenu légitime se languissait dans la boîte à ordures, au fond de la cour.

Merrin était content de son après-midi. Il devenait drôlement doué pour la **Magyk** noire. Grâce à un **écran ténébreux**, il avait pu quitter le palais juste sous le nez de Sarah Heap, ce qui l'avait bien amusé – surtout quand il lui avait délibérément écrasé le pied. Et il s'était vengé de Jillie Djinn, qui avait eu le tort de se montrer désagréable avec lui. Elle n'était pas prête à recommencer, pensa-t-il avec un sourire satisfait, debout face au miroir ancien appuyé contre le mur.

Quand Merrin scrutait les profondeurs de celui-ci, il apercevait derrière lui le reflet de la première scribe hermétique, penchée au-dessus de la table ronde. Ayant fait quelques grimaces devant la glace, il tapa impatiemment du pied, se dirigea vers le boulier et joua à faire glisser les boules de gauche à droite puis de droite à gauche. Si elle s'était trouvée dans son état normal, Jillie Djinn lui aurait certainement crié d'« arrêter ça tout de suite », et n'importe qui à sa place en aurait fait autant.

Merrin soupira. Il s'ennuyait et n'avait même plus la ressource d'embêter les scribes. Il caressa l'idée de descendre à la cave et d'y briser quelques objets, mais le scribe conservateur lui faisait peur. Pourquoi les **créatures** tardaient-elles autant ? Il leur avait seulement ordonné de déplacer le **domaine ténébreux**. Ce n'était quand même pas si compliqué ! Agacé, il décocha un coup de pied au mur.

Laissant Jillie Djinn contempler le vide, il parcourut à l'envers le couloir qui tournait sept fois sur lui-même et promena son regard autour du Manuscriptorium désert. Sans la présence des scribes, la grande salle sombre lui parut sinistre. Il n'aurait voulu y demeurer pour rien au monde, mais elle conviendrait parfaitement à ses **créatures**. Sans celles-ci, il serait libre d'aller et venir à sa guise et ferait tout ce qui lui passerait par la tête. Pas trop tôt !

19
La chambre secrète

Tandis que Moustique reprenait la tête de la petite troupe de scribes et de magiciens, celui qui aurait dû conduire ceux-ci était enfermé au sous-sol d'une maison de l'allée du Serpent. Quand un magicien hors d'haleine frappa à la porte, plusieurs étages au-dessus, nul ne l'entendit.

Septimus écoutait Marcellus Pye lui faire un exposé sur les dangers de la **Ténèbre** et les manières de s'en protéger. Le temps s'écoulait avec une lenteur extrême. Marcellus avait déjà consacré une heure, sinon plus, à l'énumération des dangers.

Alchimiste et apprenti se trouvaient dans une pièce sans fenêtre et toute en longueur. L'atmosphère y était oppressante. La fumée des bougies flottait dans l'air, ainsi qu'un vague relent de **Ténèbre** qui rendait Septimus nerveux. Tandis que Marcellus Pye occupait un fauteuil confortable, lui n'avait droit qu'à un banc de pierre. Une bougie brûlait sur la petite table entre eux, contribuant à épaissir la couche de cire qui recouvrait déjà celle-ci.

Marcellus semblait à son aise. Il se trouvait dans sa **chambre secrète**, en train de dispenser son enseignement à son apprenti. La situation était parfaitement normale, de son point de vue du moins. Un alchimiste digne de ce nom se devait de posséder une **chambre secrète**, même s'il ne l'aurait avoué pour rien au monde. Cinq siècles plus tôt, dans sa « première vie », ainsi qu'il l'appelait, Marcellus avait aménagé la sienne dans sa cave, en rognant sur la surface de deux pièces contiguës. Elle était conçue si intelligemment qu'aucun des occupants ultérieurs de la maison n'avait jamais soupçonné son existence.

Marcellus l'avait construite de ses propres mains. Il n'avait pas eu le choix : à son époque d'origine, dès qu'un alchimiste sollicitait les services d'un maçon, celui-ci prétextait qu'il était débordé, qu'il devait se rendre au chevet d'un parent malade habitant très loin du Château, ou bien il tombait malencontreusement d'une échelle et se cassait soi-disant la jambe. Cette défiance, alimentée par de nombreuses rumeurs, se perpétuait de génération en génération d'artisans. « N'accepte jamais de travailler pour un alchimiste, mon gars », disait chaque maçon à son apprenti (ou « ma fille », quoique plus rarement). « Sinon, à peine le chantier terminé, il t'expédiera au fond du fossé du Château, pour s'assurer de ton silence. Bien sûr, il te proposera de grandes quantités d'or, mais crois-moi, le jeu n'en vaut pas la chandelle. » Si tous les alchimistes n'agissaient pas ainsi, il faut avouer que cette légende n'était pas totalement dénuée de fondement.

Marcellus Pye excellait en de nombreux domaines, mais la maçonnerie n'en faisait pas partie. Si l'extérieur de la **chambre secrète** passait inaperçu – dans chacune des deux pièces concernées, il avait pris soin de recouvrir les murs grossiers de lambris – l'intérieur était complètement raté. Marcellus s'était révélé incapable de construire des murs parfaitement verticaux, si bien qu'ils se rejoignaient presque à leur sommet et que la pièce, une fois installée la cloison amovible dissimulant les trésors les plus occultes de l'alchimiste, avait pris l'apparence d'un corridor étouffant.

Le scintillement de la myriade de bougies nichées dans les nombreux recoins résultant des innovations architecturales de Marcellus avait un effet presque hypnotique sur Septimus. Leur fumée avait noirci la pièce par endroits, et la cire qui ruisselait le long des murs rutilait dans leur clarté dorée. Si le jeune garçon ne s'était pas encore assoupi, c'était uniquement grâce aux arêtes des briques qui s'enfonçaient dans son dos, tels des doigts accusateurs. De temps en temps, il changeait de position et prenait appui contre une aspérité d'une forme légèrement différente mais tout aussi inconfortable.

– Cesse de gigoter et montre-toi attentif, apprenti, le sermonna Marcellus, calé contre un coussin moelleux. Ce que j'ai à te dire pourrait te sauver la vie.

Septimus réprima un soupir. Enfin, Marcellus en venait au véritable motif de sa visite.

– Je présume que tu as l'intention d'arracher le fantôme d'Alther Mella au **palais obscur** ?

– En effet. J'y pénétrerai ce soir à minuit.

Un frisson de peur et d'excitation mêlées traversa Septimus

tandis qu'il prononçait ces mots. Brusquement, son projet prenait corps.

– Et pour cela, tu comptes emprunter le **portail** du donjon numéro un ?

– Eh bien, oui. Pourquoi, il en existe d'autres ?

– Certes ! répondit Marcellus, surpris. Mais c'est le seul auquel tu puisses accéder avant minuit. D'autres **portails** sont plus particulièrement adaptés à ce genre de mission. Malheureusement, aucun ne se trouve au Château.

Laissant Septimus à ses interrogations – pourquoi Marcia lui avait-elle caché l'existence de ces autres **portails**, alors même qu'ils convenaient mieux à son projet ? – Marcellus prit la bougie sur la table et s'arracha à son fauteuil avec un grognement sourd. D'une démarche de vieillard – ce qu'il était – l'alchimiste parcourut toute la longueur de la pièce, jusqu'à la cloison amovible. Celle-ci, remarqua Septimus, était faite du même bois que les lambris qui tapissaient l'extérieur de la **chambre secrète**. Marcellus fit coulisser un des panneaux et glissa une main dans la cavité qu'il venait de révéler. Septimus perçut des tintements cristallins, un bruissement qui évoquait celui des feuilles mortes dans une boîte en métal, un bruit de livres déplacés, puis Marcellus s'exclama avec une pointe de soulagement :

– Je l'ai !

Quand il se retourna, Septimus sursauta et faillit prendre ses jambes à son cou. La flamme de la bougie projetait des ombres effrayantes sur son visage, et pendant qu'il avançait vers lui, les bras tendus, le jeune garçon le revit tel qu'il lui était apparu pour la première fois : un vieillard âgé de cinq cents ans, qui l'avait agrippé avant de l'attirer dans son monde souterrain à travers un miroir. Ce souvenir pénible ébranla Septimus davantage que toutes les difficultés qu'il avait pu rencontrer durant les préparatifs de sa semaine **ténébreuse**.

Inconscient du trouble qu'il lui causait, Marcellus Pye revint s'asseoir en face de lui.

– Apprenti, dit-il avec une expression satisfaite, l'objet que je tiens là te permettra de traverser sans encombre le **portail**.

Il ouvrit alors la main, révélant une petit briquet cabossé. Septimus ressentit une immense déception. Il possédait déjà un briquet, en bien meilleur état que celui-ci. Et il était probable que le sien fonctionnait mieux – il s'enorgueillissait d'allumer un feu en moins de quinze secondes, dans n'importe quelles conditions. Moustique et lui avaient fait un concours quelques semaines plus tôt, et il avait gagné haut la main.

– Ouvre-le, dit Marcellus.

Septimus ouvrit le briquet. Il était composé des éléments habituels : une petite roue dentée, une pierre destinée à produire une étincelle, une mèche en tissu imprégnée de cire hautement inflammable et quelques brins de mousse séchée.

Les paroles de Marcia lui revinrent subitement à l'esprit : « Les alchimistes étaient tous des charlatans... Tout leur prétendu art n'était que de la poudre aux yeux. » Elle avait raison... comme toujours.

Il se leva soudain, impatient de fuir l'atmosphère lourde de secrets **ténébreux** de la petite pièce ruisselante de cire fondue. Il aspirait ardemment à retrouver l'existence ordinaire du Château – courir dans les rues, respirer l'air glacé à pleins poumons, contempler les myriades de bougies derrière les vitres des maisons, observer les réactions admiratives (ou pas) des promeneurs devant les illuminations... Surtout, il aspirait à la compagnie de personnes ordinaires, et non d'un alchimiste âgé de cinq siècles qui s'obstinait à le traiter comme s'il était toujours son apprenti.

Mais Marcellus n'avait pas dit son dernier mot.

– Assieds-toi, lui ordonna-t-il. C'est très important.

Septimus resta debout.

– Vous vous êtes moqué de moi, accusa-t-il. C'est juste un vieux briquet.

Marcellus Pye sourit.

– Tu fais erreur. C'est bien plus que ça.

Septimus soupira. Avec Marcellus, rien n'était jamais simple.

– Patience, apprenti. Je sais que tu te sens à l'étroit dans cette pièce, que l'atmosphère y est étouffante, mais ce que j'ai à te montrer ne survivrait pas longtemps à l'extérieur de la **Ténèbre**. Je ne te laisserai pas risquer inconsidérément ta vie. Rassieds-toi, je te prie.

Devant le sérieux de l'alchimiste, Septimus s'exécuta à contrecœur.

– Ce briquet n'est pas ce qu'il paraît être. Toi aussi, tu devras pénétrer dans la **Ténèbre** sous un déguisement...

– Je sais, intervint Septimus. **Masques**, **écrans**, **bluff**... J'ai vu tout ça avec Marcia.

– Je n'en doute pas, reprit l'alchimiste d'un ton conciliant. Mais il est des secrets que même la magicienne extraordinaire ignore. C'est là que les alchimistes interviennent, ou intervenaient. Notre rôle était de maintenir le contact avec la **Ténèbre**, en allant là où les magiciens n'osaient s'aventurer.

Tout cela, Septimus l'avait déduit des nombreuses mises en garde de Marcia, mais c'était la première fois qu'il entendait Marcellus l'admettre.

L'alchimiste poursuivit :

– En tant qu'apprenti alchimique, il est juste que tu apprennes également à traiter avec la **Ténèbre**. Laissons les magiciens se cacher la tête dans le sable, comme ces oiseaux... Quel est leur nom, déjà ?

– Euh... Les poules ? suggéra Septimus.

Marcellus pouffa.

– Va pour les poules ! De même que les poules, les magiciens picorent tout ce qui leur tombe sous le bec sans toujours comprendre de quoi il retourne. Parfois, ils l'appellent **l'Autre Côté**, ou le **Côté Obscur**... Mais quel que soit le nom qu'on lui donne, la **Ténèbre** demeure la **Ténèbre**. À présent, apprenti, tu dois décider si tu souhaites l'aborder à la façon des alchimistes, et découvrir la vraie nature du briquet, ou à la manière des magiciens, et continuer à ne voir qu'une mèche de tissu et un peu de mousse séchée.

Septimus pensa à Marcia. Il savait ce qu'elle aurait répondu. Et Moustique, qu'aurait-il décidé à sa place ? En réalité, il n'en savait rien. Puis il songea à Alther et soudain, il eut la sensation bizarre que le vieux fantôme se trouvait juste derrière lui. Il fit volte-face et crut apercevoir une barbe blanche et une traînée de pourpre. Cette impression fugace se dissipa aussitôt, laissant place à la certitude que son unique chance de revoir Alther dépendait de sa réponse.

– Je choisis la manière des alchimistes.

Marcellus sourit, soulagé. Il redoutait de voir le jeune garçon s'aventurer dans la **Ténèbre** en suivant les préceptes simplistes des magiciens : « Chasse les pensées négatives de ton esprit, et tout se passera bien. » En même temps, le vieil alchimiste éprouvait un sentiment de triomphe : il avait regagné la confiance de son apprenti.

– Une sage décision, approuva-t-il. Tu as quitté le stade de la poule pour accomplir un premier pas vers la conscience. Mais pour y parvenir, tu dois le vouloir vraiment. Est-ce le cas ?

Septimus hocha la tête.

– Alors, dis-le.

– Comment ça ?

– Tu dois dire, « Je le veux. »

Le silence se prolongea. Septimus avait le sentiment étourdissant d'être sur le point de franchir un seuil que Marcia elle-même n'avait jamais passé.

– Je le veux, dit-il enfin.

Au même moment, toutes les bougies de la pièce s'éteignirent simultanément, comme si quelqu'un les avait soufflées, et la température chuta.

Septimus étouffa un cri.

– Tu ne dois pas craindre la **Ténèbre**.

La voix de Marcellus lui parvenait à travers un rideau de fumée. Puis l'alchimiste fit claquer ses doigts, rallumant les bougies. La température, en revanche, ne remonta pas. Il faisait si froid que leur haleine se condensait en vapeur.

Certain d'avoir capté l'attention de son apprenti, Marcellus reprit :

– Pour commencer, tu dois choisir le nom sous lequel tu te présenteras à elle. Les magiciens – du moins, ceux qui s'aventurent jusque-là – optent généralement pour leur prénom à l'envers. Ce faisant, ils courent un grave danger : ils donnent à la **Ténèbre** le pouvoir de les **retrouver** à tout moment et en tout lieu. Les alchimistes, plus avisés, ne retournent que les trois dernières lettres de leur nom. Je te conseille d'en faire autant.

– S-U-M, épela Septimus.

Marcellus eut un sourire approbateur.

– *Sum* : « Je suis. » Parfait. Suffisamment proche de la vérité pour être crédible, mais pas assez pour permettre de te **retrouver**. À présent, venons-en à la raison principale de cet entretien : apprenti, souhaites-tu revêtir le **voile de Ténèbre** ?

Septimus acquiesça.

– Pour t'emmener là où tu souhaites aller, je ne peux me satisfaire d'un signe de la tête. Je dois m'assurer que telle est ta volonté.

– Oui, je le veux, affirma Septimus d'une voix qui tremblait un peu.

– Bien. Maintenant, apprenti, pose ce briquet sur ton cœur.

Septimus s'exécuta, et il lui sembla qu'une épée de givre traversait sa poitrine.

– Cesse de gigoter. Ta main doit être ferme. Très bien. Répète après moi...

Le vieil alchimiste prononça alors une suite de mots **inversés** que Septimus n'avait encore jamais entendus. Le jeune garçon soupçonna que Marcia ne les connaissait pas davantage. Ils dégageaient un froid encore plus intense que celui du briquet contre son cœur, ou que celui de l'air qu'il respirait. Quand il aborda la dernière phrase – « Ej et ennodro'l : egètorp Sum » – il claquait des dents.

– Rouvre le briquet, lui dit Marcellus.

Septimus crut d'abord que celui-ci était vide, mais quand il examina de plus près l'intérieur du boîtier en métal gris terne, il distingua une sorte de nébulosité. Il avança prudemment un doigt, comme s'il craignait de se faire mordre, et celui-ci s'enfonça dans quelque chose de mou.

– Tu l'as trouvé, constata Marcellus avec satisfaction. Ou plutôt, il t'a trouvé. Sors-le.

Comme s'il se livrait à un numéro de mime, Septimus pinça entre le pouce et l'index un matériau quasi impalpable. Il avait un peu l'impression de vouloir défaire la toile d'une araignée qui lui aurait opposé une vive résistance. Il tira d'un coup sec, et un flot d'étoffe plus fine et légère que de la gaze s'échappa du briquet.

Les yeux sombres de Marcellus étincelaient.

– Tu as réussi, murmura-t-il, visiblement soulagé. Tu as trouvé le **voile de Ténèbre**.

Le **voile** rappelait un peu à Septimus les écharpes vaporeuses qu'affectionnait sa mère, même si Sarah Heap aurait certainement qualifié sa couleur de « fadasse ». Il était également beaucoup plus long que n'importe quelle écharpe. Septimus tirait toujours, et l'étoffe arachnéenne retombait en plis gracieux sur ses genoux avant de se répandre sur le sol.

Comme le jeune homme s'interrogeait, Marcellus répondit à sa question informulée :

– Il est aussi long que nécessaire pour te couvrir entièrement. Un conseil, apprenti : prélève-lui un fil – tu verras, c'est très facile – que tu conserveras sur toi. Il sera aussi résistant qu'une corde, et crois-en mon expérience, il peut être utile d'avoir sous la main un objet teinté de **Ténèbre** quand on s'aventure dans ces contrées.

Septimus se demanda une nouvelle fois quels noirs secrets cachait le passé de l'alchimiste. En tout cas, son conseil était de bon sens. Il tira un fil qui pendait de l'extrémité du **voile** et l'enroula avec soin, sous le regard approbateur de Marcellus.

– Quelle dextérité ! Rappelle-toi : exposé à l'air libre, ce fil perdra son pouvoir au bout de vingt-quatre heures. Évite de le ranger dans ta ceinture ; sa proximité pourrait altérer les **sorts** et les **charmes** que tu y gardes. Mets-le plutôt dans une de tes poches.

Septimus acquiesça. Il y aurait pensé tout seul !

– À présent, je te suggère de ranger le **voile**. Chaque seconde passée à l'extérieur du briquet, même dans cette pièce, lui ôte une partie de son pouvoir.

Septimus prononça la formule que lui avait enseignée Marcellus :

– Ej et eicremer. Tnanetniam, iot-eriter.

Le **voile** s'engouffra à l'intérieur du briquet telle une volute de fumée.

– Il t'obéit parfaitement, observa Marcellus avec satisfaction. Juste avant de franchir le **portail**, tu n'auras qu'à ouvrir le briquet et dire : « Ellibah Sum. » À présent qu'il te connaît, il t'enveloppera comme une seconde peau. Veille à ne le porter qu'à l'intérieur de la **Ténèbre**, ou il se dissoudra. C'est pour cette raison que je ne pouvais te le montrer que dans cette pièce. Fais-en bon usage.

– Je vous le promets.

– Une dernière chose...

– Oui ?

– Le **voile de Ténèbre** risque de corrompre la **Magyk**. Le briquet ne doit pas entrer dans la tour du Magicien.

– Et mon anneau dragon ? demanda Septimus, consterné.

– Tu le portes en permanence. C'est comme s'il faisait partie de toi, et le **voile** est conçu pour te protéger tout entier. Ne t'inquiète pas, il brillera toujours pour toi, mais les autres ne le verront pas.

Rassuré, Septimus baissa les yeux vers son anneau, qui émettait une douce clarté dans la pénombre. Sans lui, il se serait senti perdu.

Marcellus n'en avait pas tout à fait terminé avec ses recommandations :

– Une fois que tu auras ramené Alther – car je ne doute pas que tu réussisses – tu me rapporteras le **voile** ici même. Compris ?

– Compris. Merci pour tout, Marcellus.

Septimus glissa avec précaution le briquet dans la poche la plus profonde et la mieux cachée de sa tunique.

– On se voit tout à l'heure, à la fête ? dit-il.

– Quelle fête ?

– Au palais. Vous savez, pour mon anniversaire... et celui de Jenna.

– Oui, bien sûr. Ça m'était sorti de l'esprit.

Septimus se leva et, cette fois, Marcellus ne tenta pas de le retenir.

⁜ 20 ⁜
LE BLOCUS DU PALAIS

La nuit était tombée quand Septimus sortit de chez Marcellus, et le froid vif le saisit. Il remonta l'allée du Serpent d'un pas rapide, enroulé dans sa cape. Il était glacé jusqu'aux os, et il lui semblait que rien ne pourrait jamais le réchauffer. Au bout de l'allée, il tourna dans la ruelle des Rats afin de rejoindre l'avenue du Magicien.

La nuit la plus longue était un des moments de l'année qu'il préférait. Dans la Jeune Garde, déjà, il attendait avec impatience son retour. Pourtant, il ignorait à l'époque que cette date spéciale coïncidait avec son anniversaire. Le custode suprême voyait d'un mauvais œil la coutume consistant à placer une bougie allumée à chaque fenêtre. Il avait tenté de l'interdire, mais cette habitude fermement enracinée était devenue pour les habitants du Château un moyen d'affirmer leur résistance, même modeste. Si cette dimension échappait alors au jeune Septimus, le spectacle des illuminations l'emplissait de bonheur.

À présent, cette date revêtait une signification particulière pour lui : elle symbolisait l'espoir et la rupture. C'était cette nuit-là que Marcia l'avait arraché à la Jeune Garde. Malgré la tâche qui l'attendait quelques heures plus tard, il éprouvait le même mélange de joie et d'exaltation que les années précédentes tandis qu'il parcourait la ruelle des Rats. Il souriait aux maisons, aux bougies sur les rebords des fenêtres. La pluie mouillait son visage, l'air froid vidait ses poumons des miasmes de la **chambre secrète** et apaisait les remords que lui inspirait sa « trahison » – du moins, c'était ainsi que Marcia aurait qualifié son entrevue avec Marcellus.

Il était résolu à agir de la manière qui lui paraissait juste. Il avait quatorze ans – le début de l'indépendance, selon la sagesse populaire. Il n'était plus un enfant et faisait ses propres choix.

À quelques rues de là, l'horloge de la cour des Drapiers sonna six coups. Septimus pressa le pas. Il était en retard. Il avait promis à sa mère d'être au palais pour six heures.

Quand il retrouva enfin la voie du Magicien, celle-ci offrait un visage inhabituel. La foule y était nombreuse, comme toujours en cette nuit, mais au lieu de flâner en bavardant et de s'extasier devant les vitrines les plus originales (depuis quelques années, les illuminations traditionnelles donnaient lieu à une compétition acharnée entre les différentes boutiques de l'avenue), les gens, immobiles, avaient tous le regard dirigé vers le palais. Mais le plus impressionnant était le silence lourd d'attente.

– Comment se fait-il que tu ne sois pas avec eux, apprenti ? interrogea une voix derrière lui.

En entendant le mot « apprenti », plusieurs personnes jetèrent des coups d'œil furtifs vers Septimus. Ce dernier se retourna et découvrit Maizie Smalls à ses côtés. La petite femme leva vers lui un regard chargé d'inquiétude.

– Au palais, je veux dire, reprit-elle. En train de participer au **blocus**...

– Un **blocus** ? Au palais ?

– J'espère que mon chat va bien. Titi déteste qu'on lui change ses habitudes. Il n'est plus tout jeune, vois-tu, et...

Mais Septimus ne l'écoutait déjà plus.

Il craignait de devoir jouer des coudes pour traverser la foule, mais dès que les gens le reconnaissaient, ils s'écartaient respectueusement – à l'exception notable de Gringe, qui le retint par la manche.

– Tu ferais bien de te magner, mon gars, grommela le gardien de la porte Nord. T'es pas en avance, figure-toi...

Sa fille intervint :

– Papa, lâche-le ! Tu ne vois pas qu'il est pressé ?

Septimus adressa un regard plein de gratitude à Lucy avant de s'éloigner. Un peu plus loin, il aperçut Nicko en conversation avec le frère de Lucy, Rupert, mais il n'avait pas le temps de les saluer.

Quand il atteignit le palais, il constata que Gringe avait raison : il arrivait trop tard. Au-delà des grilles, une **chaîne** de magiciens, d'apprentis et de scribes s'étirait à travers les pelouses, encerclant le vaste bâtiment. Chacun tenait une cordelette pourpre qui le reliait à son voisin. Au silence et à la concentration des participants, Septimus devina que le **blocus** avait commencé. Jusque-là, il n'avait assisté qu'à des exercices ponctuels dans la cour de la tour du Magicien, et au **blocus** que des apprentis farceurs avaient instauré un jour autour de la porte Nord, s'attirant la colère de Gringe. Toutefois, il savait qu'idéalement les participants auraient dû se tenir par la main, comme des enfants formant une ronde, mais la taille du palais justifiait l'emploi du morceau de **corde conductrice** que chaque scribe et magicien conservait toujours sur lui.

Muette de stupeur, la foule massée devant les grilles contemplait la scène, tâchant de comprendre ce qui se passait. Septimus, quant à lui, n'avait pas l'habitude d'assister à un processus magique de l'extérieur, et cette situation lui causait un grand malaise. D'un autre côté, il l'avait échappé belle : s'il était arrivé ne serait-ce que quelques minutes plus tôt, Marcia, ignorant qu'il transportait le **voile de Ténèbre** dans sa poche, n'aurait pas compris qu'il refuse de se joindre au **blocus**. Le soulagement de ne pas avoir à se justifier le consolait presque de rester à la marge d'un événement d'une portée historique.

Cédant à la curiosité, il se faufila entre les grilles, s'avança sur la pelouse et s'arrêta à distance respectueuse de la **chaîne**. À l'intérieur de celle-ci, quatre silhouettes se dirigeaient vers l'entrée du palais. Septimus reconnut Marcia – évidemment – et, marchant à ses côtés, Moustique. Un sentiment qui ressemblait à la jalousie lui serra la poitrine : Moustique lui avait volé sa place ! Derrière eux, il identifia Hildegarde, la sous-magicienne, accompagnée d'une sorcière. Une *sorcière* au palais ?

Il avait dû laisser échapper un grognement car l'apprentie infirmière, Rose, qui participait au **blocus**, se retourna et lui sourit.

Chut ! articula-t-elle en silence. *On ne doit pas parler !*

Pourquoi ? articula à son tour Septimus.

Rose secoua la tête.

Les questions se bousculaient dans l'esprit de Septimus. Enfin, que se passait-il ? Était-ce encore Silas qui avait fait une bêtise ? Où se trouvait donc Jenna ? Et leurs parents ? Étaient-ils en sécurité ? Soudain il lui vint une pensée horrible : le **blocus** avait-il un rapport avec la chose au grenier à laquelle Jenna lui avait demandé de jeter un coup d'œil ? Se pouvait-il que tout soit sa faute ?

Il se remit en marche, longeant l'extérieur de la **chaîne**. Des flocons épars saupoudraient les capes des scribes et des magiciens, se posaient indifféremment sur les bonnets de laine et les têtes nues avant de fondre. Les doigts qui serraient les **cordes** pourpres (les gants étaient interdits car ils empêchaient la **Magyk** de circuler) paraissaient rouges et engourdis, et les apprentis qui, dans l'excitation de l'**appel**, étaient sortis sans leur cape tremblaient de froid.

Septimus tenta de se souvenir des paroles de Jenna, la veille. « Il se passe des trucs pas nets là-haut » : c'était tout ce qu'il avait retenu. D'un autre côté, il devait admettre qu'il ne lui avait pas laissé le temps de développer. Il scrutait le palais tout en avançant, cherchant des indices d'une activité suspecte, mais l'immense bâtiment semblait aussi solide et paisible que d'ordinaire. Soudain quelque chose attira son regard : une bougie s'était éteinte à une fenêtre du dernier étage. Septimus s'immobilisa derrière une brochette de vieux magiciens coiffés de bonnets, avec un assortiment d'écharpes colorées autour du cou. Tandis qu'il fixait les fenêtres du palais, une autre bougie s'éteignit, puis une autre, et ainsi de suite, tels des dominos s'entraînant mutuellement dans leur chute. Jenna avait dit vrai : il se passait quelque chose de grave là-haut.

Tu as refusé de l'écouter pour ne pas t'encombrer l'esprit à l'approche de ta semaine ténébreuse, se reprocha Septimus. *Et voilà le résultat... Ce n'est pas tout : en te rendant dans la* chambre secrète *de Marcellus, tu as non seulement désobéi à Marcia mais tu t'es exclu toi-même du processus magique le plus extraordinaire auquel tu aies jamais assisté. Voilà ce qui arrive quand on s'approche trop de la* Ténèbre *: on ne pense plus qu'à soi, on se coupe de ceux qu'on aime. Te voilà tout seul à présent, et c'est bien fait pour toi !*

Tournant le dos à la **chaîne** de magiciens, il s'éloigna d'un pas rapide en direction de la Rivière. Il atteignait le débarcadère quand le fantôme d'Alice Nettles surgit devant lui. De tous les défunts que connaissait le jeune garçon, seule Alice paraissait affectée par les conditions climatiques. Cette nuit-là, elle avait l'air transie alors qu'elle ne pouvait sentir le froid.

– Bonsoir, Alice, lui dit-il.

– Bonsoir, Septimus, répondit l'ex-officier des douanes d'une voix lointaine.

Pour la première fois depuis sa mort, Alice Nettles entra physiquement en contact avec un vivant. Elle posa ses mains glacées sur les épaules de Septimus et le supplia :

– Ramène mon Alther, apprenti. Ramène-le...

– Je ferai de mon mieux, promit Septimus, réprimant un frisson.

– Ton départ est prévu pour cette nuit ?

La clé du donjon numéro un pesait dans la poche de Septimus, mais le **blocus** bousculait ses projets. Il n'avait toujours pas la moindre idée de ce qui se passait au palais et ignorait où Marcia se trouverait à minuit.

Alice le dévisageait avec une expression anxieuse.

– Tu ne réponds pas, remarqua-t-elle.

L'effroi qu'il lut dans son regard acheva de décider Septimus. Il n'avait pas su se rendre disponible pour Jenna, mais il n'abandonnerait pas Alice. Il pénétrerait dans le donjon numéro un à minuit, avec ou sans Marcia.

– C'est ça, affirma-t-il. Et je ramènerai Alther.

Un pâle sourire éclaira le visage de la morte.

– Merci, dit-elle. Du fond du cœur.

Puis elle reprit son errance le long du débarcadère, contemplant rêveusement la Rivière, tandis que le jeune garçon s'enfonçait dans la nuit. Jamais il ne s'était senti aussi seul, même pas dans la Jeune Garde. En réalité, il avait pris l'habitude de jouer un rôle de premier plan dans l'activité magique du Château, et il ressentait comme un abandon le fait d'être mis sur la touche.

Il avançait le long de la Rivière sombre et glacée qui s'écoulait sans bruit. Sa cape en laine épaisse était parsemée de minuscules flocons ; l'herbe blanchie par le givre craquait sous ses pas. La masse imposante du palais se dressait sur sa gauche, attirant irrésistiblement son regard, comme la scène d'un accident horrible. Chaque fois qu'il levait les yeux vers lui, le cœur rempli d'appréhension, il découvrait de nouvelles fenêtres éteintes, et il imaginait Jenna à l'intérieur, prisonnière de l'obscurité qui s'étendait peu à peu.

Il accéléra l'allure, se répétant qu'il aurait pu empêcher ce désastre en répondant à l'appel de Jenna. Mais il était trop tard. Elle n'était plus là pour lui demander son aide, et il se retrouvait seul, tout ça par sa faute.

Il finit par atteindre une haie qui délimitait un enclos et poussa un portail. Il n'y avait plus qu'une créature au monde à qui il puisse se confier : son dragon, Boutefeu.

21
LA QUARANTAINE

Juchée sur un escabeau, Sarah Heap ne soupçonnait rien des événements qui se déroulaient autour du palais. Éclairée par le magnifique lustre du hall (il avait fallu dix minutes à Billy Pot pour allumer toutes ses bougies), elle était occupée à clouer au-dessus de l'entrée du promenoir une banderole sur laquelle on pouvait lire JOYEUX ANNIVERSAIRE JENNA ET SEPTIMUS quand elle entendit du bruit à l'extérieur.

– Flûte ! marmonna-t-elle.

Elle avait reconnu le pas assuré de Marcia (partout où elle allait, la magicienne extraordinaire se débrouillait pour donner l'impression qu'elle était chez elle). *Celle-là*, pensa-t-elle, se débattant avec sa banderole, *il faut toujours qu'elle arrive en avance*. Eh bien, elle n'aurait qu'à donner un coup de main pour achever les préparatifs de la fête. Ce n'était pas le travail qui manquait... Oups ! Pour commencer, elle pourrait tenir l'escabeau.

Les pas remontèrent l'allée, faisant crisser le gravier, avant de traverser le pont de bois. Le claquement sec des talons de Marcia couvrait presque le piétinement de ses compagnons, tout aussi résolu mais moins autoritaire. Puis les portes s'ouvrirent, les dalles tintèrent sous les bottines de Marcia, et celles-ci s'arrêtèrent au pied de l'escabeau.

– Sarah Heap, dit la magicienne extraordinaire d'un ton solennel.

Exaspérée – c'était quoi, encore, cette comédie ? –, la mère de Septimus fit volte-face, brandissant son marteau, les deux derniers clous coincés entre les lèvres.

– Mmmm ? marmonna-t-elle.

Enfin, elle daigna accorder un regard aux visiteurs, et son visage s'éclaira à la vue de Moustique et d'Hildegarde. En revanche, elle fut beaucoup moins ravie d'apercevoir une jeune sorcière derrière eux.

Elle retira les clous de sa bouche et remarqua :

– Vous êtes en avance. Mais ça tombe bien, j'ai besoin d'aide. On n'imagine jamais à quel point c'est compliqué d'organiser une réception.

La jeune sorcière dit alors :

– Maman...

Surprise, Sarah faillit lâcher le marteau.

– Jenna ? J'ignorais que ça devait être une fête costumée...

– Ce n'est pas un déguisement, reprit Jenna, désireuse de s'expliquer avant que Marcia ne s'en mêle. Je...

– Dans ce cas, qu'est-ce que tu fais accoutrée en sorcière ? la coupa Sarah d'un ton désapprobateur. Ce n'est pas convenable.

– Pardon, mais j'ai été un peu pressée par le temps...

– Tu n'es pas la seule, figure-toi. On n'a pas terminé les...

– Maman, écoute-moi...

– La fête est annulée, asséna Marcia.

– Quoi ? s'exclama Sarah, furieuse.

– Annulée. Vous et toutes les personnes à l'intérieur du palais avez cinq minutes pour partir.

Sarah descendit précipitamment.

– Marcia Overstrand, comment osez-vous... ?

Jenna s'interposa :

– Maman, je t'en prie ! C'est très important. Quelque chose a...

Marcia l'interrompit :

– Merci, Jenna, mais je me débrouillerai seule. Sarah, assurer la sécurité du palais fait partie de mon travail. J'ai déclaré le **blocus** du bâtiment, et maintenant, je vais le placer en **quarantaine**.

– Marcia, j'ignore ce que Jenna et Septimus ont pu vous raconter à propos de cette fête, mais rien ne justifie de telles extrémités. Leur père et moi serons présents et nous veillerons à garder le contrôle de la situation.

– Vous ne l'avez déjà plus, lui rétorqua Marcia.

Elle leva la main, coupant court aux récriminations de Sarah.

– Je ne vous parle pas de la fête. Et je vous fais remarquer que ni votre présence ni celle de Silas n'ont rien empêché. À vrai dire, vous me voyez surprise – et un peu déçue – que Silas ait permis qu'une telle chose arrive.

– Pour l'amour du ciel, Marcia, c'est juste une fête d'anniversaire ! Il n'avait aucune raison de s'y opposer...

– Sarah, de grâce, taisez-vous et écoutez. Et d'abord, cessez d'agiter ce marteau sous mon nez !

Sarah regarda le marteau d'un air étonné, comme si elle avait oublié son existence, et le posa sur l'escabeau.

– Merci, soupira Marcia.

– S'il ne s'agit pas de la fête, alors de quoi parlez-vous ?

– De votre « locataire » du grenier.

– Nous n'avons pas de locataire, protesta Sarah, outrée. Je ne dis pas que nous roulons sur l'or, mais nous n'en sommes pas encore réduits à transformer le palais en pension de famille. Et quand bien même nous le ferions, je ne crois pas que nous ayons besoin de votre autorisation pour ça !

Elle replia l'escabeau d'un geste brusque et entreprit de le traîner le long du promenoir. Moustique s'avança et le lui prit des mains.

– Merci, dit Sarah. C'est gentil. Maintenant, si vous voulez bien m'excuser, Marcia, j'ai du travail.

Sur ces paroles, elle se pencha afin de ramasser des débris de serpentins éparpillés sur le sol.

– Maman, je t'en prie, insista Jenna, lui tendant une poignée de serpentins. Il se passe une chose horrible ici. Il faut...

Mais Sarah n'était décidément pas d'humeur à écouter.

– Jenna, tu vas me faire le plaisir d'enlever cette cape de sorcière sur-le-champ. Elle empeste autant qu'une vraie.

– C'est mon dernier avertissement, reprit Marcia, haussant le ton. J'ai l'intention de placer ce bâtiment en **quarantaine**.

Elle posa sa montre à plat sur sa paume et ajouta :

– Je vous accorde cinq minutes, pas une de plus, pour l'évacuer.

C'en était trop pour Sarah. Les poings sur les hanches, elle rétorqua, élevant encore plus la voix :

– Et moi, j'en ai assez que vous vous mêliez de ce qui ne vous regarde pas. Je ne vous laisserai pas gâcher la fête d'anniversaire de ma fille – et de mon fils. Aussi, je vous serais reconnaissante de partir et de nous ficher la paix !

Hildegarde avait assisté à cet échange avec consternation. Avant d'être affectée à la tour, la jeune sous-magicienne gardait les portes du palais, aussi connaissait-elle bien Sarah Heap et l'appréciait-elle beaucoup. Elle s'approcha de la mère de Septimus et lui toucha le bras.

– Désolée, Sarah, mais c'est important. Quelqu'un s'est introduit dans votre grenier, et il semblerait qu'il y ait établi un **domaine ténébreux**. Dame Marcia a instauré le **blocus** du palais pour éviter que le **domaine** ne s'en échappe. À présent, elle doit le placer en **quarantaine**, pour la sécurité du Château. Nous regrettons tous que ce soit arrivé précisément aujourd'hui, mais nous n'osons pas attendre plus longtemps. Vous comprenez ?

Sarah Heap fixait Hildegarde avec une expression incrédule. Elle passa une main sur son front et se laissa tomber dans un antique fauteuil bosselé. On entendit un gémissement.

Sarah se releva d'un bond.

– Pardon, Godric, dit-elle au vieux spectre presque effacé qui s'était endormi dans le fauteuil quelques années plus tôt.

Godric ne se réveilla pas.

– Hildegarde dit vrai ? demanda Sarah à Marcia.

– C'est ce que je me tue à vous expliquer depuis le début, mais vous ne m'écoutez pas.

– Vous n'avez rien expliqué du tout, objecta Sarah. Vous avez juste donné des ordres, comme d'habitude. Où est Silas ? ajouta-t-elle, jetant des regards inquiets autour d'elle.

Au même moment, un bruit de cavalcade retentit à l'étage, et Silas Heap apparut au sommet de l'escalier, en robe bleue de magicien ordinaire. Il dévala les marches, hurlant :

– Dehors, tout le monde ! Vite !

Il se rétablit de justesse au pied de l'escalier, et pour la première fois de sa vie, il parut heureux de voir Marcia.

– Ouf ! Tu es là, remarqua-t-il, essoufflé. Quelqu'un a brisé mon **portique de sécurité**. Par sa faute, *ça* s'est échappé du grenier et c'est en train de se répandre dans les étages. Vite, il faut placer le palais en **quarantaine**. Marcia, tu dois lancer un **appel général** et organiser un **blocus**, si nous en avons le...

– C'est fait, dit Marcia d'un ton tranchant.

Silas resta muet de stupeur.

Marcia en profita pour reprendre la main.

– À part nous, qui d'autre y a-t-il dans le palais ?

– Personne, répondit Sarah. Snorri et sa mère ont rejoint leur bateau, les Pot sont allés admirer les illuminations, Maizie travaille dehors, la cuisinière est rentrée chez elle – elle avait pris froid – et les invités ne sont pas encore arrivés.

Marcia leva les yeux vers la galerie du premier étage, d'où partait un corridor qui traversait tout le palais. Elle était éclairée, mais la pénombre qui régnait dans le corridor lui apprit que les torches qui illuminaient normalement celui-ci avaient commencé à s'éteindre. Le **domaine ténébreux** se rapprochait.

– Ordre d'évacuation immédiate ! hurla-t-elle.

– Ethel ! s'écria Sarah, s'engouffrant dans le promenoir.

– Ethel ?

Marcia leva de nouveau les yeux vers la galerie et vit vaciller la flamme de la torche la plus éloignée.

– Notre cane, expliqua Silas.

– Une *cane* ?

À son tour, Silas disparut en courant dans le promenoir, résolu à rejoindre sa femme – et Maxie, qu'il se rappelait à présent avoir laissé endormi près du feu.

Sur la galerie, une première torche s'était éteinte et une deuxième vacillait.

Marcia se tourna vers ses compagnons :

– Le **domaine** se déplace rapidement. Si je ne décrète pas immédiatement la **quarantaine**, il va nous prendre de vitesse. Et en toute franchise, j'ai peur que le **blocus** ne suffise pas à le retenir. Les participants sont trop espacés, et je n'ai pas le temps de créer un **écran de protection**.

– On ne peut pas laisser papa et maman ! protesta Jenna.

– Nous n'avons pas le choix. Ils mettent tout le Château en danger, et ça pour une cane !

– Vous ne pouvez pas faire ça ! Je vais les chercher.

Jenna partit comme une flèche. Hildegarde s'élança à sa suite et agrippa sa cape de sorcière.

Jenna fit volte-face, furieuse :

– Lâchez-moi !

Le contact de la cape lui causait un terrible malaise, pourtant Hildegarde tint bon.

– N'y allez pas, Votre Altesse, supplia-t-elle. C'est trop dangereux. Je m'en occupe. Je suppose qu'ils se trouvent dans le boudoir de Sarah ?

– Oui, mais...

– Je les ferai sortir par la fenêtre.

Hildegarde s'adressa ensuite à Marcia, s'efforçant de calculer le temps qu'il lui faudrait pour atteindre le boudoir :

– Comptez jusqu'à cent avant de commencer. D'accord ?

Marcia leva les yeux vers le sommet de l'escalier. Un mur de ténèbres bloquait à présent l'entrée du corridor. Elle secoua la tête.

– Jusqu'à soixante-quinze.

Hildegarde accusa le coup.

– Soixante-quinze... Compris !

Sitôt qu'elle eut disparu à l'intérieur du promenoir, Marcia commença à compter :

– Un, deux, trois, quatre...

Elle fit signe à Moustique et à Jenna de quitter la pièce.

Le jeune garçon prit le bras de la princesse.

– Tu dois sortir d'ici, lui dit-il. Tes parents ne voudraient pas que tu restes. Hildegarde va les ramener.

– Je ne partirai pas sans eux.

– Jenna, il le faut. Tu es la princesse. Il ne doit rien t'arriver.

– Justement : j'en ai assez qu'il ne m'arrive rien.

Malgré ses protestations, Moustique l'entraîna vers les portes. Une fois à l'extérieur, il sortit de sa poche un tube épais et court qu'il montra de loin à Marcia.

– J'ai la **fusée**, cria-t-il dans sa direction.

La magicienne extraordinaire dressa le pouce.

– Trente-cinq, trente-six...

– Quelle **fusée** ? interrogea Jenna.

– Pour **activer** le **blocus**. Au cas où.

– Où quoi ?

– Où la **quarantaine** ne fonctionnerait pas, et où quelque chose s'échapperait du palais.

Jenna se dégagea brusquement.

– Papa et maman, par exemple ?

– Non ! Quelque chose de **ténébreux**...

Mais Jenna n'écoutait déjà plus. Sa cape déployée derrière elle, elle partit en courant le long du sentier menant à l'arrière du palais. Moustique soupira. Elle aurait bien fait d'enlever cette horrible guenille de sorcière, pensa-t-il. Il ne la reconnaissait plus depuis qu'elle la portait.

Dépité, il attendit entre les deux torches qui éclairaient l'entrée du pont de bois. À travers les portes ouvertes, il apercevait la montagne de cadeaux d'anniversaire, la banderole, le petit tas de serpentins... Dans ce décor de fête, la silhouette pourpre de Marcia, qui marchait de long en large en comptant, paraissait étrangement déplacée. Soudain la dernière torche encore allumée au sommet de l'escalier tremblota et s'éteignit. Le mur d'obscurité – une obscurité plus dense, plus solide que la nuit même – reprit sa progression, descendant peu à peu vers la silhouette pourpre toujours en mouvement.

Moustique ne quittait pas Marcia des yeux, craignant de manquer son signal. Il la vit reculer en direction des portes. Elle comptait toujours, retardant le plus longtemps possible le moment fatidique afin de laisser une chance supplémentaire à Hildegarde.

– Cent quatre, cent cinq...

Tandis que Marcia reculait pas à pas, la **Ténèbre** continuait sa lente descente. Moustique repensa à un pressoir à cidre géant qu'il avait visité un jour. Debout à l'intérieur, il avait vu l'énorme plateau s'abaisser lentement vers lui et avait été terrifié. Il ressentait la même terreur à présent.

Bientôt le plateau de **Ténèbre** atteignit le lustre, dont toutes les bougies crépitèrent avant de s'éteindre. Marcia leva la main droite, donnant à Moustique le signal qu'il attendait. Le jeune garçon arracha la goupille sur le côté de la **fusée**, tenant celle-ci à bout de bras. Une gerbe lumineuse jaillit vers le ciel avec une violence telle qu'il tomba à la renverse. La foule derrière les grilles poussa une clameur stupéfaite tandis qu'un bourdonnement sourd et continu s'élevait du cercle des magiciens et des scribes. On aurait dit qu'un immense essaim d'abeilles tournoyait dans la nuit. Le **blocus** était **actif**. Marcia sortit précipitamment du palais, referma les portes et **prononça** la **quarantaine**, une main plaquée sur chaque battant.

La **Magyk** à l'œuvre était si puissante que même Moustique, d'ordinaire peu sensible à ses manifestations, apercevait le brouillard chatoyant qui flottait à présent devant les portes. Puis le bourdonnement s'amplifia, le brouillard magique envahit toute la façade du palais, masquant ses fenêtres et recouvrant tout ce qu'il contenait d'un mince voile pourpre.

Moustique espérait du fond du cœur qu'il n'y trouverait ni Hildegarde, ni les parents de Septimus... ni, surtout, Jenna.

22
ETHEL

– Sarah ! hurla Silas, oublie cette fichue cane et sors !

Hildegarde et lui piétinaient sous la fenêtre du boudoir, Maxie s'agitait et gémissait tandis qu'à l'intérieur, Sarah cherchait frénétiquement Ethel.

– Je ne peux pas l'abandonner ! cria-t-elle en retour, jetant une pile de linge et les coussins du sofa par terre. Elle se cache parce qu'elle a peur !

– Sarah, sors de là !

Hildegarde fut consternée de voir Silas escalader de nouveau la fenêtre pour rejoindre sa femme. Comme Maxie s'apprêtait à suivre son maître, elle le retint fermement malgré ses aboiements.

– Monsieur Heap ! appela-t-elle. Revenez, je vous en prie ! Maxie, non ! Couché !

Cependant, Silas s'efforçait de pousser vers la fenêtre sa femme qui lui opposait une vive résistance.

– Sarah, il faut y aller, avec ou sans cane !

Sarah fit une dernière tentative :

– Ethel ! Où es-tu, ma chérie ? Viens voir maman !

Silas parvint enfin à lui faire franchir la fenêtre.

– Ethel n'est qu'une cane, dit-il d'un ton exaspéré, et tu n'es pas sa « maman ». Tu as huit enfants qui ont davantage besoin de toi qu'un simple animal. Maintenant, saute !

Quelques secondes plus tard, les parents de Septimus se trouvaient aux côtés d'Hildegarde, soulagée. Soudain la bougie qui tremblotait derrière la vitre de la pièce voisine du boudoir s'éteignit. La sous-magicienne s'approcha de la fenêtre pour la fermer. Au même moment, une pile de vieux rideaux jetés en vrac près de la porte remua, et un bec jaune en sortit.

– Ethel !

Ni Silas, distrait par l'apparition de Jenna au coin de l'aile du palais, ni Hildegarde ne furent assez rapides pour empêcher Sarah de bondir par la fenêtre. La sous-magicienne se ressaisit et retint Silas par la manche avant qu'il n'imite sa femme.

– Vous, restez là, dit-elle d'un ton ferme. Madame Heap, je vous en prie, reven... Oh ! non !

Sarah venait d'extraire Ethel du tas de rideaux quand la porte du boudoir s'ouvrit sous une poussée brutale. Une vague de **Ténèbre** s'engouffra dans la pièce, arrachant à Sarah un cri strident que Jenna ne devait jamais oublier. Les témoins de la scène la virent serrer la cane contre sa poitrine, bouche bée d'épouvante, avant de disparaître à leurs regards. Comme la **Ténèbre** poursuivait sa progression vers la fenêtre ouverte, Hildegarde n'eut d'autre choix que de refermer celle-ci et d'improviser un **sort** pour la rendre infranchissable.

– Sarah ! hurla Silas, frappant la vitre de ses poings. Saraaaah !

Jenna les rejoignit alors.

– Maman ! s'exclama-t-elle, hors d'haleine. Où est maman ?

Silas désigna l'intérieur du boudoir sans répondre.

– Papa, fais-la sortir, vite !

– Trop tard, soupira Silas.

Au même moment, la bougie placée sur une petite table près de la fenêtre du boudoir vacilla et s'éteignit, abandonnant la pièce à la **Ténèbre**.

Hildegarde rompit à contrecœur le silence stupéfait qui s'était installé.

– Je crois que nous ferions bien d'y aller, suggéra-t-elle d'une voix douce.

– Je ne laisserai pas maman, répliqua Jenna d'un air buté.

– Je regrette, Votre Altesse, mais nous ne pouvons plus rien pour elle. Dame Marcia a donné des instructions pour que nous quittions le périmètre du **blocus**.

– Je me fiche des instructions de Marcia ! Il n'est pas question que j'abandonne maman.

– Hildegarde a raison, dit Silas, passant un bras autour des épaules de sa fille. Maman ne voudrait pas que nous restions. Elle aimerait nous savoir en sécurité, surtout toi. Viens, Jenny.

« Jenny... » Personne ne l'avait appelée ainsi depuis qu'elle était toute petite. Jenna secoua la tête, incapable de parler, mais elle cessa de résister.

Leur petit groupe traversa lentement la pelouse saupoudrée de givre. La pluie glaciale qui était tombée toute la journée virait à la neige avec le froid de la nuit. Ils se dirigeaient vers le cercle silencieux formé par les scribes, les apprentis et les magiciens quand le ciel s'illumina dans un sifflement assourdissant.

Jenna sursauta.

– Tout va bien, lui assura Hildegarde. Ce signal indique que le **blocus** est **actif**.

Au même moment, un vrombissement qui faisait songer à un essaim d'abeilles dans la chaleur de l'été parvint à leurs oreilles. Mais dans l'obscurité d'une nuit d'hiver constellée de flocons, ce bruit suscitait un trouble étrange.

Jenna se tourna vers le palais – *son* palais, comme elle l'appelait en secret. Depuis qu'Alther avait été **banni**, elle descendait chaque soir au débarcadère pour tenir compagnie au fantôme éploré d'Alice Nettles. Souvent, pendant qu'elles contemplaient la façade du palais, Alice lui disait combien elle le trouvait beau avec ses fenêtres éclairées, et Jenna acquiesçait. Mais la lumière s'était retirée, comme Alther. Les bougies dont elle était si fière s'étaient éteintes une à une, soufflées par une force invisible, et le palais avait retrouvé le visage sévère qu'il offrait quand elle y avait aménagé avec Silas et Sarah. Toutefois, à l'époque, il y avait toujours au moins une fenêtre illuminée : celle du boudoir de Sarah, où ils passaient leurs soirées. À présent, les ténèbres étaient complètes.

Tous les regards étaient fixés sur eux tandis qu'ils avançaient vers la **chaîne** humaine. Hildegarde se dirigea vers Bécasseau et Romilly Badger, qui tenaient chacun une extrémité de la **corde** barrant l'entrée du potager de Sarah. Bécasseau s'était débrouillé pour partager sa **corde** avec Romilly, alors que la règle voulait qu'un scribe alterne avec un magicien. De part et d'autre des deux jeunes gens, le cercle magique se déployait dans la nuit. Le même bourdonnement sourd montait de toutes les gorges, préparant le lever du **rideau de sécurité**.

Bécasseau et Romilly saluèrent Jenna de la tête, le visage grave : l'un et l'autre avaient assisté de loin à la disparition de Sarah.

Comme Silas s'avançait vers eux d'un pas décidé, Hildegarde lui cria :

– Ne touchez pas la **corde** !

La fatigue lui avait mis les nerfs à vif, et depuis qu'elle l'avait empêché de se précipiter dans le boudoir à la suite de Sarah, elle soupçonnait Silas de ne plus avoir toute sa raison.

– Évidemment ! répliqua Silas, vexé. Si on la touche, murmura-t-il à l'adresse de Jenna, ça crée une rupture dans la **Magyk**.

– Comment va-t-on sortir, alors ? interrogea Jenna d'un ton irascible.

Hildegarde s'employa à la rassurer :

– Votre Altesse ne doit pas s'inquiéter. Nous sortirons, mais pour ça, nous aurons besoin de...

La jeune femme tira sa propre **corde conductrice** de sa ceinture et la brandit fièrement.

– Oh ! fit-elle, déçue. J'ai peur qu'elle ne soit trop courte.

– C'est le modèle standard pour sous-magicien, expliqua Silas. Sa longueur est calculée pour une seule personne. Prenons plutôt la mienne, proposa-t-il, tirant sa propre **corde** de sa ceinture. Comme ça, au moins, j'aurai l'impression de me rendre utile. Maintenant, il va falloir nous rapprocher, et... Maxie, ici !

Jenna rattrapa le vieux chien-loup, qui leva vers elle deux yeux bruns pleins de reproche, et le tint serré contre elle pendant que Silas enroulait la **corde** pourpre autour d'eux. Quelques minutes plus tard, un drôle de paquet formé de trois personnes et d'un chien étroitement ficelés s'avança vers Bécasseau et Romilly en traînant les pieds. En temps normal, Jenna aurait pouffé dans sa manche, mais cette fois, elle avait le plus grand mal à refouler ses larmes, car chaque pas l'éloignait un peu plus de sa mère, prisonnière de la **Ténèbre**. En se retournant, elle constata qu'un voile chatoyant de **Magyk** recouvrait à présent le palais, isolant tout ce qu'il contenait du reste du monde. Elle se demanda si Sarah était consciente de ce qui se passait, ou de quoi que ce soit.

Cependant, Silas s'employait à attacher les deux extrémités de sa **corde conductrice** à celle qui formait le **blocus** sans la toucher lui-même. Quand il eut terminé, Bécasseau et Romilly soulevèrent obligeamment le morceau de **corde** qui les liait l'un à l'autre, et le « paquet » se glissa péniblement dessous pour émerger de l'autre côté.

– Ça y est, soupira Silas. On est sortis.

– Maman est toujours dedans, elle, remarqua Jenna tandis qu'ils marchaient à pas lents entre les carrés d'herbes aromatiques de Sarah.

– Je sais, répondit Silas. Mais elle n'y restera pas éternellement.

– Qu'est-ce que tu en sais ?

– Je le sais parce que je ne le permettrai pas. Nous allons aider Marcia à régler le problème.

– Marcia ? C'est elle, le problème. Si elle avait pris la peine de s'expliquer, au lieu de vouloir tout régenter, maman aurait eu le temps de fuir.

– Elle l'aurait eu aussi si elle n'était pas retournée chercher cette fichue cane, répliqua Silas. Mais là n'est pas la question, ajouta-t-il, voyant Jenna se rembrunir. Allons à la tour du Magicien. Marcia aura besoin de toute l'aide possible.

Le mur qui bordait l'arrière du jardin possédait une porte. Ils la franchirent et débouchèrent dans une ruelle conduisant d'un côté à la voie du Magicien et de l'autre à la Rivière. Silas et Maxie ouvraient la voie, Hildegarde et Jenna suivaient en silence. À l'extrémité de la ruelle, la princesse s'arrêta et déclara d'un ton rageur :

– Pas question que j'aille à la tour. J'en ai marre des magiciens. Ils m'ont gâché mon anniversaire !

Silas posa sur elle un regard plein de tristesse. Depuis quelque temps, Jenna se mettait en colère pour un oui ou pour un non, et rien de ce qu'il pouvait dire ne trouvait grâce à ses oreilles. Sans parler de cet affreux déguisement de sorcière... Il fouilla dans sa poche et en sortit une grosse clé en laiton qu'il lui tendit.

– Qu'est-ce que c'est ? demanda-t-elle.

– La clé de chez nous, à l'Enchevêtre. J'ai tout nettoyé et remis à neuf, comme ta maman en avait toujours rêvé. Je... je comptais lui en faire la surprise pour son anniversaire. Elle souhaitait retourner vivre là-bas. Toi, au moins, tu peux le faire.

Jenna considéra la clé lourde et froide dans sa main.

– Ce n'est pas chez nous là-bas, dit-elle. Chez nous, c'est là où est maman.

Elle se retourna et désigna le palais, dont on n'apercevait que les fenêtres du grenier au-dessus du mur du jardin.

– Je sais, soupira Silas. Mais il nous faut un endroit où dormir. Je t'y retrouverai plus tard. La Grande Porte rouge, Première Allée et Venue. Tu connais le chemin.

Jenna regarda Silas s'éloigner en direction de la voie du Magicien.

– Voulez-vous que je vous accompagne ? demanda Hildegarde qui, par discrétion, s'était tenue à l'écart.

Ne recevant pas de réponse, elle insista :

– Votre Altesse... Vous vous sentez bien ?

– Non, dit Jenna d'un ton cinglant. Et non, je ne veux pas de compagnie.

Soudain la compassion de la jeune femme lui parut insupportable. Coupant court à la conversation, elle rebroussa chemin en courant.

Hildegarde renonça à la suivre. Apparemment, la princesse Jenna avait besoin de rester seule.

Au-delà du mur du jardin, la ruelle décrivait un double virage pour contourner l'enclos du dragon et poursuivait en direction de la Rivière. Comme le froid de la nuit la transperçait, Jenna ramena sa capuche sur sa tête. Quand elle aperçut l'éclat terni de la Rivière devant elle, elle ralentit le pas, hors d'haleine. La ruelle aboutissait à un ponton délabré. Jenna s'assit à son extrémité, sur les planches moussues, étroitement enveloppée dans sa cape. En contemplant l'eau sombre qui s'écoulait paresseusement sous ses pieds, elle se prit à songer à Sarah et se demanda ce qu'elle ressentait. Enfant, elle avait parfois surpris des conversations entre ses parents et des magiciens en visite dans leur petit appartement bondé. Le soir, quand tout le monde la croyait endormie, il se racontait au coin du feu des histoires terrifiantes à propos de malheureux qu'on avait vu resurgir, l'air hagard, l'esprit troublé, bredouillant des propos incohérents, après avoir passé plusieurs années dans un **domaine ténébreux**. Chacun y allait de son hypothèse sur les causes de cet état, et du genre de détails sordides qui s'impriment aisément dans les esprits à une heure aussi tardive. Ces souvenirs revinrent hanter Jenna tandis qu'elle s'interrogeait sur le sort de sa mère.

Les larmes coulaient en silence sur ses joues. Déjà, une mince couche de neige recouvrait son manteau, et le froid qui montait de la Rivière la faisait frissonner. Pourtant, c'est à peine si elle le remarquait. Tout ce qu'elle souhaitait, c'était trouver Septimus et lui dire ce qui était arrivé.

Mais où pouvait-il être ?

23
Le rideau de sécurité

Marcia et Moustique utilisèrent la même méthode que Silas pour traverser le **blocus**, mais il leur fallut moins de temps. Une fois de l'autre côté, Marcia se retourna vers le palais, à présent enveloppé d'une brume pourpre. Les deux torches qui éclairaient l'extérieur des portes principales brûlaient toujours. La **quarantaine** fonctionnait. Ne voyant aucune trace d'Hildegarde, de Silas ni de Sarah, elle scruta les bouches d'ombre des fenêtres, inquiète. En se concentrant, elle **perçut** deux présences humaines à l'intérieur. Son cœur se serra : il n'y avait aucun moyen d'échapper à la **Ténèbre**. L'avenir paraissait sombre pour Sarah et Silas... Ou était-ce Hildegarde et Silas ? Ou encore Sarah et... Elle tenta de se raisonner : à quoi bon s'interroger ? Elle le découvrirait bien assez tôt.

L'étape suivante consistait à isoler le palais du reste du Château. Marcia se tourna vers les deux plus proches maillons de la **chaîne** – Bertie Bott, magicien ordinaire et fripier (ou « expert en vintage », comme il se qualifiait lui-même), et Rose, l'apprentie infirmière – et leur souffla un mot choisi à l'avance afin que chacun le répète à son voisin. Telle une vague qui reflue, le bourdonnement sourd s'effaça lentement, cédant la place à un murmure qui se propageait le long des deux côtés de la **chaîne**. Puis le silence retomba, englobant la foule des curieux toujours massés derrière les grilles. Tous avaient entendu dire que le lever d'un **rideau de sécurité** était un spectacle digne d'intérêt, aussi attendaient-ils impatiemment la suite.

Ils furent d'abord déçus : les maillons de la **chaîne** commencèrent par nouer leur **corde** à celle de leur voisin. Puis ils étendirent la double **corde** obtenue ainsi sur le sol, en veillant à ce qu'elle ne forme ni boucle ni torsade, et s'écartèrent prudemment : le nombre des participants rendait l'opération délicate, et rien ne devait entraver l'action de la **Magyk**. En l'espace de quelques minutes, un immense cercle pourpre se déploya sur l'herbe autour du palais, tel un serpent encerclant sa proie. Moustique, qui était d'humeur mélancolique depuis le départ de Jenna, trouva que la fragile **corde** avait l'air triste, abandonnée sur la pelouse piétinée.

Entre-temps, une partie des curieux s'étaient faufilés entre les grilles pour mieux voir. De temps en temps, une toux étouffée venait troubler le silence et trahir leur présence. Quand la magicienne extraordinaire s'agenouilla et plaça ses mains à l'intérieur du cercle, à quelques centimètres de la

corde, beaucoup se poussèrent du coude et échangèrent des regards entendus : enfin, il se passait quelque chose !

Inconsciente de l'intérêt qu'elle suscitait, Marcia se concentrait. Le faible courant magique qui circulait le long de la **corde** lui confirma que plus personne ne tenait celle-ci. Mais le plus difficile restait à faire et pour ça, elle avait besoin d'une grande quantité d'énergie. Elle prit une longue inspiration. Moustique, qui l'observait avec attention, n'avait jamais vu personne inspirer aussi longtemps. Il n'aurait pas été autrement étonné de la voir enfler comme une baudruche et s'envoler. En réalité, il eut l'impression que sa cape ondulait légèrement, comme si elle se remplissait d'air. Il reculait discrètement, craignant une explosion, quand elle se mit à expirer. Les lèvres arrondies, elle semblait souffler sur une soupe trop chaude. Moustique vit sortir de sa bouche un mince filet de brume pourpre qui paraissait irrésistiblement attiré par le morceau de **corde** étalé sur le sol devant elle. À son contact, il gagna peu à peu en éclat, devenant presque aveuglant. Juste comme Moustique détournait le regard, Marcia cessa d'expirer.

L'étape suivante exigeait de la dextérité. Marcia leva très lentement les mains. Un murmure admiratif parcourut la foule derrière elle : la lumière suivait le mouvement des mains de la magicienne extraordinaire tout en restant ancrée dans la **corde**. Marcia se mordait la lèvre, l'esprit tendu vers un unique but. Elle étirait le flot éblouissant avec précaution, veillant à ne pas créer de brèche dans ce qui prenait lentement la forme d'un rideau violet chatoyant. Elle tremblait sous l'effort, comme si elle soulevait un poids considérable. Puis elle se releva péniblement, les bras ouverts. Moustique résista au désir de lui venir en aide, craignant de la déconcentrer. Ses yeux verts étincelaient dans son visage livide.

Soudain le moment que tout le public attendait arriva. Prononçant une formule longue et compliquée (nul dans l'assistance ne devait en garder le moindre souvenir), Marcia projeta brusquement en l'air le rideau pourpre qui se déploya le long de la **corde** en crépitant comme une mèche d'explosif en train de se consumer.

Un murmure admiratif monta de la foule. Marcia se retourna, l'air furieuse.

– Chut ! gronda-t-elle.

Le silence retomba. Certains s'éloignèrent discrètement tandis que les plus avisés s'attardaient, sachant que le meilleur était encore à venir.

La lumière s'était propagée dans une seule direction, vers la droite de Marcia. Pour rendre la chose plus spectaculaire, d'autres n'auraient pas hésité à la diffuser simultanément dans les deux directions, en espérant que la fusion se ferait toute seule à l'arrière du palais. Mais Marcia était plus prudente et elle refusait les effets faciles, coupables à ses yeux de dévaluer la **Magyk** en laissant croire au public que celle-ci relevait du divertissement – d'où son agacement devant les réactions de la foule.

Il fallut un long moment au rideau de lumière pour revenir à son point de départ. Avant cela, il lui fallut faire tout le tour du palais, et comme la **chaîne** comportait trop de participants à l'arrière de celui-ci, il dut encore s'enfoncer dans le parc, presque jusqu'à la haie qui marquait la limite de l'enclos du dragon.

Si Boutefeu dormait d'un sommeil profond malgré l'agitation, son maître, Septimus, était parfaitement réveillé. Connaissant le perfectionnisme de Marcia, il s'attendait à ce qu'elle crée un **rideau de sécurité**. C'est d'un air morose qu'il observa par-dessus la haie le déplacement de celui-ci, admirant malgré lui son éclat régulier. Marcia avait créé un chef-d'œuvre de **Magyk**, et sans son concours. Tandis que le rideau poursuivait sa course, il retourna auprès de l'abri du dragon. Il n'avait aucune envie d'affronter Marcia pour le moment, sachant trop bien ce qu'elle avait à lui dire. S'il avait eu un apprenti et qu'il ait manqué un événement pareil, il aurait eu les mêmes mots à son égard. Et ces mots, il n'avait aucun désir de les entendre.

La foule, intimidée par le mouvement d'humeur de Marcia, salua d'un murmure contenu la réapparition de la lumière de l'autre côté du palais et retint son souffle tandis que le **rideau** chatoyant se rapprochait de son point de départ.

Plus tard, certains s'avouèrent déçus par la fusion des deux bords du **rideau** quand d'autres affirmèrent n'avoir jamais rien vu d'aussi extraordinaire. La vérité, c'est qu'en cette occasion, comme en beaucoup d'autres, chacun réagit en fonction de ses attentes. Si tous virent l'éclair éblouissant qui accompagna la rencontre des deux bords, seuls ceux qui regardaient avec une attention extrême eurent conscience que l'histoire du Château se rejouait en quelques secondes devant leurs yeux. Le **rideau protecteur** procédait d'une **Magyk** très ancienne, fondée sur le contrôle du souffle. Les premiers habitants du Château utilisaient sa forme primitive, avant même l'apparition du premier magicien extraordinaire, pour se préserver des créatures de la Forêt durant les nuits sans lune. Si les premières tentatives s'étaient révélées décevantes, l'efficacité du **rideau** s'était renforcée au fil du temps et des attaques qu'il avait repoussées. Et de même que les peintures du hall de la tour du Magicien, il contenait des échos de sa longue existence tumultueuse, profondément enfouis dans sa trame. Au moment où ses bords se rejoignaient et se fondaient l'un dans l'autre, l'énergie libérée donna naissance à des visions aussi fabuleuses que fugitives : cavaliers galopant à bride abattue, sorcières hurlant, montées sur des gloutons, pluie de crapauds venimeux et explosifs, autant d'ennemis dont les assauts avaient contribué à consolider le **rideau**. Puis les images s'effacèrent, l'extérieur de l'immense cercle pourpre cessa de miroiter pour briller d'un éclat constant.

Ceux qui avaient eu la chance d'apercevoir ces bribes du passé, d'abord muets de stupeur, se mirent à parler tous en même temps avec des voix excitées.

Marcia fit volte-face.

– Silence ! cria-t-elle.

Les conversations s'interrompirent aussitôt.

– Un peu de sérieux. Je n'ai pas fait tout ça pour vous offrir un divertissement gratuit.

– Maintenant, elle va faire passer le chapeau, les gars ! osa un courageux, caché au milieu de la foule.

Marcia lança un regard courroucé dans la direction du perturbateur et sa voix prit des inflexions glaciales :

– J'ai créé ce **rideau** pour nous protéger tous du **domaine ténébreux** qui a englouti le palais.

Elle marqua une pause pour laisser à chacun le temps d'intégrer cette information et nota avec satisfaction un changement d'humeur au sein de l'assistance.

– Je vous demande de le respecter. Il est là pour assurer votre sécurité et celle du Château.

Une petite fille au premier rang de la foule, qui vénérait Marcia et espérait devenir magicienne un jour, demanda d'une voix minuscule :

– Dame Marcia ?

Marcia se pencha vers l'enfant, ignorant les protestations de son dos.

– Oui ?

– Et si le **domaine** « térébreux » s'échappe ?

– Ça n'arrivera pas, affirma Marcia. Ne t'inquiète pas pour ça. J'ai mis le palais en **quarantaine**. Le **rideau** n'est qu'une précaution supplémentaire.

S'étant redressée, elle s'adressa à tous :

– Je ne peux rien faire de plus d'ici le lever du soleil. Demain, à la première heure, je soumettrai le palais à une **fumigation** et ensuite, tout ira bien. Sur ce, je vous souhaite une bonne nuit.

On entendit quelques « Merci » et « Bonne nuit, dame Marcia » pendant que la foule se dispersait et que chacun s'apprêtait à regagner son logis – les illuminations de la voie du Magicien semblaient avoir perdu tout intérêt aux yeux des badauds. Marcia fut soulagée. Elle n'aimait pas voir un rassemblement de cette importance près d'un artefact aussi puissant qu'un **rideau protecteur**. Les différents magiciens, scribes et apprentis s'égaillèrent à leur tour.

– Monsieur Bott ? appela Marcia.

– Flûte, marmonna le revendeur de capes replet, pressé d'aller dîner.

Toutefois, il n'osa pas ignorer « la patronne », comme les magiciens surnommaient la magicienne extraordinaire.

– Oui, dame Marcia ? demanda-t-il en s'inclinant.

– Redressez-vous, ordonna Marcia, qui avait une sainte horreur des « courbettes », ainsi qu'elle les appelait. Vous allez prendre le premier tour de garde à l'endroit de la fusion – un point de rupture potentiel, comme vous le savez certainement. J'enverrai quelqu'un vous relever à minuit.

– À *minuit* ? gémit Bertie, dont l'estomac gargouillait à la pensée des saucisses accompagnées de purée et arrosées d'une sauce généreuse que sa femme cuisinait chaque année à l'occasion de la nuit la plus longue – sans doute l'attendait-elle bien au chaud chez eux.

Contrairement à Bertie, Rose paraissait peu pressée de partir. Elle contemplait le **rideau** avec une expression émerveillée.

– Je veux bien monter la garde, dame Marcia, proposa-t-elle.

– Merci, Rose, répondit la magicienne extraordinaire, mais j'ai déjà désigné M. Bott.

Bertie passa une main sur son front d'un geste las.

– Je me sens un peu faible... plaida-t-il.

– Ah oui ? ironisa Marcia. Si Rose prenait votre tour de garde sans avoir dîné, je ne serais pas étonnée qu'elle fasse un malaise, en effet. Mais vous, monsieur Bott... ? Vous avez pourtant des réserves.

Encouragée par le demi-sourire de la magicienne extraordinaire, Rose insista :

– Sincèrement, dame Marcia, j'aimerais beaucoup garder le **rideau**. Je n'ai jamais rien vu d'aussi... fascinant.

Marcia céda. Elle appréciait la jeune fille, et son enthousiasme la consolait un peu de l'absence de son apprenti.

– C'est d'accord, Rose. Mais d'abord, vous allez me faire le plaisir de retourner à la tour et d'avaler quelque chose. Prenez votre temps, au moins une heure. Puis vous viendrez relever M. Bott. Bertie ? Vous n'avez rien à dire à Rose ?

– Merci, articula Bertie d'un air humble.

Bertie Bott regarda les deux femmes s'éloigner en direction de la voie du Magicien, puis il tapa des pieds et s'enveloppa étroitement dans sa cape pour se protéger d'une rafale de neige soufflant de la Rivière. Avec un soupir, il songea que cette heure allait lui paraître interminable.

⳨ 24 ⳨

Les créatures au palais

Tandis que Merrin errait à travers le Manuscriptorium, brutalisant Jillie Djinn et gribouillant des grossièretés sur les pupitres des scribes, les événements qu'il avait déclenchés suivaient leur cours.

Au dernier étage du palais, une **créature déverrouilla** la porte d'une minuscule pièce sans fenêtre, à l'extrémité du couloir où Merrin avait établi ses quartiers.

– Il est l'heure, dit-elle.

Échevelé, couvert de boue, encore endolori par sa longue marche, Simon Heap se leva péniblement.

– Suis-moi, ordonna la **créature**.

Simon ne bougea pas.

– Suis-moi ! répéta la **créature**.

– Non, fit Simon d'une voix rauque.

La soif lui brûlait la gorge.

Nonchalamment appuyée au chambranle, la **créature** le consi-

déra avec un mélange d'ennui et d'amusement, pour autant qu'on pût déchiffrer son expression.

– Si tu ne me suis pas, cette porte va se refermer et restera **verrouillée** pendant un an. Au bout de cette période, seule ta mère pourra la **déverrouiller**.

– *Ma mère* ?

La **créature** émit un son évoquant le cri d'agonie d'un poulet qu'on étrangle, dans lequel Simon reconnut un rire.

– Elle sera certainement très heureuse de te revoir... même s'il ne restera de toi qu'un tas de guenilles gluantes de pourriture sur le sol de son grenier.

– Son grenier ? C'est là que nous sommes ? demanda Simon.

Il ne gardait aucun souvenir du périple qui l'avait conduit au Château.

– Tu te trouves au palais, répondit la **créature**. Et si tu ne me suis pas immédiatement, ajouta-t-elle, se détachant du chambranle, je vais mettre ma menace à exécution.

Alors que la porte pivotait lentement sur ses gonds, Simon imagina Sarah Heap l'ouvrant dans un avenir plus ou moins éloigné, peut-être des années plus tard...

– Attends !

Et il se rua hors de la pièce.

La **créature** parcourut le couloir de sa démarche oblique et traînante, suivie de près par Simon, et descendit clopin-clopant l'escalier étroit que Jenna et Moustique avaient emprunté quelques heures plus tôt. Simon se demanda si ses parents étaient également prisonniers de la **créature**, ou pire. Et Jenna ? Il savait que si l'un d'eux le voyait aux côtés de son sinistre compagnon, il en déduirait aussitôt qu'il l'avait lui-même **invoqué**. Il allait céder une fois de plus à l'auto-apitoiement quand il se ressaisit : s'il avait perdu la confiance des siens, c'était uniquement sa faute.

La **créature** se déplaçait avec une agilité étonnante alors que Simon avait l'impression de patauger dans une épaisse mélasse. Il se fit la réflexion que c'était bon signe : les mortels ordinaires, lui avait-on dit, avaient toujours cette sensation quand ils avançaient dans la **Ténèbre**, mais lui-même ne l'avait jamais éprouvée jusque-là.

Un calme oppressant régnait à l'intérieur du palais. Les fantômes qui hantaient habituellement les lieux se faisaient discrets, à l'exception d'une ancienne gouvernante dont les cris affolés perçaient parfois le silence, faisant tressaillir Simon. La plupart des défunts se promenaient comme chaque soir dans le couloir, espérant apercevoir la princesse, quand la **Ténèbre** s'était abattue sur le palais, les piégeant comme de la glu. Chaque fois que Simon **traversait** l'un d'eux, un souffle d'air glacé et vicié lui fouettait le visage, lui donnant la nausée. Toutefois, il était un fantôme qui n'entendait pas se laisser **traverser**. Bien au contraire, ce fut lui, sire Hereward, qui **traversa** Simon.

Pendant que le **domaine ténébreux** prenait possession du grenier, sire Hereward montait la garde devant la porte de Jenna, prêt à défendre chèrement la princesse – contre quoi, il l'ignorait, mais le vieux chevalier n'était pas du genre à s'assoupir à son poste. Quand la **Ténèbre** s'étendit, s'insinuant dans les moindres coins et recoins du palais, l'inquiétude le gagna peu à peu. À deux reprises, un grincement de porte, le bruit d'un rideau coulissant sur sa tringle, lui firent craindre une intrusion dans la chambre de Jenna, mais quand il brandit son épée devant lui, elle ne rencontra que le vide. Si seulement il avait eu de quoi s'éclairer ! Dépité, sire Hereward attendait de pied ferme un adversaire bien réel quand il entendit craquer le parquet du couloir et perçut une présence humaine. Le vieux fantôme s'élança alors, poussant une clameur à glacer le sang :

– En garde, coquin !

– Aaah ! s'écria Simon, terrifié.

La **créature** lui jeta à peine un coup d'œil avant de poursuivre vers le palier. S'étant ressaisi, Simon lui emboîta résolument le pas, mais sire Hereward n'en avait pas terminé avec lui. Il se lança à sa poursuite, essayant de le frapper avec son épée. Simon avait l'impression de subir les attaques d'un moulin à vent pris de folie. De temps en temps, un coup atteignait sa cible. Si une épée fantôme n'a pas de substance, il n'en est pas moins déplaisant d'être **traversé** par sa lame. Celle de sire Hereward produisait même un sifflement quand elle fendait l'air, tant la fureur du vieux chevalier était grande. Armé d'une véritable épée, il n'aurait eu aucun mal à découper Simon en deux ou trois morceaux, et cette pensée n'était pas de nature à rassurer le jeune homme.

– Je sais qui tu es, pendard !

La voix étonnamment puissante de sire Hereward emplit subitement le silence, laissant la gouvernante muette de saisissement, au grand soulagement de Simon.

– Je t'ai reconnu à tes cheveux, et à ta cicatrice. La princesse m'a mis en garde contre toi. Tu es le mouton noir de la famille Heap, le scélérat qui n'a pas hésité à enlever sa petite sœur sans défense !

Cependant, Simon suivait docilement la **créature**, se

demandant comment il allait se tirer d'affaire. Mais il n'est pas facile d'échafauder des plans quand un fantôme manchot vous abreuve d'injures en vous lardant de coups d'épée parfaitement ajustés.

– Tu crois pouvoir échapper à ton châtiment, perfide ? Sache que la vengeance arme mon bras !

Simon faisait de son mieux pour ignorer le fantôme, mais son indifférence augmentait la fureur de sire Hereward.

– Tu fuis comme le lâche que tu es... Conduis-toi en homme, et viens te battre !

Excédé, Simon fit volte-face.

– Me conduire *en homme* ? Ça vous va bien de dire ça, vous qui n'en êtes plus un !

Sire Hereward baissa son épée et considéra son adversaire avec mépris.

– La pique est facile, mais je n'en attendais pas davantage de toi. En garde !

Avec un soupir las, Simon écarta les bras pour faire voir qu'il était désarmé.

– Écoutez, messire je-ne-sais-qui, je n'ai pas envie de me battre. Pas maintenant. La situation est assez compliquée sans en rajouter, vous ne croyez pas ?

– Ha !

– Pour ce qui est de Jenna – de la princesse –, je donnerais tout pour pouvoir effacer le mal que je lui ai fait. Malheureusement, c'est impossible. Je lui ai écrit pour lui demander de me pardonner, et j'espère qu'elle y arrivera un jour. Je ne peux rien de plus.

– Silence ! ordonna la créature.

Sire Hereward scruta l'obscurité et distingua une vague silhouette. La **créature**, elle, ne pouvait ni le voir ni l'entendre, contrairement à Simon. Le vieux fantôme était trop avisé pour prendre le risque d'**apparaître** à un produit de la **Ténèbre**.

– Traître ! gronda sire Hereward, agitant de nouveau son épée. Tu as introduit une **créature** dans le palais !

Simon perdit brusquement patience. Pourquoi tout le monde – même les fantômes – l'accusait-il toujours des pires méfaits ?

– Vieil imbécile ! rétorqua-t-il. Je déteste la **Ténèbre**. Tu peux te fourrer ça dans le crâne, oui ?

La **créature**, qui avait des tendances paranoïaques, prit cela pour elle.

– J'ai dit, silence ! grinça-t-elle.

La réaction de sire Hereward fut tout aussi virulente :

– Tu oses m'insulter, pendard ?

Simon se retourna vers lui :

– Je t'insulterai autant que ça me plaira, espèce de... Aaaaargh !

La **créature** venait de se jeter sur lui, lui serrant le cou comme si elle voulait lui faire ravaler ses paroles.

– Il en coûte cher de me défier, lui souffla-t-elle au visage.

– Gaaaaah...

Simon étouffait. Une horrible odeur de pourriture emplissait ses narines, et les longs ongles crasseux de la **créature** lui entaillaient la gorge.

Sire Hereward baissa son épée, choqué.

– Je t'avais dit de te taire, reprit la **créature** à l'adresse de sa victime. Si tu me désobéis encore, je te réduirai au silence pour toujours. Compris ?

Simon parvint à acquiescer. La **créature** le lâcha, et il s'effondra sur le tapis avec des haut-le-cœur.

– Juste ciel ! murmura sire Hereward.

La **créature** se dressait au-dessus de Simon.

– Debout ! ordonna-t-elle.

Le jeune homme se releva avec difficulté et, pressant son cou meurtri, emboîta le pas à la **créature** avec l'air penaud d'un chiot puni. Sire Hereward, qui n'avait rien perdu de la scène, se demanda si la situation n'était pas légèrement différente de ce qu'il avait imaginé. Décidé à en avoir le cœur net, il entreprit de suivre Simon.

– Jeune Heap, lui dit-il, il me faut des réponses.

Simon tourna vers lui un regard désespéré. Ce vieux fou n'allait donc jamais le lâcher ? Il ne croyait pas qu'il avait assez d'ennuis comme ça ?

– Ça restera entre toi et moi, affirma sire Hereward comme le jeune homme jetait un coup d'œil inquiet vers la **créature**. Cette... chose ne peut ni me voir ni m'entendre.

Simon surprit l'esquisse d'un sourire complice sur le visage du fantôme et entrevit une lueur d'espoir.

Sire Hereward reprit :

– Je tiens à éclaircir certains points. Surtout, ne me mens pas. Pour me répondre, contente-toi de hocher ou secouer la tête. D'accord ?

C'était plus facile à dire qu'à faire... Il semblait à Simon que sa tête risquait de se détacher au moindre mouvement brusque. Il acquiesça avec précaution.

Leur étrange cortège – une **créature** dépenaillée, presque cassée en deux, suivie par un jeune homme meurtri, aux vêtements couverts de boue, et un fantôme manchot – progressait lentement le long du couloir.

Sire Hereward entama son interrogatoire :

– Es-tu venu au palais de ton propre gré ?

Simon secoua prudemment la tête.

– Sais-tu pourquoi tu es ici ?

Non, fit Simon, tout aussi prudemment.

– Sais-tu où est la princesse ?

Non, fit de nouveau Simon.

– Nous devons la retrouver. Et pour ça, il nous faut nettoyer le palais de cette vermine, ajouta sire Hereward avec mépris. Partages-tu mon avis, jeune Heap ?

Simon opina de la tête avec gratitude : il lui était moins pénible de la remuer dans ce sens.

– Et comptes-tu m'aider à chasser ces **créatures** ?

Simon acquiesça trop vigoureusement et laissa échapper une plainte. La **créature** fit volte-face. Le cœur du jeune homme s'emballa. Pour donner le change, il porta les mains à son cou avec une grimace de douleur. La **créature** lui tourna le dos et recommença à avancer vers le palier.

– Il nous faut un plan d'action, reprit sire Hereward, retrouvant ses réflexes guerriers. Pour commencer...

Simon n'entendit pas la suite. La **créature**, le jugeant trop lent, venait d'agripper le bas de sa tunique déchirée et de le jeter dans l'escalier. Le jeune homme dégringola les marches et atterrit dans le hall, où l'attendaient pas moins de vingt-cinq autres **créatures**.

Du haut de l'escalier, sire Hereward les vit pousser le malheureux vers les portes du palais, le pinçant et le bousculant sans ménagement. Parvenu au bas des marches, il s'avança vers les monstres, non sans appréhension. Aucun défunt n'aime qu'on le **traverse**, mais se faire **traverser** par un bloc de **Ténèbre** est une des pires choses qui puissent arriver à un fantôme. Sire Hereward en fit la cruelle expérience au moins à dix reprises tandis qu'il tentait de rejoindre Simon. Toutefois, il continua d'avancer. Sa mission consistait à protéger la princesse, et pour s'en acquitter, il avait besoin du jeune homme. Un vivant plein de vigueur était plus apte à chasser les **créatures** du palais et rendre celui-ci à la princesse qu'un vieux fantôme privé d'un bras. En outre, sire Hereward détestait l'injustice. Il avait d'abord pris le jeune Heap pour un pâle voyou avant de réviser son jugement : dans cette affaire, Simon était la victime, et les **créatures**, des brutes sans cervelle (ou si elles en avaient une, elles la cachaient bien).

Sire Hereward observa que les monstres restaient à distance respectueuse des portes, lesquelles apparaissaient au travers d'une pellicule scintillante de **Magyk**.

La première **créature** s'adressa alors à Simon :

– Ouvre les portes !

– Surtout pas ! s'écria sire Hereward. Si tu fais ça, elles vont envahir le Château !

Simon ignora la mise en garde du fantôme pour se concentrer. Les pensées se bousculaient dans son esprit. Il comprenait à présent pourquoi la **créature** l'avait ramené au palais : pour briser la **quarantaine**, ses semblables et elle avaient besoin d'un être humain possédant quelques connaissances en **Magyk noire**. Il remplissait cette condition, les **créatures** le savaient, tout comme elles savaient qu'il subsistait une part d'humanité même chez le pire suppôt de la **Ténèbre**. DomDaniel lui-même avait un jour recueilli un chat errant auquel il avait offert une soucoupe de lait, alors qu'une **créature** aurait probablement dépecé et dévoré la pauvre bête.

Les **créatures** s'impatientaient. Simon les entendait murmurer à l'unisson :

– Ouvre... Ouvre... Ouvre...

Le jeune homme prit la décision de n'en rien faire, quelles qu'en soient les conséquences. Si quelqu'un – probablement Marcia – avait placé le palais en **quarantaine**, il avait sans doute une bonne raison de le faire. Lui-même n'aurait pas agi autrement, et il aurait également formé une **chaîne** autour du palais, pour plus de sécurité. Il aurait parié que Marcia était allée encore au-delà, et il n'avait pas l'intention de saboter son travail.

– Pas question, souffla-t-il d'une voix rauque.

– Bien répondu ! exulta sire Hereward.

– Ouvre ces portes, répéta la **créature** qui l'avait presque étranglé.

– Non.

– Dans ce cas, peut-être ta mère se montrera-t-elle plus persuasive...

La créature pressa l'une contre l'autre ses mains dont la peau partait en lambeaux et fit craquer les articulations de ses doigts. Puis elle s'éloigna le long du promenoir, entraînant quatre de ses congénères à sa suite, en direction du boudoir de Sarah.

C'est impossible, pensa Simon. Sa mère ne pouvait pas se trouver encore dans le palais... Du moins fallait-il l'espérer.

++ 25 ++
MÈRE ET FILS

Sarah Heap était encore plus petite que dans le souvenir de Simon. En fait, quand les **créatures** reparurent dans le hall, le jeune homme crut d'abord qu'elles revenaient sans elle. Mais quand elles s'approchèrent, il aperçut entre elles la chevelure blond pâle de sa mère. Un murmure excité parcourut le groupe des **créatures** restantes : quelqu'un allait passer un sale moment, et elles s'en délectaient d'avance.

Elles poussèrent Sarah, terrifiée, vers Simon. À la vue de celui-ci, l'horreur se peignit sur le visage de la pauvre femme, justifiant les pires craintes du jeune homme : sa propre mère le croyait responsable de la situation.

– Maman, je n'y suis pour rien ! protesta-t-il tel un petit garçon injustement accusé. Je le jure !

Sarah soupira. À l'évidence, elle n'en croyait pas un mot. Mais la suite allait la faire changer d'avis.

– Oui ou non, vas-tu ouvrir ces portes ? proféra la **créature** qui semblait commander le groupe.

– N-non, balbutia Simon.

– C'est ce qu'on va voir...

Ayant écarté une de ses semblables, plus petite, qui se tenait aux côtés de Sarah, la **créature** plaça ses mains autour du cou de la captive – un cou tellement fin et fragile.

– Enfin, qu'est-ce qu'ils veulent ? murmura Sarah.

– Ils veulent que je les fasse sortir du palais, maman.

– Quoi ? s'exclama Sarah, horrifiée. Pour qu'ils se répandent dans le Château ? Parmi tous ces pauvres gens ?

– C'est ça.

– Je t'interdis de leur obéir !

– Mais, maman...

– Simon !

Sarah ferma les yeux. Les mains de la **créature** se refermèrent sur sa gorge et serrèrent...

– Non !

Simon voulut se précipiter vers sa mère pour la libérer, mais quatre autres **créatures** se jetèrent sur lui et l'immobilisèrent.

– Je t'en prie, arrête ! supplia-t-il.

– J'arrêterai quand tu auras ouvert ces portes, lui rétorqua la **créature**.

Sarah étouffait. Ses mains agrippaient celles de son bourreau, tentant en vain de desserrer leur étreinte.

– Pitié, gémit Simon.

La **créature** fixa sur lui ses yeux atones.

– Ouvre les portes, répéta-t-elle.

Simon lançait des regards désespérés autour de lui, cherchant sire Hereward, mais le fantôme avait été refoulé quand les **créatures** s'étaient avancées en masse pour mieux jouir du spectacle. C'est à peine si on apercevait la pointe de l'épée qu'il brandissait bien inutilement. Le jeune homme ne pouvait compter que sur lui-même.

Un râle s'échappa des lèvres de Sarah, qui s'affaissa telle une poupée de son.

C'en était trop pour Simon. Il allait tuer sa propre mère ! Pour la sauver, il lui suffisait d'ouvrir ces maudites portes. Cette évidence l'atteignit avec la force d'une gifle. Rien d'autre n'avait d'importance. La seule réalité tangible, c'était sa mère en train de mourir devant ses yeux. En cédant, au moins, il laissait à chaque habitant du Château une chance de s'en sortir, tandis que sa mère mourrait à coup sûr s'il s'entêtait dans son refus. Il marcha résolument vers les portes et appliqua les mains sur la fine pellicule de **Magyk** qui recouvrait le bois ancien. Puis, la rage au cœur, il prononça l'**incantation inversée** qui lèverait la **quarantaine**.

La **créature** laissa tomber Sarah telle une vieille chaussette – son espèce répugnait à toucher des êtres humains.

– Ouvre, dit-elle d'une voix grinçante.

Simon saisit les énormes poignées en cuivre et ouvrit les deux lourdes portes. Les **créatures** se répandirent à l'extérieur comme une traînée d'huile noire, mais Simon n'en avait cure. Agenouillé sur les dalles usées, il serrait sa mère dans ses bras. Sarah prit une longue inspiration sifflante, si longue que Simon se demanda quand elle allait arrêter. Puis son visage marbré reprit peu à peu des couleurs, elle battit lentement des paupières et regarda son fils aîné comme si elle le voyait pour la première fois.

– Si... Simon ? dit-elle d'une voix tellement cassée qu'on l'entendait à peine.

Avec douceur, Simon l'aida à s'asseoir. Soudain une rafale de neige s'engouffra par les portes béantes. Sarah retrouva subitement ses esprits.

– Ne me dis pas que tu as... ? murmura-t-elle.

Simon leva les yeux vers sire Hereward, n'osant répondre. Le fantôme lui retourna un regard empli de tristesse, songeant qu'il aurait agi de même s'il s'était agi de sa mère.

– Simon, reprit Sarah, tu ne les as quand même pas laissés sortir ? Non, pas ça !

Sarah se laissa retomber. Assis près d'elle, Simon prit sa tête dans ses mains, accablé. Il avait mal agi, il le savait, mais les deux options qui s'offraient à lui étaient tout aussi détestables. Autrement dit, il n'avait pas eu le choix.

26
ABSENCES

– Dis-moi, Moustique, demanda Marcia comme ils venaient de s'arrêter devant l'officine de Larry, tu avais des projets pour ce soir ?

Moustique continua à chercher sa clé d'un air maussade. Oui, il avait des projets : la fête d'anniversaire de Jenna. Pendant des mois, il avait attendu ce moment avec impatience. Certes, son annulation ne pesait pas grand-chose face à ce qui était arrivé ce soir-là au palais, mais si on avait demandé à Moustique de dire en toute franchise lequel des deux événements lui inspirait le plus de regrets, il aurait volontiers avoué que c'était la fête.

– Non, rien de précis.

– En l'absence prolongée de mon apprenti, reprit Marcia avec une pointe d'acrimonie, j'aurais grand besoin d'un assistant expérimenté, et qui ne gaspille pas un temps précieux à courir derrière un alchimiste sénile et peu digne de foi...

La colère transpirait dans sa voix. Elle attendit d'avoir retrouvé son calme pour poursuivre :

– Donc, si tu n'as rien de mieux à faire, accepterais-tu de passer la nuit à la tour et de prendre part aux préparatifs de la **fumigation** ?

Une fois de plus, Moustique eut l'impression désagréable de n'être qu'un pis-aller, choisi pour pallier la défection de Septimus. Toutefois, la proposition de Marcia n'était pas de celles qu'on peut décliner. La seule autre option qui s'offrait à lui était de se faufiler jusqu'au réduit qu'il occupait à l'arrière de l'officine, en s'efforçant de ne pas troubler le repos de son irascible patron. Par le passé, chacune de ses tentatives s'était soldée par un échec, car Larry avait le sommeil léger. Réveillé en sursaut, il abreuvait son malheureux employé d'injures latines que celui-ci, grâce aux connaissances qu'il avait acquises à son service, ne comprenait que trop bien.

C'est pourquoi il répondit :

– Oui, avec plaisir !

– Bien ! fit Marcia, satisfaite.

Ils se remirent à cheminer le long de la voie du Magicien, chacun se demandant qui était resté prisonnier du **domaine ténébreux** à l'intérieur du palais. Le **rideau** illuminait la nuit dans leur dos. Moustique repensait aux péripéties de l'après-midi quand il se rappela le livre qu'il avait arraché des mains de Merrin.

Il le sortit de sa poche et le tendit à Marcia.

– J'avais oublié… J'ai pris ceci à Merrin pendant qu'il me **renvoyait**. Je suis sûr que vous en avez une copie, mais j'ai pensé que ça vous intéresserait.

Marcia s'arrêta pile sous une torchère. Là, elle examina le petit volume corné à la couverture poisseuse et siffla d'un air admiratif. Moustique en fut choqué : il n'aurait jamais cru Marcia capable de siffler.

– Moustique, permets-moi de te détromper : je n'en possède pas de copie pour la bonne raison qu'il n'en existe qu'un exemplaire. Ça fait des années que je désire mettre la main dessus. Figure-toi que cet ouvrage est en quelque sorte la clé donnant accès aux secrets d'un autre livre, très important. Tu n'imagines pas à quel point je suis soulagée, reprit-elle, le regard brillant. Je dois t'avouer que ce que j'ai vu ce soir m'a impressionnée, et pour être tout à fait sincère, je craignais un peu de ne pouvoir nous en débarrasser et de devoir maintenir le palais en **quarantaine**.

Elle ouvrit le *Codex Tenebrae* et le feuilleta rapidement.

– Stupéfiant… Magnifique. Moustique, grâce à toi, cette journée s'achève beaucoup mieux qu'elle n'avait commencé.

Moustique sourit.

– Tant mieux ! Je ne pensais pas que ce livre était aussi important.

– Il est même essentiel ! Grâce à lui, pour la première fois depuis des siècles, nous allons pouvoir utiliser les **codes appariés**. Ils sont censés nous protéger. Malheureusement, nous étions incapables de les déchiffrer depuis que *ceci* avait disparu en même temps que l'*Art de vaincre la Ténèbre*. Lui, je l'ai trouvé en train de pourrir dans les marais de Marram, mais sans le *Codex*, on ne pouvait pas en faire grand-chose. À présent, nous n'aurons aucun mal à dégager la minable création de Merrin Mérédith !

Elle brandit triomphalement le *Codex* devant Moustique.

– Tu permets que je te l'emprunte jusqu'à demain ?

– Oh ! fit le jeune garçon, pris de court. Bien sûr. En fait, j'aimerais que vous le gardiez. Seule la magicienne extraordinaire devrait posséder ce genre de truc.

– Très juste ! Mais je te remercie quand même.

Elle rangea le livre dans sa poche la plus profonde et reprit :

– Maintenant, je te propose une visite au Manuscriptorium. J'ai quelque chose à y récupérer.

Et zut ! pensa Moustique.

La règle voulait que la magicienne extraordinaire possède un double de la clé du Manuscriptorium, à n'utiliser qu'en cas d'urgence. Malgré les réticences de Jillie Djinn, Marcia avait perpétué cet usage, et la situation lui paraissait suffisamment urgente. Quand elle glissa la clé dans la serrure, cette dernière résista. Toutefois la porte s'ouvrit sans l'habituel signal sonore. La première scribe hermétique débranchait elle-même le compteur de visiteurs, chaque soir, avant que les scribes ne quittent le bâtiment.

Moustique entra à contrecœur à la suite de Marcia. Il estimait qu'il avait assez vu son ex-lieu de travail ce jour-là.

– Moi aussi, je me serais bien passée de cette visite, lui confia Marcia à mi-voix. Mais le Manuscriptorium abrite un des **codes appariés** – le second est à la tour –, dans un endroit connu de la seule première scribe hermétique. Je préférerais de beaucoup ne pas avoir affaire à cette femme, crois-moi. Par hasard, tu ne saurais pas où elle a pu cacher ce fichu **code** ?

Elle tourna un regard plein d'espoir vers le jeune garçon, qui secoua la tête.

– J'ignore même à quoi il ressemble !

– À un disque en argent gravé de rayons. Le premier scribe hermétique le portait jadis autour du cou, enfilé sur un cordon, aussi j'imagine qu'il est percé au centre. On utilisait beaucoup les **codes appariés** dans les temps anciens. L'exemplaire du Manuscriptorium est plus petit que celui que nous conservons à la tour, dans la bibliothèque de la pyramide. Pris séparément, ils n'ont rien de remarquable, mais quand on les rapproche, il paraît que c'est quelque chose ! Nous n'allons d'ailleurs pas tarder à le vérifier.

Marcia semblait ravie. Visiblement, l'idée d'accéder à une **Magyk** aussi ancienne la transportait de joie.

Ils s'enfoncèrent dans le Manuscriptorium désert, seulement éclairé par la lumière qui s'échappait du sous-sol, où habitait et travaillait Éphaniah Grèbe, le scribe chargé de la conservation, la préservation et la réparation. De la première scribe hermétique, il n'y avait nulle trace.

– Mlle Djinn doit être en haut, murmura Moustique. Après le départ des scribes, elle monte dans ses appartements où elle grignote des biscuits en se livrant à des calculs.

Il guida Marcia à travers les rangées de pupitres, jusqu'à un escalier usé menant à une porte bleue éraflée. Marcia monta les marches sur la pointe des pieds et tira d'un coup sec la poignée de sonnette en argent. Une clochette solitaire tinta au loin, dans les hauteurs du bâtiment. Marcia et Moustique guettèrent le bruit des pas de Jillie Djinn, en vain. Au bout d'un moment, Marcia perdit patience et sonna de nouveau, sans plus de succès.

– Quelle barbe ! maugréa-t-elle en redescendant les marches. La magicienne extraordinaire devrait pouvoir joindre la première scribe hermétique à tout moment en cas de nécessité. Nous allons êtres obligés de fouiller cet horrible endroit pour la retrouver. Elle est forcément quelque part...

Soudain quelque chose alerta Marcia. Elle désigna à son compagnon l'ouverture du passage sombre et étroit menant au cabinet hermétique.

– Il me semble avoir vu quelqu'un entrer, murmura-t-elle. Enfin, à quoi joue-t-elle ? Elle a pourtant dû nous voir !

Elle se dirigea vers le passage, faisant claquer les talons de ses bottines en python sur le parquet, et s'y enfonça. Moustique la suivit avec réticence.

On accédait au Saint des saints du Manuscriptorium par un couloir tournant sept fois sur lui-même, spécialement conçu pour piéger la **Magyk** qui aurait pu s'en échapper ou, plus vraisemblablement, y pénétrer et en perturber l'équilibre délicat. Le cabinet était aussi insonorisé, imperméable à la lumière, et pour toutes ces raisons, déstabilisant.

Moustique se guidait sur le frottement du manteau de Marcia sur les dalles. Il remarqua bientôt qu'elle ralentissait et en retira l'impression dérangeante qu'elle n'était pas aussi rassurée qu'elle voulait le faire croire. Quand le passage devint obscur, l'inquiétude le gagna à son tour. Toutefois, au-delà du septième détour, la lumière du cabinet éclairait les derniers mètres du couloir, et il se détendit. À moitié cachée par les ondulations du manteau de Marcia, il reconnut avec soulagement (car il avait le sentiment que la magicienne redoutait de trouver autre chose) la silhouette familière de la première scribe hermétique, assise à la table ronde.

Les murs blancs du cabinet paraissaient aveuglants après la pénombre du couloir. Moustique parcourut du regard la pièce. Elle n'avait pas changé depuis sa dernière visite. Le miroir ancien était toujours appuyé contre le mur au crépi grossier, de même que la colonne sculptée. Sous la table ronde, les petits pieds de Jillie Djinn, chaussés de solides souliers noirs copieusement éraflés, reposaient sur la trappe du principal tunnel de glace. Moustique constata avec soulagement que celle-ci était fermée – probablement depuis longtemps, comme l'indiquait l'épaisse couche de poussière qui la recouvrait.

Jillie Djinn paraissait plus petite que dans ses souvenirs, et la lumière crue révélait le laisser-aller de sa tenue. À l'époque où il la côtoyait, la première scribe hermétique remplaçait régulièrement sa robe en soie indigo et veillait à la garder parfaitement propre. Celle qu'elle portait ce jour-là était froissée et parsemée de ce qui avait tout l'air de taches de sauce sur la poitrine. Moustique en fut choqué, mais ce qui le troubla le plus, ce fut de surprendre son ex-patronne en plein désœuvrement. Pour une fois, il n'y avait pas de recueils de tables de calcul ouverts devant elle, ni de cahiers remplis de colonnes de chiffres destinés à être recopiés en trois exemplaires par quelque malheureux scribe. Les épaules voûtées, Jillie Djinn avait le regard vide et l'air absente. Moustique se demanda même si elle avait conscience de leur présence.

L'inquiétude se peignit brièvement sur le visage de Marcia, mais elle se ressaisit et déclara de but en blanc :

– Mademoiselle Djinn, je suis venue récupérer votre exemplaire des **codes appariés**.

Jillie Djinn renifla et, au grand scandale de Moustique, s'essuya le nez sur sa manche.

– Je ne plaisante pas, insista Marcia. Vous êtes tenue de produire le **code** à la requête de la magicienne extraordinaire, ce à n'importe quelle heure du jour et de la nuit. Je n'ignore pas que le cas ne s'est pas présenté depuis plusieurs siècles, toutefois je vous demande de satisfaire à ma requête sur-le-champ.

Jillie Djinn resta sans réaction, comme si elle ne comprenait pas un mot de ce que disait Marcia.

– Mademoiselle Djinn, reprit celle-ci, s'efforçant de garder son calme, faut-il vous rappeler que le protocole des **codes appariés** est mentionné dans la prestation de serment du premier scribe hermétique ?

Jillie Djinn gigota sur sa chaise et renifla de nouveau. Elle d'ordinaire si digne, si convenable, offrait un spectacle pathétique. Moustique ne l'avait jamais appréciée, mais l'aversion qu'il ressentait à son endroit se mêlait à présent de tristesse et d'une pointe d'angoisse. Il se tourna vers Marcia et décela dans son regard une lueur qui lui évoqua un chat prêt à bondir sur sa proie. Et en effet, elle s'élança brusquement vers la première scribe hermétique et abattit ses mains sur ses épaules.

– **Retire**-toi ! ordonna-t-elle.

Un éclair pourpre illumina la pièce. Jillie Djinn poussa un cri bref, un sifflement aigu s'éleva, une forme mince et sombre – Moustique ne parvint pas à la distinguer – jaillit sous les mains de Marcia et sauta sur le sol avant de détaler.

– Un **baryon**, murmura Marcia. Quelqu'un a placé un **baryon** en elle. Une créature vicieuse, et pesante... Enfin, que se passe-t-il ici ?

Moustique jetait des coups d'œil anxieux autour de lui. La pièce paraissait vide, mais il n'était pas certain qu'elle le soit vraiment.

– Mademoiselle Djinn, dit Marcia, le temps nous presse. Je vous demande de me donner le **code apparié** immédiatement !

Jillie Djinn, débarrassée de son fardeau, redressa les épaules. Toutefois, elle avait toujours l'air hagarde. Elle avança la main, dessinant une ligne brisée sur le dessus de la table, et un minuscule tiroir s'ouvrit devant elle. Lançant des regards inquiets à la ronde, elle en sortit une petite boîte en argent poli.

– Merci, mademoiselle Djinn, reprit Marcia. Si vous le permettez, j'aimerais vérifier que le **code** se trouve bien dans cette boîte.

Jillie Djinn semblait fixer un point derrière Marcia. Elle acquiesça distraitement, et une expression terrifiée passa sur son visage.

Cependant, Marcia était occupée à ouvrir la boîte. Elle trouva à l'intérieur un petit disque en argent bombé au centre, en tous points semblable à la reproduction qui figurait dans son manuel. Elle mit ses lunettes afin de l'examiner. Une multitude de lignes rayonnaient à partir d'un orifice central, bordées d'un fouillis de symboles. Elle n'en avait pas vu certains depuis sa dernière année d'apprentissage, où elle avait suivi un module de cryptographie avancée. Aucun doute, c'était bien le **code apparié** du Manuscriptorium qu'elle tenait entre ses mains.

Soudain quelque chose survint derrière elle. Elle fit volte-face et parut se jeter en avant. Moustique vit le disque en argent voler à travers la pièce et disparaître, puis un coup de poing à l'estomac le plia en deux.

– Ouf !

– Empêche-le de fuir ! lui cria Marcia.

Cherchant sa respiration, Moustique s'élança vers l'entrée du couloir. Une masse pleine d'arêtes s'écrasa contre lui. Déséquilibré, il s'arc-bouta au chambranle, les bras en croix, de manière à bloquer entièrement l'ouverture. Une main invisible agrippa son poignet, tentant de lui faire lâcher prise, et quelque chose de brûlant pénétra dans sa chair.

– Aaah ! hurla-t-il.

– Reste où tu es, dit Marcia, avançant vers lui. Ne bouge surtout pas !

Moustique avait l'impression qu'on enfonçait la pointe chauffée à blanc d'un épieu dans son bras, et l'expression de Marcia lui glaçait le sang. Pourtant, il ne bougea pas. La magicienne s'arrêta à un mètre de lui. Ses yeux verts étincelaient de fureur. Puis elle écarta les bras et fit le geste de saisir les poignées d'une marmite.

– **Révèle**-toi ! cria-t-elle d'un air triomphant.

Un nuage pourpre emplit l'entrée du passage. Une silhouette dégingandée se débattait à l'intérieur. Quand il se dissipa, Merrin Mérédith apparut en pleine lumière. Marcia le retenait fermement par les oreilles.

L'ex-apprenti de DomDaniel déglutit et une grimace tordit son visage : le disque en argent avait des bords tranchants.

– Il vient d'avaler le **code** ! s'exclama Marcia d'un ton incrédule.

27
Le pont de Bertie

Rose était en retard. L'**appel général** avait désorganisé toute l'activité de la tour, et la jeune fille avait dû assurer la permanence à l'infirmerie jusqu'au retour de sa supérieure. Puis elle s'était mise en route, impatiente d'étudier de plus près le **rideau protecteur**, ce prodige de **Magyk**, et soucieuse d'abréger autant que possible l'attente de Bertie Bott.

Cependant, Bertie montait courageusement la garde, ignorant qu'à quelques mètres de lui, de l'autre côté du **rideau** chatoyant, vingt-six **créatures** patrouillaient en silence, cherchant le point de fusion.

L'estomac du magicien gargouillait furieusement et le tourmentait avec des visions de saucisses et de purée de pommes de terre noyées sous la sauce, de tarte à la mélasse servie avec une louche de crème... Pour terminer le repas, il s'accorderait peut-être un caramel au chocolat, s'il lui restait de la place. Bertie soupira. Il avait la certitude qu'il lui resterait de la place. Il se demandait s'il accompagnerait ses saucisses de quelques petits pois en plus de la purée quand son estomac émit un grondement particulièrement sonore. À moins d'une longueur de bras de lui, la **créature** qui avait tenté d'étrangler Sarah Heap s'immobilisa et tendit l'oreille.

Bertie commençait à s'engourdir. Même sa meilleure cape doublée offrait une protection insuffisante contre le froid de la nuit. Bertie l'ôta un instant et la secoua afin de regonfler la fourrure, un truc de métier. Ce faisant, le bord de la cape entra accidentellement en contact avec le **rideau**.

À la vitesse de l'éclair, le bras de la **créature** traversa le point de fusion et agrippa la cape. Bertie tomba à la renverse. La **créature** referma les mains sur sa gorge et l'attira à elle. Les reins cambrés, le malheureux évoquait un pont en dos-d'âne reliant les deux côtés du **rideau**. Cet épisode humiliant devait être immortalisé par les manuels d'instruction destinés aux apprentis magiciens sous le titre du « Pont de Bertie ».

Le mur de lumière pourpre présentait à présent une brèche, aussi visible et choquante qu'un chicot au milieu d'un sourire. En file indienne, les **créatures** la franchirent, foulant aux pieds le pauvre Bertie Bott, étendu de tout son long dans l'herbe saupoudrée de neige.

Bien des années plus tard, un célèbre magicien qui ne s'était jamais vraiment remis d'avoir manqué cet événement historique devait créer à son tour un **rideau protecteur** et insister, à ce qu'on raconte, pour faire représenter cet épisode devenu légendaire.

Rose s'arrêta devant les torches qui flanquaient l'entrée du palais pour reprendre son souffle. Placardé sur les grilles, un panneau annonçait d'une manière laconique : RÉCEPTION ANNULÉE. La jeune fille entra. Gudrun la Grande, l'Ancienne qui gardait les portes du palais, lui adressa un sourire, mais la jeune fille, éblouie par l'éclat vif du **rideau**, ne la vit pas.

– Prends garde, apprentie, lui souffla Gudrun. Prends garde...

Rose crut que c'était le vent qui murmurait à son oreille. Mais quand elle s'approcha du **rideau**, l'inquiétude la gagna. Sa nature la rendait sensible – trop, aux dires de certains – à la **Ténèbre**, et elle possédait à son insu un talent qui n'allait pas tarder à se révéler : elle voyait les **créatures**. Pendant qu'elle se dirigeait lentement vers le point de fusion, dans l'axe des grilles, son malaise s'accentua. Où donc était passé Bertie Bott ? Elle ne le voyait nulle part. Pourtant, il passait difficilement inaperçu ! Lassé de l'attendre, peut-être avait-il déserté son poste pour rentrer dîner ? Impensable : même affamé, Bertie Bott n'aurait jamais osé enfreindre les ordres de la magicienne extraordinaire. Répugnant à approcher davantage, elle ralentit et s'arrêta. Il lui semblait que plus elle cherchait Bertie, moins elle y voyait. Avec un frisson, elle resserra sa cape verte d'apprentie autour d'elle, non à cause du froid – sa course l'avait réchauffée – mais pour se protéger. De quoi ? Elle l'ignorait.

– Bertie ? appela-t-elle à mi-voix. Bertie ?

Pas de réponse.

Rose eut alors recours à une astuce de magicien : parfaitement immobile, elle tourna lentement la tête d'un côté et de l'autre, laissant son regard balayer l'espace devant elle. Et soudain, elle distingua la brèche dans le **rideau**, par où se déversait un flot de **créatures** hideuses qui venaient dans sa direction. C'était comme le condensé de ses pires cauchemars.

Rose prit ses jambes à son cou. Elle courut tellement vite qu'elle se trouvait déjà à mi-chemin de la tour du Magicien quand le véritable sens de la scène qu'elle venait de surprendre lui apparut. Elle courut alors de plus belle, déterminée à avertir Marcia de ce qui se passait au palais.

Toutefois, la magicienne extraordinaire ne se trouvait pas à la tour, mais au Manuscriptorium.

28
LE SCEAU HERMÉTIQUE

Au moment où Rose dépassait en courant la vitrine obscure du Manuscriptorium, à l'intérieur, Marcia s'appliquait à **entraver** les poignets de Merrin.

Le garçon lui opposait une vive résistance, et la magicienne extraordinaire était étonnée de voir à quel point il avait développé ses pouvoirs. Elle dosait la **Magyk** de manière à le **contenir** sans mettre sa vie en danger, pourtant il ne s'avouait pas vaincu. La colère étincelait dans ses yeux et il se débattait furieusement, tentant de lui décocher des coups de pieds. Sa bague jetait des feux tandis qu'il tirait sur ses liens magiques jusqu'à les briser presque. Afin de ne plus entendre le flot d'injures qu'il déversait sur elle, Marcia l'avait fait taire au moyen d'un **sort**, mais sa bouche remuait sans relâche et, pour son malheur, la magicienne extraordinaire savait lire sur les lèvres.

Soudain on frappa à la porte extérieure. Marcia, agacée, se tourna vers Moustique :

– Va voir qui c'est et envoie-le au diable !

Moustique regagna la première salle du Manuscriptorium et ouvrit. Marcellus Pye apparut sur le seuil.

– Ah ! c'est toi, scribe, constata l'alchimiste, visiblement soulagé.

Moustique avait renoncé à lui expliquer qu'il ne travaillait plus au Manuscriptorium.

– Monsieur Pye, je vous prie de m'excuser, dit-il, mais on est occupés, là...

Marcellus glissa un pied dans l'entrebâillement de la porte, l'empêchant de la refermer.

Il expliqua :

– Je reviens du palais, où devait avoir lieu une fête. Je l'ai trouvé entouré d'un **rideau de sécurité**. Mon apprenti, Septimus Heap, devait également s'y rendre, aussi je me fais du souci pour lui. Avant d'aller à la tour du Magicien, je voulais vérifier s'il n'était pas ici...

– Il n'y est pas, rétorqua Moustique, excédé – pourquoi tout le monde n'en avait-il que pour Septimus ? Je ne l'ai pas vu de la journée et au cas où vous auriez l'intention de me poser la question, je n'ai pas la moindre idée de l'endroit où il se trouve. Maintenant, si vous voulez bien nous excuser, nous avons des choses à faire. Enlevez votre pied, je vous prie.

Marcellus n'avait pas écouté : quelque chose venait d'attirer son attention à l'extrémité de la voie du Magicien, côté palais. Moustique profita de sa distraction pour refermer la porte. Comme il tournait la clé dans la serrure, il aperçut à travers la vitrine Marcellus en train d'exécuter une sorte de danse.

Il tenta de l'ignorer, mais l'alchimiste se mit à tambouriner contre le battant.

Au même moment, Marcia entra dans la pièce, tirant Merrin par ses **liens**. Jillie Djinn marchait derrière eux d'un air absent.

– Qu'est-ce qui se passe, ici ? demanda Marcia.

– C'est Marcellus, expliqua Moustique. Il cherchait Septimus. Il refuse de s'en aller.

Le visage de Marcia exprima l'inquiétude.

– Je croyais que Septimus était avec lui ?

– Eh bien, on dirait que non, répondit Moustique avec une pointe d'irritation.

– Qu'est-ce qui dépasse de la porte ? dit Marcia, désignant une mince pièce de cuir rouge coincée entre le battant et le chambranle.

– Oh, ça ? C'est sa chaussure.

Moustique rouvrit la porte à la volée, révélant la présence de Marcellus. L'alchimiste examina d'un air désolé la pointe de sa précieuse chaussure, cadeau d'anniversaire de Septimus, deux ans plus tôt, et les rubans déchirés qui attachaient celle-ci à sa jambe, juste au-dessous du genou.

– Elle est abîmée, gémit-il. Regardez ce désastre !

– On n'a pas idée de porter des chaussures aussi ridicules ! dit Marcia d'un ton coupant.

– Vous êtes mal placée pour critiquer, lui rétorqua Marcellus.

Pendant qu'ils se chamaillaient, Moustique vit quelque chose qui l'inquiéta : les deux torches qui éclairaient les grilles du palais venaient de s'éteindre simultanément. Comment était-ce possible ?

La réponse lui apparut aussitôt.

– N-non, pas ça ! bredouilla-t-il.

Marcia, qui s'apprêtait à balancer une nouvelle pique à Marcellus, se tourna vers lui :

– Qu'est-ce qu'il y a ?

Moustique pointa l'index vers le palais. Tel un torrent forçant une digue, la masse tourbillonnante du **domaine ténébreux** franchissait les grilles pour se répandre dans la voie du Magicien.

– Le **rideau**, annonça-t-il. Il s'est rompu !

– *Quoi ?*

Merrin eut un sourire narquois.

Marcia s'adressa alors à Marcellus :

– Rendez-vous utile, pour une fois ! Tenez cette... canaille. Il faut que je voie ce qui se passe.

Tandis que l'alchimiste retenait Merrin, elle se rua à l'extérieur juste pour voir la torche à l'extrémité de la voie du Magicien étouffée par un flot de brume opaque.

Elle rentra précipitamment, claqua la porte et s'adossa au battant, aussi blanche qu'une feuille du meilleur parchemin du Manuscriptorium.

– Tu as raison, dit-elle. Quelqu'un a percé une brèche dans le **rideau**.

Puis, à la grande stupeur de Moustique, elle lâcha une bordée de jurons.

Malgré le **sort de silence**, Merrin fit entendre un ricanement.

Marcia le fusilla du regard.

– Tu riras moins quand je t'ouvrirai le ventre pour en sortir le **code**, le menaça-t-elle.

Merrin pâlit. Il n'avait pas envisagé cette possibilité.

La magicienne extraordinaire reprit :

– Emmenez-le, Marcellus. Moustique, charge-toi de Mlle Djinn. Il est urgent de regagner la tour.

– On ne peut pas abandonner le Manuscriptorium, objecta le jeune garçon.

– Nous n'avons pas le choix.

– Non ! s'exclama Moustique, horrifié. Si le **domaine ténébreux** s'y introduit, tous les secrets conservés dans le cabinet hermétique, dans l'ancien cabinet alchimique, seront perdus à jamais.

– Crois bien que je le regrette, mais il n'y a rien à faire.

– Si. On peut **sceller** le cabinet hermétique. Il a été conçu pour cette éventualité. Et la magicienne extraordinaire en a le pouvoir. Pas vrai ?

Marcia acquiesça à contrecœur.

– C'est vrai. Mais **sceller** Mlle Djinn à l'intérieur du cabinet reviendrait à la tuer. Dans l'état d'égarement où elle se trouve, elle n'aurait aucune chance de s'en sortir.

– Moi, si, répliqua Moustique. C'est moi qui vais garder le cabinet.

Marcia prit une expression grave.

– Moustique, le cabinet contient juste assez d'oxygène pour vingt-quatre heures. Au-delà, tu devras **suspendre** ta respiration. Il y a eu des précédents par le passé, et tous n'ont pas survécu à cette épreuve. Tu le sais, j'espère ?

– Laissez-moi deviner : c'était du cinquante-cinquante ?

Marcia secoua la tête. Parfois, Moustique faisait preuve d'une lucidité renversante.

– Trois ont survécu et trois sont morts, répondit-elle.

– Ça pourrait être pire. Merci de votre franchise, Marcia, mais je suis prêt à tout pour sauver le Manuscriptorium.

Marcia comprit que rien ne le ferait changer d'avis.

– Soit, soupira-t-elle. Puisque tel est ton souhait, je vais activer le **sceau hermétique**.

Laissant Merrin et Jillie Djinn sous la surveillance de Marcellus, la magicienne et le jeune garçon s'éloignèrent et s'arrêtèrent à l'entrée du couloir aux sept détours.

– Pour ouvrir le tiroir de secours, expliqua Marcia, il faut toucher à sept reprises le cercle noir au milieu de la table. Il contient des provisions ainsi que le **charme suspensif** et son mode d'emploi.

– Je sais, dit Moustique.

– Tu as beaucoup de courage. Je te souhaite bonne chance.

– Merci.

– Dès que tu seras entré, prends place dans le fauteuil. Il se trouve au centre de la pièce, l'endroit le plus sûr. Le processus de **scellage** fait appel à une **Magyk** puissante et ses effets peuvent être désagréables.

– Oh ! D'accord.

Marcia adressa au jeune garçon un sourire crispé, se demandant si elle le reverrait vivant.

– Je vais compter jusqu'à vingt et un avant d'activer le **sceau**. Compris ?

– Oui. Je compterai en même temps que vous. Un... Deux...

Moustique s'enfonça dans le couloir étroit et sombre. Il n'avait pas atteint le chiffre dix qu'il pénétra dans le cabinet d'un blanc aveuglant. Il s'installa dans le fauteuil de la première scribe hermétique, se répétant qu'il ne faisait rien de mal, et, sans cesser de compter, il tourna son regard vers le passage qu'il venait d'emprunter.

Les secondes qui suivirent furent les plus longues de son existence. Puis un sifflement emplit la pièce, aussitôt suivi d'un souffle d'air glacé : l'**activation** avait commencé. Partagé entre la terreur et l'admiration, le jeune garçon vit un voile pourpre miroitant surgir au coin du couloir et s'avancer jusqu'au seuil du cabinet. Le mur blanc circulaire semblait renforcer son éclat. Bientôt, Moustique se retrouva au cœur d'un tourbillon d'énergie pure. Il osait à peine respirer. Au bout de quelques minutes, l'écran pâlit, des filaments de **Magyk** flottèrent dans la pièce, exhalant un parfum doux-amer qui irritait la gorge.

Une fois les derniers vestiges de **Magyk** dissipés, Moustique prit la pleine mesure de sa situation : là où se trouvait autrefois l'entrée du cabinet se dressait un mur solide que rien ne distinguait de ceux qui l'entouraient. Il était littéralement emmuré vivant. Au-dessus de lui se déployait le plafond voûté du cabinet et ses pieds reposaient sur la trappe **scellée** des tunnels de glace.

Se rappelant les recommandations de Marcia, il frappa à sept reprises le cercle noir au milieu de la table. Le petit tiroir situé sous celle-ci s'ouvrit brusquement. Moustique glissa la main à l'intérieur, cherchant le **charme suspensif**, et en sortit une poignée de serpents de réglisse.

29
LE DÔME VIVANT

Le **brouillard ténébreux** poursuivait sa progression le long de la voie du Magicien. Il pénétra dans l'Officine de traduction des langues mortes, s'insinuant dans les interstices de la porte, les piqûres des vers à bois. Il se faufila entre les piles de papiers, s'infiltra dans le vase maintes fois recollé, souffla les bougies artistement disposées par Moustique sur le rebord de la fenêtre. Ayant envahi le premier niveau, il gagna la galerie et monta l'escalier branlant. Dans sa petite chambre, à l'arrière du bâtiment, Larry s'éveilla en sursaut et remonta la couverture jusqu'à son menton. Son regard fouilla l'obscurité. Il se passait quelque chose d'anormal. Il glissa ses jambes maigres hors du lit. Au moment où ses pieds nus entraient en contact avec le plancher glacé, il distingua une fumée noire sous la porte. Il se leva d'un bond, horrifié. Il y avait le feu à la maison !

La fumée s'avança vers lui, s'enroula autour de ses orteils gelés. Lentement, comme dans un rêve, Larry se rassit et une vague de bonheur le submergea. Il se revit écolier, recevant le premier prix de latin pour la septième année consécutive. Assis au premier rang du public, son père lui souriait. Il lui souriait à lui, Larry, le plus intelligent des...

Tandis que le **brouillard ténébreux** s'épaississait autour de lui, Larry se laissa retomber sur le lit. Sa respiration se ralentit, et, telle une tortue au plus froid de l'hiver, il glissa dans un néant sans rêve, entre la vie et la mort.

Marcia fit sortir Jillie Djinn et Marcellus, qui surveillait toujours Merrin, puis elle ferma à clé la porte du Manuscriptorium. Si elle n'aimait pas penser à ce qu'elle laissait derrière elle, ce qui l'attendait dehors était encore pire. Semblable à un crapaud monstrueux, une masse de **Ténèbre** mouvante remontait la voie du Magicien, précédée par un cordon de **créatures**. Pétrifiée d'horreur, Marcia vit celles-ci se déployer sur toute la largeur de l'avenue, comme un bataillon montant à l'assaut.

Comme elle contemplait la progression du désastre, incapable de réagir, Marcellus tenta de l'arracher à sa transe :

– Marcia, il faut rejoindre la tour, vite !

Merrin lui lança un regard mauvais. La proximité du **domaine ténébreux** le rendait plus fort. La bague à deux faces devenait de plus en plus chaude autour de son pouce, et ses deux têtes grimaçantes brillaient. Il lui sembla que celle du dessus lui adressait un clin d'œil, et il eut alors la certitude qu'il pouvait vaincre Marcia. C'était lui le meilleur à présent, et nul ne pourrait l'arrêter.

Il commença par briser le **sort de silence** en proférant la pire insulte qu'il connaissait, puis le **sort de contention**. D'une torsion du buste, il s'arracha ensuite à l'étreinte de l'alchimiste et lui décocha un violent coup de pied dans le tibia. Marcellus poussa un cri de douleur et se mit à sautiller sur place. Les bras levés dans un geste de défi, Merrin écarta les poignets, étirant ses liens magiques et les rompant aussi aisément que s'ils avaient été en papier. Après avoir brièvement savouré son triomphe, il fila à toutes jambes, agitant au passage son pouce gauche sous le nez de Marcia, qui recula instinctivement. Les deux têtes en jade brillaient d'un éclat malsain et semblaient lui lancer des regards assassins.

La seule explication possible à la brusque montée de pouvoir qui avait permis à Merrin de se libérer était qu'il avait lui-même **engendré** le **domaine ténébreux**. Jusque-là, Marcia doutait encore de sa capacité à accomplir un tel prodige, mais quand elle le vit s'éloigner en faisant des bonds de cabri et en brandissant sa bague qui jetait des feux dans la nuit, elle réalisa à quel point il était devenu puissant, et cette pensée la terrifia.

– Espèce d'idiot ! cria-t-elle dans sa direction. Tu n'as aucune idée de ce que tu as déclenché !

– Toi non plus, vieille chouette ! ricana Merrin. Cours vite te réfugier dans ta tour minable, et emmène Face de tanche avec toi. Elle me sert plus à rien. Ha ha !

Merrin avait du mal à contenir sa joie. De toute sa vie, il n'avait jamais eu d'auditoire aussi attentif. C'était grisant.

Narguant Marcia, il se mit à exécuter une sorte de danse sur place, éclairé par les torches qui brûlaient encore et la clarté spectrale des bougies disposées le long de l'avenue déserte.

– Vous me faites pas peur, toi et ta **Magyk** toute moisie ! Essaie de m'attraper, si tu oses !

Renonçant à toute dignité, Marcia osa. Elle imaginait le **code** bringuebalé dans l'estomac de ce sale petit cafard. Elle ne laisserait pas passer sa seule chance de le vaincre. Quand elle s'élança vers lui, Merrin lui échappa en ricanant, sa cape de scribe déployée dans son dos, agitant les bras comme un oiseau fou volant vers sa couvée.

Marcellus se précipita à la suite de Marcia. Il y avait longtemps qu'il n'avait pas couru, et ses chaussures étaient mal adaptées à cet exercice, surtout depuis leur rencontre avec la porte du Manuscriptorium. Mais les bottines pointues de Marcia étaient encore moins faites pour la course, et il ne tarda pas à la rattraper.

– Marcia... souffla-t-il, posant une main sur son bras. Arrêtez !

– Lâchez-moi !

La magicienne tenta de le repousser, mais l'alchimiste tint bon.

– Non. Plus vous vous approchez de *ça*, reprit-il, agitant sa main libre en direction du **domaine ténébreux** et de ses éclaireurs, plus vous renforcez les pouvoirs de ce garçon au détriment des vôtres. Venez avant qu'il n'arrive quelque chose de grave.

– C'est trop tard, rétorqua Marcia d'un ton coupant.

Échappant à Marcellus, elle se lança de nouveau à la poursuite de Merrin. L'alchimiste la suivit, non sans difficulté.

– La situation pourrait être pire... Vous avez toujours la tour... Ne la mettez pas en danger à cause d'une petite vermine de scribe...

Marcia s'arrêta.

– Vous ne comprenez pas ! dit-elle. Il a un des **codes appariés** !

Cette révélation ébranla Marcellus, mais il se ressaisit rapidement.

– Renoncez au **code**, et regagnez la tour... Vous ne pouvez pas la perdre également ! acheva-t-il d'une voix tremblante.

– Je ne perdrai ni l'un ni l'autre, affirma Marcia avec colère. Regardez !

Ils se trouvaient à la moitié de la voie du Magicien, et la masse tourbillonnante du **brouillard** progressait toujours vers eux. Elle n'était plus qu'à une centaine de mètres. Déployées à sa base, les **créatures** avançaient à grandes enjambées, tirant derrière elles le **domaine ténébreux** avec lequel elles semblaient se confondre.

S'étant retourné pour vérifier que ses ennemis l'observaient toujours, Merrin se rapprocha de son œuvre, vociférant des grossièretés et faisant des gestes obscènes.

Marcia ne le quittait pas des yeux, tentant d'évaluer la distance qui les séparait. Soudain elle tendit un bras devant elle et prononça un **sort pétrifiant**. Un éclair blanc décrivit un arc à travers l'espace et atteignit Merrin en plein dos. Le garçon tituba et poussa un cri perçant.

– Bien visé, apprécia Marcellus.

Marcia grimaça. C'était la première fois qu'elle frappait un adversaire par derrière, mais l'heure n'était plus à la courtoisie. Elle n'avait pas **pétrifié** le jeune garçon plus tôt parce qu'elle espérait le ramener à la tour par d'autres moyens, et aussi pour ne pas le mettre en danger. Mais la sécurité de Merrin passait après celle du Château et de ses habitants.

Lentement, Merrin se retourna. Entouré d'un halo blanc crépitant, il frissonna mais il ne fut pas **pétrifié**. Son regard resta quelques secondes sur Marcia, comme s'il s'efforçait de comprendre ce qui lui arrivait. La magicienne attendait impatiemment que son **sort** agisse. Auréolé de givre, Merrin ressortait sur la masse sombre du **brouillard**, mais au grand effroi de Marcia, l'éclat glacé du halo magique s'estompa rapidement, et Merrin s'en débarrassa en s'ébrouant comme un chien qui sort de l'eau.

La **Magyk** de Marcia avait échoué. Alors seulement, elle mesura la puissance de son adversaire.

Marcellus la rejoignit.

– Il faut y aller, maintenant, dit-il d'un ton égal.

– Je sais, répondit Marcia, mais elle ne bougea pas.

Merrin était aux anges : il avait vaincu la magicienne extraordinaire ! Ivre de son triomphe, il se tourna vers ses serviteurs et leur cria :

– Emparez-vous d'elle !

Trois **créatures** se détachèrent du rang. Marcellus estima qu'il en avait assez vu. Il agrippa la main de Marcia et remonta la voie du Magicien en courant, la tirant derrière lui et n'osant se retourner. Essoufflés, ils atteignirent le Manuscriptorium devant lequel les attendait Jillie Djinn, le regard dans le vague.

Marcia retrouva alors ses esprits. Elle jeta un coup d'œil derrière elle et fut soulagée de constater que les **créatures** n'avaient presque pas avancé. Le déplacement du **domaine ténébreux** exigeait beaucoup d'énergie et les ralentissait considérablement. Consciente que le répit serait de courte durée, elle dressa une **barrière** en travers de l'avenue, puis Marcellus et elle se mirent à courir en direction de la tour du Magicien, traînant la première scribe hermétique qui marchait comme une somnambule.

Au pied de la Grande Arche, ils trouvèrent Hildegarde qui se rongeait les sangs, attendant le retour de la magicienne extraordinaire.

– Dame Marcia ! Grâce au ciel, vous voici !

Marcia alla droit au but :

– Septimus... Il est rentré ?

– Non, répondit Hildegarde, manifestement inquiète. Nous le pensions avec vous.

– C'est bien ce que je craignais...

Marcia se tourna vers Marcellus et posa une main sur son bras.

– Vous voulez bien retrouver Septimus et vous assurer qu'il ne lui arrive rien ? S'il vous plaît...

– Marcia, c'est ce qui m'amenait au Manuscriptorium. J'étais en train de le chercher, et je n'arrêterai qu'une fois que je l'aurai retrouvé. Je vous en fais le serment !

La magicienne lui adressa un sourire crispé.

– Merci. Vous avez toute ma confiance.

– Ma foi, je ne croyais pas entendre ça un jour. La situation doit être vraiment grave.

– Elle l'est, acquiesça Marcia. Si... s'il m'arrivait quelque chose, sachez que je vous confie Septimus. Adieu.

Sur ces mots, elle se détourna vivement et s'enfonça dans l'ombre bleutée de la Grande Arche.

Marcellus écouta décroître l'écho de ses pas. Au bout de

quelques minutes, il assista à un spectacle qu'il n'avait vu qu'une seule fois auparavant, au cours de sa précédente vie comme alchimiste du Château : une mince plaque de métal piquetée par les ans – la Barricade – descendit en silence des hauteurs de l'Arche, bloquant l'accès à la cour du Magicien. Il savait que ce n'était que la première des barrières magiques qui constituaient le plus puissant et le plus ancien des moyens de défense de la tour.

La suivante était une enceinte extrêmement résistante qu'on appelait **dôme vivant** parce qu'elle était alimentée par l'énergie vitale des créatures qu'elle contenait. (Dans les situations extrêmes, toutefois, elle pouvait fonctionner de manière autonome.) Devant Marcellus fasciné, un mince film d'un bleu chatoyant surgit lentement des murs qui entouraient la cour, projetant une clarté sinistre dans la voie du Magicien.

La tour ne risquait rien, au moins provisoirement. Rassuré, le vieil alchimiste s'éloigna et se fondit dans la nuit avant de disparaître entre deux bâtiments très anciens. Par crainte des incendies, les bâtisseurs des premiers siècles avaient ménagé entre certaines maisons de la voie du Magicien des espaces si étroits que Bertie Bott n'aurait pu s'y introduire. Marcellus Pye, en revanche, se faufilait dans le dédale formé par ces « goulottes », ainsi qu'on les appelait à son époque, avec l'agilité d'un serpent, déterminé à saisir son unique chance de retrouver Septimus avant que la **Ténèbre** ne recouvre entièrement le Château.

++ 30 ++
DANS L'ABRI DU DRAGON

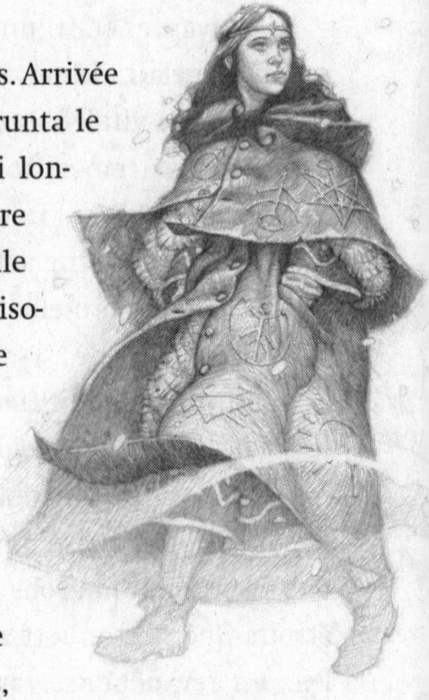

Jenna retourna lentement sur ses pas. Arrivée à l'extrémité du ponton, elle emprunta le sentier envahi par la végétation qui longeait la Rivière. Une clarté pourpre illuminait le ciel. Elle supposa qu'elle provenait d'une barrière magique isolant le palais – et sa mère – du reste du Château. Elle enfouit les mains dans ses poches et sentit sous ses doigts la clé que lui avait donnée Silas. Elle n'avait pas envie de passer la nuit seule dans leur ancienne maison. Tout ce qu'elle voulait, c'était parler à Septimus, mais puisqu'il demeurait introuvable, il lui restait Boutefeu. Parfois, pensa-t-elle avec un soupir, la compagnie d'un dragon était préférable à celle des humains.

Elle se fraya un chemin à travers les hautes herbes gelées et atteignit bientôt un portail sur lequel on avait cloué un panneau grossier et brûlé par endroits :

ENCLOS DU DRAGON
ENTREZ À VOS RISQUES ET PÉRILS
IL NE SERA ACORDÉ AUCUN DÉDOMAGEMENT
EN CAS DE PERTE OU DE DOMMAGE, PRÉVISIBLE OU NON.
SIGNÉ : M. BILLY POT
GARDIEN PAR DÉSIGNITION DU PALAIS

Jenna ne put retenir un sourire. Pour une fois, l'orthographe approximative de Billy Pot collait parfaitement à la réalité : depuis sa « désignition », le gardien menait un combat permanent contre les phénomènes d'« ignition » provoqués presque quotidiennement par son encombrant protégé et les flammes qu'il crachait. Elle ouvrit le portail et pénétra dans l'enclos. Au fond du terrain, la silhouette trapue de l'abri du dragon se découpait sur le ciel empourpré. Elle s'avança, évitant avec soin les monticules malodorants qui jonchaient l'herbe.

Avant son transfert au palais, Boutefeu était tout juste toléré par les magiciens de la tour. À présent qu'il régnait en maître sur son propre domaine, son abri restait ouvert nuit et jour. Une fois où Sarah Heap s'interrogeait sur le bien-fondé de cette décision, Billy Pot lui avait rétorqué d'un ton indigné : « M. Boutefeu est un gentilhomme, et on n'enferme pas un gentilhomme dans sa chambre à coucher. » (Ce que Billy avait omis de signaler, c'est que son pensionnaire avait dévoré les portes de son abri dès la première nuit.) Jenna distinguait donc la masse sombre du museau du dragon, appuyé sur la rampe qui menait à la cabane. Sa cape de sorcière lui procurait le sentiment grisant de se fondre dans son environnement. Elle s'enroula étroitement dedans, ramena la capuche sur son visage et s'approcha en silence. Son plan consistait à se faufiler dans l'abri et à se blottir dans la paille, contre le flanc accueillant du dragon.

L'intérieur de la cabane était très sombre et sentait mauvais. Il y régnait aussi un bruit assourdissant. Les dragons sont réputés avoir un sommeil agité, et Boutefeu ne faisait pas exception à la règle. Il grognait, reniflait et soufflait bruyamment par les naseaux. Ses deux estomacs grondaient et gargouillaient. De temps en temps, un énorme ronflement secouait le toit de l'abri et faisait s'entrechoquer les pelles à crottin de Billy Pot.

Appuyé contre le ventre de Boutefeu, tout au fond de l'abri, Septimus était enfin parvenu à une décision : il allait retourner à la tour et expliquer à Marcia pourquoi il n'avait pas pris part au phénomène magique le plus important survenu au Château depuis de nombreuses années. Il se relevait lentement quand un bruit l'alerta. Quelque chose remuait dans la paille. On aurait dit un rat, mais beaucoup, beaucoup plus gros et teinté d'un soupçon de **Ténèbre**. Ça se déplaçait d'un pas furtif mais décidé, et ça venait dans sa direction... Septimus se raidit. Étrangement, Boutefeu ne s'était pas réveillé. Le jeune garçon tenta de percer l'obscurité du regard. Le bruit était de plus en plus proche...

Soudain l'intrus parut buter sur un obstacle. Toutefois, Boutefeu continua à dormir. De plus en plus étrange... Le dragon n'acceptait pas n'importe qui chez lui. Quelques mois plus tôt, il avait failli dévorer un imprudent qui s'était aventuré dans son enclos à la suite d'un pari.

Une silhouette se détacha alors de l'ombre, et Septimus

comprit pourquoi Boutefeu n'avait pas réagi : une sorcière... Qui plus est une sorcière noire, comme en témoignaient les symboles brodés sur sa cape. Sans doute avait-elle endormi le dragon au moyen d'un **sort**. Septimus s'accroupit et la regarda approcher d'une démarche hésitante, tâtant d'une main les crêtes le long du dos de Boutefeu. Il sortit de sa poche son rouleau de **fil ténébreux**, qui lui sembla étonnamment lourd, et attendit que la sorcière ne soit plus qu'à un pas pour bondir sur elle. D'un geste vif, il lança le **fil** qui s'enroula autour des chevilles de l'intruse et tira d'un coup sec. La sorcière s'abattit sur lui avec un cri perçant.

– Arrrgh ! Ouille ouille ouille...

– Jenna ? !

– C'est toi, Sep ? Mes chevilles... Il y a un serpent autour ! Je t'en prie, enlève-le. Viiite ! Aïe, ça brûle...

– Oh ! Jen, je te demande pardon. Je vais l'enlever. Maintenant, tiens-toi tranquille. J'ai dit, tranquille !

Jenna s'efforça de rester immobile pendant que Septimus la débarrassait du **fil ténébreux**. Dès qu'elle fut libre, elle se frotta énergiquement les chevilles.

– Ouille ouille ouille ! Ça fait maaal...

Septimus se releva d'un bond.

– Je reviens tout de suite. Ne bouge pas.

– Y a pas de danger ! J'ai l'impression que mes pieds vont se détacher...

Septimus se faufila entre le mur et les ailes repliées de Boutefeu, et disparut derrière la tête du dragon. Quelques minutes plus tard, il rejoignait Jenna.

– Ouille ouille ouille, gémissait toujours celle-ci.

De profondes marques rouges indiquaient les endroits où le fil l'avait touchée, comme s'il avait été chauffé à blanc.

Septimus s'agenouilla près d'elle et appliqua un morceau de tissu humide et légèrement poisseux sur ses chevilles. La douleur s'apaisa aussitôt.

Jenna poussa un soupir de soulagement.

– Incroyable. Ça ne fait plus mal ! C'est quoi ?

– Mon mouchoir.

– Ça, je le sais, idiot ! Mais ce que tu as mis dessus ?

– Tu dois le garder vingt-quatre heures, expliqua Septimus sans répondre. Compris ?

Jenna acquiesça et palpa prudemment sa cheville. Elle ne ressentait plus que de vagues picotements et les stries rouges s'estompaient à vue d'œil.

– Génial ! Alors, c'est quoi ?

– Eh bien...

Jenna lança un regard soupçonneux à son compagnon.

– Sep, dis-moi la vérité ! C'est quoi ?

– De la bave de dragon.

– Berk !

– C'est un remède puissant.

– Et je vais devoir garder cette horreur pendant vingt-quatre heures ?

– Oui, si tu ne veux pas être réinfectée par la **Ténèbre**.

– Hein ?

Jenna regarda Septimus, puis elle murmura :

– Ce fil, c'était ça ? Depuis quand tu fricotes avec la **Ténèbre** ?

– Je pourrais te retourner la question.

– Pardon ?

– Ta cape… Si tu penses que c'est une imitation, un déguisement pour rire, tu te trompes.

– Je sais.

– Quoi ? Mais je croyais qu'on ne pouvait pas porter un vêtement de sorcière noire à moins d'en… Oh ! Ne me dis pas que tu…

– Je ne suis qu'une novice ! se défendit Jenna.

– Une *novice* ? Jen, je… je…

Septimus se tut, à court de mots.

– Sep, il s'est passé des trucs graves.

– Sans blague ?

– C'est horrible, reprit Jenna, étouffant un sanglot. Notre mère…

Jenna mit Septimus au courant des événements qui avaient eu lieu après son départ de la tour. Quand elle eut terminé, ils restèrent de longues minutes silencieux, assis côte à côte dans la paille.

– Quelle cochonnerie, murmura enfin Septimus, accablé.

Il lui semblait que le monde qu'il connaissait se désagrégeait.

– Je déteste les anniversaires, déclara Jenna. Il arrive toujours malheur à ceux qu'on aime ce jour-là. C'est trop injuste.

– Je suis vraiment désolé, reprit Septimus au bout d'un moment.

Jenna se tourna vers lui. Baigné par la clarté dorée de son anneau dragon, il ne lui avait jamais paru aussi malheureux, même quand il n'était encore qu'un petit soldat craintif.

– Ce n'est pas ta faute, lui dit-elle gentiment.

– Si. Rien de tout ça ne serait arrivé si je t'avais écoutée quand tu m'as demandé mon aide. Mais j'étais trop préoccupé par... mes propres affaires. Et voilà le résultat.

Jenna passa un bras autour de ses épaules.

– Avec des si, on mettrait le Château dans une bonbonne. *Si* j'avais fait fouiller le palais de fond en comble la première fois que j'ai cru y apercevoir Merrin, *si* papa avait fait le nécessaire quand je le lui ai demandé. *Si* j'étais allée trouver Marcia au lieu de m'adresser à Moustique, *si* celle-ci avait pris le temps d'expliquer la situation à maman... Chacun de nous a une part de responsabilité dans cette histoire.

– Merci, Jen. Ça me fait plaisir que tu sois là.

– À moi aussi.

Le silence retomba. Bercés par la respiration paisible du dragon endormi, nos deux héros étaient sur le point de s'assoupir quand un bruit à l'extérieur de l'abri les fit sursauter. On aurait dit que quelqu'un raclait ses ongles sur des briques.

– C'est quoi ? chuchota Jenna.

Septimus sentit Boutefeu se raidir. Le dragon était réveillé.

– Je vais voir, déclara-t-il.

– Pas tout seul !

Comme le bruit se rapprochait, Boutefeu émit un grognement sourd. Les raclements cessèrent pour reprendre presque aussitôt. Jenna tira Septimus par le bras.

– Viens, murmura-t-elle, écartant un pan de sa cape.

Septimus acquiesça : être l'ami d'une sorcière présentait certains avantages, après tout. Serrés sous le vêtement qui dissimulait leur humanité, ils avançaient prudemment vers la porte quand Boutefeu s'anima et manqua de les écraser contre le mur. Le menton au ras du sol, le dragon arqua le dos. Ses crêtes osseuses griffèrent les poutres du plafond, creusant les marques déjà existantes. Un grondement puissant monta de ses entrailles.

Septimus et Jenna échangèrent un regard inquiet. Ils risquèrent un œil par-dessus l'aile de Boutefeu et se figèrent. Les silhouettes immédiatement reconnaissables de trois **créatures** se découpaient sur le ciel empourpré dans l'ouverture de l'abri.

L'une appuyait de toutes ses forces sur le museau sensible du dragon pour lui maintenir la tête dans la paille. Boutefeu éternuait et tentait de cracher du feu, mais dans sa position, ça lui était impossible.

Soudain un reflet éclaira la pénombre, avivant les craintes de Septimus et Jenna : les deux autres **créatures** étaient armées de poignards à la lame affilée, faite pour percer la cuirasse d'un dragon.

Jenna fit à Septimus un signe qu'il interpréta comme une invitation à se jeter sur les intrus. C'est seulement quand il la vit s'élancer vers la **créature** la plus proche qu'il réalisa qu'elle n'avait pas d'autre arme que la surprise. Toutefois il n'hésita pas : pendant que Jenna renversait son adversaire et l'étouffait dans les plis de sa cape, il bondit par-dessus le mufle du dragon. Avant d'avoir pu réagir, la deuxième **créature** se retrouva paralysée par un **sort pétrifiant**, le cou entouré d'un **fil** brûlant.

La troisième, qui immobilisait toujours la tête de Boutefeu, se figea. Elle était la dernière à avoir été **engendrée** par Merrin et d'ailleurs, elle ne semblait pas tout à fait terminée. Elle avait survécu jusque-là en imitant ses sœurs, mais livrée à elle-même, elle était incapable d'initiative.

Tout alla très vite. Boutefeu profita de ce que son agresseur relâchait imperceptiblement son étreinte pour relever brusquement la tête, l'expédiant hors de l'abri. Tel un paquet de linge sale lancé par une lavandière en colère, la **créature** traversa les branches d'un sapin et disparut derrière la haie qui séparait l'enclos des pelouses du palais. Poursuivant sa course, elle heurta le champ de force du **rideau** pourpre – toujours actif, sauf au point de fusion – et fut renvoyée vers la Rivière. Quelques secondes plus tard, un « plouf » assourdi mais parfaitement audible réjouit les oreilles de Septimus et Jenna.

Les deux jeunes gens échangèrent un sourire mais restèrent sur leurs gardes. Ils venaient de vaincre trois **créatures**. Combien en restait-il ?

L'adversaire de Septimus gisait inerte dans la paille, avec une longueur de **fil ténébreux** enfouie dans les plis de son cou. Jenna maintenait la tête du sien enroulée dans sa cape, mais elle ne pouvait rester ainsi éternellement.

– Sep, je suis coincée, murmura-t-elle. Si je me relève, il en fera autant.

– Laisse-le sous ta cape. De toute manière, tu ne comptes pas la garder.

– Il n'est pas question que je l'abandonne, rétorqua Jenna.

Septimus jetait des regards inquiets autour de lui, craignant de voir apparaître d'autres **créatures**. Ce n'était pas le moment de se lancer dans une discussion, toutefois il avait certaines choses à dire à Jenna.

– Je ne sais pas si tu te rends compte, souffla-t-il d'un ton pressant, mais ce truc est imprégné de **Ténèbre**. Tu ne devrais pas jouer avec ça.

– Je ne joue pas.

– Si. Laisse cette cape.

– Non.

– Là, ce n'est pas toi qui parles, mais elle. Laisse-la, je te dis !

Jenna le toisa avec une expression véritablement princière.

– Écoute-moi, dit-elle. C'est bien moi qui te parle, et pas une vieille guenille. Je me sens responsable de cette cape. Quand je voudrai m'en débarrasser, je le ferai convenablement, de manière à ce que personne ne puisse s'en emparer. Mais pour le moment, je tiens à la conserver. Toi, tu sais comment lutter contre la **Ténèbre** et tu peux compter sur ta **Magyk** pour te protéger. Moi, je n'ai qu'elle. Aussi, il n'est pas question que je l'abandonne à cette **créature** répugnante.

Septimus comprit qu'il était inutile d'insister.

– C'est bon, garde-la. Je vais **pétrifier** cette **créature**-là aussi.

Il marmonna un **sort** et annonça :

– Tu peux la prendre, maintenant. Enfin, si tu y tiens.

– Parfaitement, j'y tiens.

Jenna arracha la cape qui recouvrait la **créature** et s'en enveloppa.

Septimus renonça à récupérer le **fil ténébreux**, ne se sentant pas le courage de fouiller dans les replis du cou de la deuxième **créature**. Celle-ci, comme toutes ses semblables, empestait la charogne de près, et quand un être humain la touchait, sa peau partait en lambeaux et se collait aux doigts de l'imprudent.

Boutefeu avait regardé son maître et sa navigatrice combattre ses agresseurs avec un vif intérêt. Beaucoup prétendent que les dragons sont incapables de gratitude. C'est faux. Simplement, ils l'expriment d'une manière qui échappe à notre compréhension. Ainsi, Boutefeu quitta docilement son abri, en évitant de marcher sur les pieds de ses sauveurs et de leur souffler son haleine au visage. Si ça ce n'est pas de la reconnaissance !

Pressé contre le flanc rassurant du dragon, Septimus fouilla du regard la nuit étrangement pourpre.

– Tu crois qu'il y a d'autres **créatures** ? murmura Jenna, mal à l'aise.

– J'en sais rien. Elles peuvent être partout...

– Non, pas partout, objecta Jenna, un doigt pointé vers le ciel.

Septimus sourit.

– Viens, Boutefeu, dit-il. Filons d'ici.

31
LA CHALEUR D'UN FOYER

Les Gringe avaient écourté leur traditionnelle promenade le long de la voie du Magicien à la demande de madame, vexée de constater que son fils Rupert préférait la conversation de son ami Nicko à la sienne. Par conséquent, ils avaient manqué le lever du **rideau de sécurité**, mais quand bien même y auraient-ils assisté qu'ils n'auraient pas été plus impressionnés que ça : les Gringe considéraient la **Magyk** avec la plus grande suspicion.

À présent, enfoncée dans son fauteuil, au premier étage de la tour de la porte Nord, Mme Gringe détricotait une chaussette avec des gestes brusques pendant que son mari tentait d'activer le feu qu'ils avaient allumé à titre exceptionnel,

en l'honneur de la nuit la plus longue. La cheminée était encrassée de suie et tirait mal, si bien que le feu refusait de prendre et dégageait une épaisse fumée.

Rupert Gringe, estimant qu'il avait accompli son devoir filial, restait debout près de la porte, impatient de se retirer. Sa nouvelle petite amie commandait une des barges du Port, et il avait prévu d'aller l'attendre au débarcadère à la fin de sa journée de travail.

Nicko Heap partageait son impatience. S'il était là, c'était parce que Rupert l'avait presque supplié de l'accompagner chez ses parents. « Quand on est entre nous », lui avait dit son ami, « les deux vieux n'arrêtent pas de crier. » Toutefois, sa visite n'était pas motivée uniquement par la pitié : ce jour-là, Snorri et sa mère avaient quitté le Château à bord de l'*Alfrun*, pour une excursion au Port suivie d'« une petite sortie en mer ». « Nous serons de retour d'ici quelques jours », avait promis la jeune fille. Quand il l'avait interrogée sur les raisons de ce voyage, elle s'était montrée évasive. Nicko n'avait pas été dupe : Snorri souhaitait reprendre l'*Alfrun* en main. Il savait que sa mère lui avait demandé de regagner leur pays avec elle, et qu'elle avait l'intention d'accepter. Quand il évoquait son départ prochain – ce qu'il évitait de faire – il éprouvait un sentiment de liberté mêlé de tristesse, et après avoir passé la soirée à écouter Lucy parler de préparatifs de mariage d'un ton excité, il n'avait qu'une envie : regagner le chantier de Jannit Maarten. Avec les bateaux, au moins, les choses étaient simples.

Lucy sourit à son frère, qui piétinait devant la porte. Elle savait ce qu'il ressentait. Elle-même avait hâte d'embarquer sur la première barge à destination du Port, le lendemain matin.

Elle demanda, pour la dixième fois au moins :

– Tu as bien réservé une place à bord pour Tonnerre, Rupert ?

– Oui, Lucy, répondit Rupert, exaspéré. La barge comprend deux stalles, et Maggie en garde un pour ton cheval, sûr.

– Maggie ?

Mme Gringe leva brusquement les yeux de sa chaussette.

– Le capitaine de la barge, expliqua Rupert.

En prononçant ces mots, son visage était devenu presque aussi rouge que sa chevelure flamboyante, ce qui n'avait pas échappé à sa mère.

– Capitaine de barge, hein ? marmonna-t-elle en tirant sur un nœud d'un coup sec. Drôle de métier pour une jeune fille...

Rupert était assez malin pour ne pas mordre à l'hameçon. Ignorant sa mère, il poursuivit sa conversation avec Lucy :

– Retrouve-moi au chantier, demain vers six heures. Je t'aiderai à le faire monter à bord avant l'arrivée des passagers.

Lucy sourit.

– Merci. Pardon d'avoir insisté, mais je suis un peu nerveuse.

– On l'est tous, non ?

Rupert serra sa sœur dans ses bras, et Lucy lui rendit son étreinte. Son frère lui avait manqué.

Après le départ de Rupert, Lucy sentit les regards de ses parents s'appesantir sur elle, et cette attention la mit mal à l'aise.

– Je vais voir Tonnerre, annonça-t-elle. Il me semble l'avoir entendu.

– Fais vite, lui dit sa mère. Le dîner est bientôt prêt. Ton frère aurait quand même pu manger avec nous, ajouta-t-elle d'un ton de reproche. J'ai fait un ragoût.

– Quelle surprise ! murmura Lucy.

– Qu'est-ce que tu dis ?

– Rien. J'en ai pour une minute.

Lucy dévala l'escalier et poussa la vieille porte en bois qui ouvrait sur le pont-levis. Elle aspira à pleins poumons l'air pur et glacé de la nuit puis se dirigea vers l'écurie située à l'arrière du bâtiment. Les yeux de Tonnerre étincelaient à la clarté de la lanterne qu'elle avait accrochée au-dessus de la fenêtre de son box. Il frappa le sol du sabot et secoua son épaisse crinière sombre avec un hennissement plaintif.

Lucy ne connaissait pas grand-chose aux chevaux. Si elle appréciait Tonnerre en raison de l'amour que lui portait Simon, il demeurait une énigme pour elle, et pour tout dire, elle se méfiait un peu de lui. Ses pieds, en particulier, lui faisaient peur. Elle les trouvait énormes, lourds, et se demandait toujours où il allait les poser. Même Simon veillait à ne jamais se tenir derrière son cheval, au cas où il lui aurait décoché une ruade.

Elle s'approcha prudemment et flatta le museau de Tonnerre.

– Espèce de gros bêta, qu'est-ce qui t'a pris de me suivre ? Simon doit se faire un sang d'encre. Il sera fou de joie de te revoir...

Soudain la jeune fille s'imagina débarquant de la barge montée sur Tonnerre, au lieu de le mener par la longe, devant son fiancé admiratif. Elle avait déjà vu des gamins le faire pour épater la galerie ; ça ne devait pas être si compliqué que ça. Il suffisait d'emprunter la passerelle et en quelques pas, ils auraient rejoint le quai. Ensuite, elle confierait les guides à Simon et ils regagneraient leur logis en chevauchant...

Lucy émergea de sa rêverie, décidée à vérifier s'il était aussi facile de monter Tonnerre qu'elle le supposait. Elle considéra le cheval, dont le garrot arrivait au niveau de sa tête. Comment les cavaliers se débrouillaient-ils ? Bien sûr, ils avaient une selle, avec des... trucs pour glisser les pieds. Seulement, Lucy n'avait pas de selle. Son père n'en avait trouvé aucune dans ses prix, et Tonnerre avait dû se contenter d'une couverture. Celle-ci plaisait beaucoup à la jeune fille car elle était décorée d'étoiles. Également, elle protégeait mieux l'étalon du froid que ne l'aurait fait une selle.

Refusant de s'avouer vaincue, Lucy approcha du cheval l'escabeau branlant qui lui permettait d'accéder à sa mangeoire pour la remplir de paille. Puis elle se percha au sommet et, de là, parvint à se hisser sur le large dos de Tonnerre. Celui-ci ne réagit pas. La jeune fille se demanda même s'il avait remarqué une différence. Elle n'avait pas tort : Tonnerre avait à peine conscience de sa présence car son maître occupait tout entier son esprit.

Soudain une exclamation fusa du sol :

– Zut !

– Stanley ? fit Lucy, surprise. Où es-tu ?

– Ici !

La jeune fille se pencha par-dessus l'encolure du cheval et aperçut un rat brun plutôt enrobé qui examinait sa patte d'un air mécontent.

– J'ai marché dans du crottin, se plaignit-il. Et c'est encore plus désagréable quand on ne porte pas de chaussures.

Le cœur de Lucy s'était mis à battre plus vite. Une réponse de Simon, déjà ! Mais Stanley accordait toute son attention à sa patte, qu'il inspectait avec une moue dégoûtée. Elle comprit qu'il ne parlerait qu'une fois son amour-propre pansé.

– Tiens, dit-elle, prends mon mouchoir.

Le rat vit un carré de tissu violet semé de pois roses et bordé de dentelle verte flotter lentement vers lui. Il l'attrapa au vol et le considéra d'un œil perplexe avant d'essuyer sa patte dessus. Avec une agilité surprenante, il gravit ensuite les marches de l'escabeau et sauta sur l'encolure de Tonnerre, juste devant Lucy à qui il tendit le mouchoir.

– Euh, merci, Stanley.

La jeune fille saisit délicatement le morceau d'étoffe souillé puis elle ajouta :

– Maintenant, tu veux bien me dire la réponse de Simon ?

Stanley se dressa sur ses pattes arrière, se retenant d'une main à la crinière du cheval, et prit son ton le plus officiel :

– Destinataire absent. Par suite, pas de réponse.

– Comment ça, destinataire absent ? Ça veut dire quoi ?

– Ça veut dire qu'il n'était pas là pour réceptionner le message.

– Il était sans doute sorti faire une course. Tu ne l'as pas attendu ? Je t'avais pourtant réglé un supplément !

– Évidemment, je l'ai attendu, rétorqua Stanley, vexé. Comme il s'agissait de toi, j'ai même pris la peine de me renseigner. C'est ainsi que j'ai appris qu'il était inutile de m'attarder. J'ai attrapé de justesse la dernière barge pour le Château. En fait, il s'en est fallu de peu que je ne la manque !

– Il était inutile que tu t'attardes, dis-tu ? Pourquoi ?

– Il est peu probable que Simon Heap regagne son domicile. Ce sont ses colocataires qui me l'ont dit.

– Simon n'a pas de colocataires !

– Les rats avec qui il cohabite, si tu préfères.

– Il n'y a jamais eu de rats chez nous ! protesta Lucy, froissée.

Stanley gloussa.

– Bien sûr que si ! Tout le monde vit avec des rats. Vous en logez – ou plutôt, logiez – six familles sous votre plancher. Elles ont déguerpi quand une chose affreuse a débarqué et emmené ton Simon. Le hasard a voulu que je les croise sur le quai alors qu'ils cherchaient un nouveau domicile. Ce n'est pas facile, crois-moi. Les endroits les plus convoités sont déjà surpeuplés. Tu n'imagines pas combien...

– Une *chose affreuse* ? répéta Lucy, atterrée. Quelle chose ?

Stanley haussa les épaules.

– Aucune idée. Dis, il faut que je rentre chez moi prendre des nouvelles de ma nichée. Je suis resté absent toute la journée, je n'ose imaginer dans quel état je vais retrouver la maison...

Stanley s'apprêtait à sauter mais Lucy le retint par la queue.

– Hé ! protesta le rat, choqué. C'est très malpoli, ce que tu fais là.

– Je m'en fiche. Je ne te laisserai pas partir tant que tu ne m'auras pas dit tout ce que tu as appris au sujet de Simon.

Stanley fut dispensé de répondre par une soudaine rafale de vent qui ouvrit la porte de l'écurie.

Tonnerre dressa la tête, huma l'air de la nuit et se mit à gratter furieusement le sol. L'inquiétude envahit Lucy : le cheval avait en lui une part de **Ténèbre** qui l'effrayait. Il avait fidèlement accompagné son maître durant les heures les plus sombres de son existence, et cette proximité avait créé entre eux un lien indissoluble. Une sorte de sixième sens l'avait averti que Simon se trouvait dans les parages, et sa place était aux côtés de son maître.

Avec un hennissement sonore, Tonnerre jaillit de son box telle une fusée. Ses sabots dérapèrent sur les pavés enneigés puis il partit au galop dans la direction où l'attendait son maître, ne se souciant pas plus de Lucy que d'une mouche posée sur son dos.

Dans le silence de la nuit, un bruit de cavalcade retentit bientôt à travers le dédale de rues désertes qui reliait la porte Nord à la voie du Magicien, accompagné de cris stridents :

– Stop ! J'ai dit stop, stupide canasson !

32
RÉCOGNITION

Après son envol, Septimus avait éloigné Boutefeu du palais et l'avait dirigé vers la Rivière. Ils avaient viré à droite juste avant le rocher du Corbeau et survolaient à présent le fossé du Château. Le jeune garçon se pencha au-dessus du large cou musclé du dragon et étouffa un cri de stupeur : on aurait dit qu'une immense flaque d'encre aux contours irréguliers avait englouti le palais et la voie du Magicien. L'obscurité ne cessait de s'étendre, soufflant bougies et torches sur son passage.

– Qu'est-ce qu'il fait sombre ! s'exclama Jenna, assise derrière Septimus, entre les épaules de Boutefeu.

Elle avait presque crié pour couvrir le bruit des ailes du dragon.

Septimus chercha du regard le **rideau de sécurité**. Il crut entrevoir une clarté pourpre au cœur des ténèbres, mais il n'aurait juré de rien. La seule certitude qu'il avait, c'était que le **rideau** avait échoué.

Au moins, Marcia avait conscience de la gravité de la situation : l'obscurité rampante s'était arrêtée au pied du mur qui entourait la cour du Magicien, et Septimus fut soulagé de voir le **dôme vivant** surgir du néant, enfermant la tour dans un cône de lumière pourpre et indigo. Pour un œil aussi expert que celui de l'apprenti extraordinaire, ces couleurs signalaient la présence de Marcia à l'intérieur. Ce spectacle grandiose attisa sa fierté d'appartenir au monde de la **Magyk**, ainsi que ses regrets de s'être mis en marge de celui-ci dans des circonstances aussi exceptionnelles.

Le **domaine ténébreux** gagnait rapidement du terrain. Bientôt, aucun endroit du Château ne serait à l'abri du danger. L'unique havre de lumière dans cet océan de noirceur – la tour du Magicien – était d'ores et déjà inaccessible. Ils avaient le choix entre fuir ou se cacher à l'intérieur du Château et tenter de tenir la **Ténèbre** à distance.

Jenna donna une tape sur l'épaule de Septimus.

– Qu'est-ce que tu attends ? lui dit-elle. Il faut retourner au palais et délivrer maman !

Ils avaient atteint l'extrémité du Fossé. De l'autre côté du pont Sans-Retour, la taverne du Turbot-Reconnaissant dressait sa masse délabrée et brillait de tous ses feux. Septimus fut tenté de se poser devant, mais après réflexion, il fit faire demi-tour à Boutefeu.

Volant au ralenti afin d'étudier la progression du **domaine**, ils franchirent le Fossé au niveau du pont-levis, fermé pour la nuit. La **Ténèbre** ne semblait pas l'avoir encore atteint, même si le maigre éclairage dispensé par l'unique chandelle que les Gringe avaient placée à l'extérieur de leur fenêtre ne permettait pas vraiment d'en juger. Mais d'autres indices contribuèrent à rassurer Septimus : la mince couche de givre au sol reflétait les illuminations des maisons voisines, et en approchant, il aperçut un rectangle de clarté découpé sur les pavés par une porte ouverte à l'arrière de la tour de la porte Nord.

En remontant le Fossé, ils virent de la lumière aux fenêtres des maisons adossées au mur du Château ainsi que sur le chantier de Jannit Maarten, où venait d'accoster la dernière barge en provenance du Port. En revanche, le hangar à bateaux du Manuscriptorium baignait dans une obscurité si dense qu'on le distinguait à peine. Si Septimus n'avait pas su qu'il se trouvait là, il aurait pu le confondre avec un terrain vague. Pourtant, étrangement, les maisons qui l'encadraient étaient toujours éclairées.

Ce que Septimus ignorait, c'était que le **domaine ténébreux**, accompagnant son créateur, avait envahi l'intégralité du Manuscriptorium, dont le terrain s'étendait jusqu'au Fossé. Merrin avait décidé d'y établir son quartier général provisoire en attendant de pouvoir investir la tour du Magicien. Mais la situation lui paraissait beaucoup moins amusante à présent qu'il n'avait plus Jillie Djinn à terroriser. Le vieux bâtiment vide lui filait la chair de poule, surtout l'éclat spectral du **sceau hermétique** derrière lequel, à l'insu de Merrin, Moustique cherchait frénétiquement le **charme suspensif** qui se languissait dans la boîte à ordures de la cour avec le reste du contenu du tiroir de secours.

Merrin avait l'impression que le **code apparié** s'était coincé dans sa gorge. Il tenta de le faire glisser en puisant dans la réserve de biscuits rassis de Jillie Djinn. Tandis qu'il mastiquait et réfléchissait à la prochaine étape de son plan, il vit Boutefeu traverser le ciel par la fenêtre des appartements de la première scribe hermétique. Stupides **créatures** ! pensa-t-il, furieux. Même pas fichues de se débarrasser d'un misérable dragon pouilleux. Mais celui-ci ne perdait rien pour attendre. Merrin sourit à son reflet dans la vitre crasseuse. Il lui réglerait son compte, d'une façon ou d'une autre. Ce monstre ne ferait pas le poids face à ce qu'il préparait. Rirait bien qui rirait le dernier !

Boutefeu poursuivit sa route, dépassant des lucarnes de grenier décorées de bougies tremblantes, en direction de l'allée du Serpent. Bientôt ils aperçurent le hangar de Rupert Gringe, brillamment éclairé par des torches plantées dans des seaux. Les maisons de l'allée avaient également échappé à la **Ténèbre**. Leurs propriétaires semblaient avoir adopté l'habitude de Marcellus Pye de faire brûler des forêts de bougies sur les rebords de ses fenêtres, si bien que la rue entière resplendissait.

Septimus était parvenu à une décision : Alther devrait attendre. Il emploierait son **voile de Ténèbre** pour secourir Sarah, puis il resterait au Château pour combattre l'avancée de l'obscurité. Mais il ne se sentait pas le droit de mettre Jenna en danger. Il dirigea Boutefeu vers l'orée de la Forêt, au-delà du Fossé, afin de lui donner l'élan nécessaire à un atterrissage dans l'allée du Serpent.

– Qu'est-ce que tu fais ? cria Jenna.

– Je prépare l'atterrissage !

– Ici ?

– Non, dans l'allée du Serpent.

Jenna se pencha en avant et protesta :

– Non, Sep ! On doit aller chercher maman !

Septimus se retourna.

– Pas toi. C'est trop dangereux. J'irai, moi.

– Pas question ! Je t'accompagne !

Cependant, Boutefeu s'apprêtait à effectuer un plongeon risqué vers l'allée du Serpent. Incapable de se concentrer avec Jenna qui lui hurlait dans les oreilles, Septimus lui fit décrire un demi-tour.

– Non ! cria-t-il tandis que le dragon retraversait le Fossé en direction de la Forêt. Je vais te conduire en sécurité. Tu ne sais pas ce qu'il y a dans le palais en ce moment !

– Si ! Il y a maman, espèce de... de débile !

Septimus se raidit. En temps ordinaire, jamais Jenna ne lui aurait parlé ainsi. Mettant sa grossièreté sur le compte de sa cape de sorcière, il dirigea de nouveau Boutefeu vers l'allée du Serpent.

Le dragon entama sa descente afin de se poser.

– Je ne te laisserai pas me balancer comme une vieille chaussette ! enragea Jenna.

– Mais...

– Remonte, Boutefeu !

En l'absence d'instructions de la part de son pilote, un dragon obéit à son navigateur. Boutefeu amorça une remontée, rapidement interrompue par un contrordre de Septimus :

– Boutefeu, descends !

Le dragon s'exécuta. Les instructions de son pilote primaient toutes les autres.

La riposte de Jenna ne se fit pas attendre :

– Remonte !

Boutefeu remonta.

– Descends !

Tandis que le dragon piquait vers le sol, Septimus fit une dernière tentative pour convaincre Jenna :

– Tu courrais un trop grand danger au palais ! S'il t'arrivait quelque chose, le Château n'aurait plus de reine. Jamais ! Je peux te déposer ici, chez Marcellus, ou te conduire chez tante Zelda. À toi de choisir.

Jenna bouillait de rage. Combien de fois l'avait-on laissée sur la touche en invoquant sa sécurité ? Quand elle se pencha vers Septimus pour lui crier qu'elle se fichait de devenir reine, la couverture des *Règles de la royauté* lui rentra dans les côtes. Furieuse, elle le sortit de sa poche, décidée à le jeter dans le Fossé. Mais quelque chose l'en dissuada. Sa main épousait tout naturellement les contours du petit livre rouge, comme s'il faisait partie d'elle. À cet instant, elle eut la révélation qu'elle ne pourrait jamais s'en séparer. Ses pages fragiles, presque usées, racontaient son histoire. Que cela lui plaise ou non, elle appartenait à une lignée de souveraines et son destin était intimement lié à celui du Château qui s'étendait sous elle, peu à peu envahi par la **Ténèbre**. Rien de ce qu'elle ferait ou déciderait n'y changerait quelque chose.

C'est là, en équilibre sur le dos d'un dragon désemparé, que la signification véritable du jour de récognition lui apparut. Elle comprit qui elle était et s'accepta enfin, sans formule rituelle, procession ni cérémonie officielle. En réalité, il y avait un moment qu'elle le savait, mais elle avait préféré l'ignorer jusque-là. *Mieux vaut tard que jamais*, pensa-t-elle comme l'horloge de la cour des Drapiers sonnait dix heures. Mais le résultat seul importait.

Septimus interpréta son silence soudain comme une marque de mépris.

– Pose-toi ! cria-t-il à Boutefeu.

– D'accord ! approuva Jenna.

Septimus se tourna vers elle, surpris.

– T'en es sûre ?

Jenna lui sourit.

– Oui !

Septimus lui retourna son sourire, soulagé – il détestait se disputer avec elle – et se concentra sur l'atterrissage. L'allée du Serpent était bordée des deux côtés par des maisons. Certaines penchaient vers le milieu de la rue et aucune n'avait envie de voir ses fenêtres brisées par un coup de queue malencontreux. La tâche s'annonçait délicate, même pour un dragon habitué à évoluer dans les limites étroites du Château. Poussant un grognement excité – il aimait relever les défis – Boutefeu piqua vers le sol.

Ce fut un atterrissage parfait. Boutefeu se posa avec grâce au centre de l'allée et, satisfait, replia ses ailes qui craquaient comme du vieux cuir. Son pilote et sa navigatrice se laissèrent glisser de son dos et prirent pied sur les pavés luisant de givre.

– **Pas bouger**, ordonna Septimus.

Le dragon regarda son maître avec perplexité. Pourquoi

voulait-il qu'il reste sans bouger dans cet endroit affreux ? Avait-il fait quelque chose de mal ?

Sa navigatrice vint à son secours :

– Tu ne peux pas lui demander ça !

– C'est l'affaire de quelques minutes, Jen. Ensuite j'irai chercher maman.

– Non, Sep. Imagine que les **créatures** reviennent ? Tu ne peux pas exiger ça de Boutefeu. Ce n'est pas juste !

Septimus soupira.

– Tu as raison. Boutefeu, oublie ce que j'ai dit. Fais attention à toi, d'accord ?

Il donna une tape affectueuse sur le nez du dragon qui remua la queue, soulevant une gerbe à la surface du Fossé. Il regarda ensuite son maître et sa navigatrice se diriger vers une maison, quelques mètres plus loin. Son maître inséra une clé dans la serrure de la porte, qui se referma bientôt sur eux.

Boutefeu garda les yeux fixés sur la porte, attendant qu'ils ressortent, et déplia ses ailes au cas où il aurait à s'envoler précipitamment. Il n'aimait pas cet endroit, trop étroit et plein de recoins sombres. Il n'aimait pas non plus ce qui arrivait au Château. L'odeur de la **Ténèbre** imprégnait l'air, il la sentait approcher... Soudain il y eut un mouvement dans l'ombre, et un groupe de **créatures** armées de poignards se déploya devant lui, prêt à le prendre en tenaille. Boutefeu agita ses ailes puissantes et s'éleva dans les airs. En regardant vers le sol, il aperçut les **créatures** immobiles, leurs visages tournés vers lui. Quelques secondes plus tard, un « floc » retentissant lui apprit que son largage de crottin avait atteint sa cible.

Jenna n'aimait pas beaucoup la maison de Marcellus. L'odeur qui y flottait lui rappelait trop son séjour dans le passé, cinq siècles plus tôt.

– On était vraiment obligés de venir ici ? demanda-t-elle, mal à l'aise.

– Marcellus a une **chambre secrète**, répondit Septimus. Tu y seras en sécurité.

Si le couloir étroit et l'escalier qui conduisait à l'étage baignaient dans le flamboiement des bougies, un silence inhabituel régnait dans la maison. Marcellus était absent. Cette découverte plongea Septimus dans le désarroi. Plus qu'un abri, réalisa-t-il, il avait espéré trouver là les conseils et la compagnie d'un ami.

– Il n'est pas là, constata-t-il à voix haute.

– Tu en es sûr ? Toutes ces bougies...

– Il les laisse toujours allumées quand il sort. Combien de fois lui ai-je dit qu'un jour il allait retrouver sa maison en flammes ? Mais il n'écoute pas.

– Je ne veux pas rester ici toute seule, protesta Jenna d'un ton anxieux. Cet endroit me file la chair de poule.

– Allons-nous-en, déclara Septimus.

– Je refuse de quitter le Château !

– Moi aussi. On va décrire des cercles au-dessus du quartier en attendant le retour de Marcellus. On ne risquera rien sur le dos de Boutefeu.

Septimus rouvrit la porte, fit un pas à l'extérieur et étouffa une exclamation.

– Qu'est-ce qu'il y a ? s'enquit Jenna, inquiète.

– Boutefeu... Il n'est plus là !

33
Tels des voleurs dans la nuit

Septimus et Jenna restèrent un moment à scruter l'allée déserte. Les eaux sombres du Fossé s'écoulaient sur leur droite et ils sentaient autour d'eux la présence oppressante de la **Ténèbre**. Soudain un bruit ténu parvint à leurs oreilles : *flap... flap...*

– Rentrons vite, dit Septimus.

Jenna acquiesça, craignant de voir surgir une **créature**. Mais alors que Septimus s'escrimait avec la clé, une voix s'éleva derrière eux :

– Apprenti !

Marcellus Pye apparut entre deux maisons et s'approcha à vive allure. La pointe d'une de ses chaussures semblait avoir été broyée par la mâchoire d'un chien.

– Par le ciel, te voici enfin ! soupira-t-il.

Il s'inclina devant Jenna, suivant son habitude, et parvint à irriter celle-ci dès qu'il ouvrit la bouche, suivant une autre habitude :

– Je ne vous avais pas reconnue, princesse. Vous savez que vous portez une authentique cape de sorcière ?

– Je le sais, merci, répliqua Jenna. Et au cas où vous vous poseriez la question, je n'ai pas l'intention de l'enlever.

Marcellus l'étonna alors en affirmant :

– Je l'espère ! Elle pourrait se révéler très utile. Et vous n'êtes pas la première princesse à être également sorcière.

– Oh ! fit Jenna, vaguement déçue.

– Marcellus, commença Septimus, Jenna a besoin d'un endroit sûr. J'ai pensé que votre **chambre secrète**...

L'alchimiste ne le laissa pas achever :

– Elle n'y serait pas en sécurité. Mlle Djinn connaît l'existence de cette **chambre** – toutes les pièces **secrètes** doivent faire l'objet d'une déclaration auprès du premier scribe hermétique – et je crains qu'elle n'ait déjà divulgué tous nos secrets.

Il secoua la tête avec tristesse, songeant à ce qu'il était advenu du Manuscriptorium, et ajouta :

– Il y a des **créatures** en liberté dans le Château. Elles finiront par arriver ici, et la princesse sera alors prise au piège. Nous devons trouver un endroit que la **Ténèbre** aura du mal à atteindre.

– Elle progresse trop rapidement, objecta Septimus. Bientôt elle aura tout envahi. Jenna doit quitter le Château.

– C'est hors de question, protesta l'intéressée.

– La princesse a raison, reprit Marcellus. Le **domaine ténébreux** aura sans doute du mal à trouver l'entrée de l'Enchevêtre, et une fois à l'intérieur, sa progression devrait être ralentie. Aussi, je suggère que nous y installions nos... Comment disiez-vous, dans la Jeune Garde ?

– Nos positions défensives ?

– C'est ça. N'importe quel taudis minable, situé au fond d'une impasse et possédant une fenêtre extérieure, fera l'affaire.

Jenna savait où trouver un tel endroit. Elle tira de sa poche la clé que lui avait confiée Silas.

– C'est quoi ? demanda Septimus.

– Une clé, plaisanta Jenna.

– J'ai vu, merci. Mais la clé de quoi ?

Jenna sourit.

– D'un taudis minable, situé au fond d'une impasse et possédant une fenêtre extérieure.

Marcellus Pye referma la porte avec un soupir et leva les yeux vers les fenêtres à présent éteintes de sa maison. Septimus avait insisté pour qu'il mouche toutes les bougies, et il s'était exécuté, la mort dans l'âme.

– C'est fait, dit-il. Allons-nous-en, maintenant.

– Avant de partir, je voudrais **appeler** Boutefeu, déclara Septimus. Quelque chose a dû l'effrayer. Je ne pense pas qu'il se soit beaucoup éloigné.

Marcellus se rembrunit un peu plus. En cinq siècles d'existence, il n'avait jamais volé à dos de dragon et s'en trouvait fort bien. Mais déjà, Septimus lançait un **appel** modulé qui se répercuta sur les façades des maisons serrées les unes contre les autres. Marcellus frissonna. Ce son provenait de la nuit des temps, bien avant l'apparition de l'alchimie.

Ils attendirent, jetant des regards anxieux autour d'eux, croyant déceler des mouvements dans les recoins obscurs.

Au bout de quelques minutes, Marcellus dit :

– J'ai peur que ton dragon ne vienne pas, apprenti.

– Mais il est *obligé* de répondre à mon **appel**, protesta Septimus, inquiet.

– Sauf s'il est dans l'incapacité de le faire, murmura Jenna.

– Jen, non !

– Je n'ai pas dit qu'il était... Enfin, tu me comprends.

– Nous ne pouvons attendre plus longtemps, affirma Marcellus. Moyennant certaines précautions, nous pouvons circuler sur de courtes distances à l'intérieur du **domaine ténébreux**. Mon manteau possède certaines... propriétés, et toi, apprenti, tu as sur toi un briquet qui pourrait se révéler très utile. Quant à vous, princesse, vous serez protégée par votre appartenance à...

L'alchimiste examina les symboles brodés sur la cape de Jenna.

– Le coven des sorcières du Port ? Ma foi, vous ne faites pas les choses à moitié ! Venez. Nous allons emprunter le réseau des goulottes.

– Les goulottes ? fit Jenna, qui se targuait de connaître le Château comme sa poche. Qu'est-ce que c'est ? Je n'en ai jamais entendu parler.

– Je doute que beaucoup de princesses aient été au courant de leur existence. Mais vos nouvelles... allégeances devraient vous ouvrir un certain nombre de portes, ajouta Marcellus avec un sourire entendu. Les goulottes sont des endroits qu'on pourrait qualifier d'« insalubres ». Ceux qui s'y cachent ont généralement de bonnes raisons de le faire. Par chance, je les connais bien, et je maîtrise l'art de se rendre invisible dans la nuit.

Cet aveu n'étonna pas Jenna. D'un geste théâtral, Marcellus s'enveloppa dans son long manteau noir. Jenna en fit autant avec sa cape de sorcière et dissimula son diadème doré sous sa capuche. Comparé à ses compagnons, Septimus se trouvait trop visible avec son costume vert. Il décida de se tenir dans leur ombre, tel un apprenti voleur marchant sur les talons de ses maîtres.

Au bout de quelques pas, Marcellus se glissa entre deux maisons. Un panneau très ancien, presque caché sous le lierre, indiquait la GOULOTTE DU SERRE-BOYAUX. En effet, l'allée était si étroite que leurs vêtements s'accrochaient aux briques des murs. La mousse et les feuilles accumulées depuis des années étouffaient le bruit de leurs pas. Parfois, le pied de l'un d'eux s'enfonçait dans les chairs molles d'un cadavre menu. Septimus avait l'impression d'être lui-même un petit animal fuyant le long d'une galerie souterraine. Il levait fréquemment les yeux, espérant voir le ciel, mais l'absence de lune et les lourds nuages de neige empêchaient de distinguer quoi que ce soit. Une ou deux fois, il lui sembla apercevoir une étoile, aussitôt occultée par la silhouette sombre d'une cheminée ou la ligne d'un toit. Son seul réconfort provenait de l'anneau dragon qui brillait doucement à sa main droite.

Plus ils progressaient dans le dédale de maisons qui s'étirait derrière l'allée du Serpent et plus les goulottes devenaient étroites. Par moments, ils devaient marcher de biais pour passer entre deux murs qui semblaient se rapprocher à mesure qu'ils avançaient. Septimus s'imagina pressé entre deux surfaces de pierre, comme les fleurs que Sarah faisait sécher entre les pages de son herbier. Il avait hâte de pouvoir étendre les bras sans s'écorcher les doigts sur la brique, de courir librement dans toutes les directions au lieu de se faufiler comme un crabe entre les rochers. Chaque pas lui donnait l'impression de s'enfoncer plus profondément dans un lieu d'oubli dont il n'émergerait jamais plus.

Il tenta de combattre ce sentiment étouffant en cherchant des bougies allumées sur les rebords des fenêtres. Mais son regard butait sur les parois du défilé le long duquel il progressait, et rares étaient les propriétaires à avoir cru utile de percer une fenêtre dans un mur qui donnait sur un autre mur distant d'un mètre à peine. Toutefois, à une ou deux reprises, il aperçut au-dessus de lui le reflet d'une flamme tremblante sur le mur opposé, et cette vision lui redonna du courage.

Enfin, le passage s'élargit. Marcellus leur fit signe de s'arrêter. Devant eux se dressait une muraille de brume opaque. Ils avaient atteint la limite du **domaine ténébreux**.

Jenna et Septimus échangèrent un regard anxieux.

– Apprenti, dit l'alchimiste, il est temps de te servir de ton briquet.

Septimus retira de sa poche un petit briquet cabossé et l'ouvrit, piquant au vif la curiosité de Jenna. Celle-ci le vit en sortir quelque chose, puis il leva les bras, prononçant des paroles qu'elle ne put distinguer. Il lui sembla qu'un tissu immatériel s'échappait du briquet et recouvrait son frère adoptif. Pourtant, il n'avait pas l'air différent. En vérité, toute la scène lui évoquait les exercices de mime qu'elle redoutait tant à l'époque, déjà lointaine, où elle suivait avec sa classe les cours de comédie du Petit Théâtre de l'Enchevêtre.

Toutefois, elle déduisit des mines satisfaites de ses compagnons qu'elle n'avait pas été victime d'une illusion. Elle remarqua alors que la lumière de l'anneau dragon de Septimus manquait de netteté, comme si elle brillait à travers un voile de gaze, et quand elle leva les yeux vers son visage, celui-ci lui apparut également brouillé. On aurait dit qu'il était à la fois présent et absent. Troublée, elle recula. Parfois, Septimus lui donnait le sentiment d'appartenir à un monde dont une partie échapperait toujours à sa compréhension.

Marcellus considéra ses deux protégés et les jugea prêts à affronter le **domaine ténébreux**. Il leur fit signe d'approcher. Une masse tourbillonnante barrait la sortie de la ruelle, si proche qu'ils n'auraient eu qu'à tendre la main pour la toucher.

– Je vais passer le premier, leur dit-il, puis vous me suivrez. Veillez à marcher côte à côte, d'un pas régulier et en respirant calmement. Tâchez également de faire le vide dans votre esprit : le domaine va tenter de vous égarer avec des images de ceux que vous aimez. Restez impassibles et, surtout, évitez de paniquer. La panique attire la **Ténèbre** comme un aimant. Compris ?

Jenna et Septimus acquiescèrent. L'un comme l'autre peinaient à se rendre compte qu'ils allaient traverser de leur plein gré un mur de **Ténèbre** en mouvement. En effet, leurs équipements respectifs les protégeaient des illusions grâce auxquelles le **domaine** attirait ses victimes. Jenna trouvait particulièrement étrange que sa cape de sorcière lui permette de voir celui-ci pour ce qu'il était : le mal à l'état pur.

Après un dernier échange de regards, ils pénétrèrent dans le **brouillard** à la suite de Marcellus.

Le **voile de Ténèbre** était comme une seconde peau pour Septimus et lui procurait une aisance que ses compagnons auraient pu lui envier. La cape de Jenna ne l'enveloppait pas aussi parfaitement, et le manteau de Marcellus se révélait encore moins efficace. En réalité, l'alchimiste n'était pas aussi à l'aise au sein de la **Ténèbre** qu'il tentait de le faire croire. Toutefois, l'un comme l'autre progressaient tant bien que mal, même s'ils avaient l'impression de patauger dans la glu et de respirer à travers une double épaisseur de coton. La fatigue les gagnait peu à peu, mais ils n'avaient d'autre choix que d'avancer.

Il leur fallut quelques minutes pour rejoindre la voie du Magicien. Marcellus regarda plusieurs fois d'un côté et de l'autre, comme Sarah avant de traverser une rue. Jenna avait compris très jeune l'importance de cette précaution ainsi que la nature des dangers que redoutait sa mère. En revanche, elle n'avait aucune idée de ce que l'alchimiste recherchait et se demandait même comment il pouvait voir quelque chose dans une telle purée de pois. Enfin, il leur fit signe de se remettre en marche.

La voie du Magicien était tout sauf accueillante. La **Ténèbre** y paraissait plus dense et s'y déplaçait autour d'eux comme si elle possédait une vie propre. Ils avaient parfois l'impression d'être frôlés, et à un moment, Marcellus sentit un doigt s'enfoncer dans ses côtes. Il le repoussa à l'aide d'une **malédiction**, et la **créature** à laquelle il appartenait détala sans demander son reste.

Ils marchaient d'un pas régulier au milieu de l'avenue à la fois familière et étrangement terrifiante, respirant lentement et calmement, quand Septimus perçut une présence derrière eux. Il savait que ses sens, aiguisés par des années d'apprentissage, ne le trompaient pas. Se rappelant les recommandations de Marcellus, il résista à l'envie de se retourner, mais il ne put chasser de son esprit l'image d'une masse puissante qui s'approchait à vive allure... D'une poussée vigoureuse – pas si évident, au cœur d'un **domaine ténébreux** – il écarta ses deux compagnons et fit un bond de côté, juste à temps : un immense cheval noir les dépassa dans un bruit de cavalcade assourdissant, roulant des yeux hagards, sa crinière flottant au vent. Lucy Gringe se cramponnait à son dos, la bouche ouverte sur un hurlement de terreur silencieux.

Le passage de Tonnerre perça dans la noirceur tourbillonnante de la nuit un tunnel provisoire en forme de cheval. Marcellus se ressaisit rapidement et entraîna ses deux protégés à sa suite. Libérés de la pesanteur de la **Ténèbre**, ils avançaient plus facilement, mais ils savaient que ça ne durerait pas : déjà, l'air se densifiait dans le sillage de l'étalon. À l'extrémité du couloir, celui-ci s'était arrêté. Soudain des cris étouffés leur parvinrent.

– Maman ! murmura Jenna à l'oreille de Septimus. C'est elle !

Septimus était loin de partager sa certitude : les cris lui

semblaient plutôt provenir de Lucy, et il s'y mêlait une voix plus grave.

La **Ténèbre** envahissait peu à peu le tunnel, telle la fumée d'un brasier pestilentiel. Les cris se réduisaient à présent à des murmures fantomatiques, mais la conviction de Jenna était intacte : dans ces échos lointains, elle reconnaissait les intonations de Sarah Heap. Ignorant les mises en garde de Marcellus, elle se mit à courir dans leur direction. Elle n'allait pas laisser la **Ténèbre** lui enlever sa mère une seconde fois.

Ses compagnons s'élancèrent à sa suite, se guidant sur sa cape déployée dans son dos comme une paire d'ailes sombres. Parvenus au bout du tunnel, ils assistèrent à une scène parfaitement incompréhensible, du moins pour Marcellus.

Septimus ne vit d'abord que Tonnerre. L'étalon piétinait, secouait la tête en roulant des yeux terrifiés, visiblement désireux de fuir. Un homme le retenait par la crinière et lui parlait à l'oreille, sans parvenir à le calmer. Puis il aperçut le bas de la robe et les bottes de Lucy Gringe, presque cachées derrière la masse de muscles et la couverture étoilée du cheval, et enfin la cape de sorcière, dans l'ombre de laquelle il compta quatre pieds. Tonnerre fit alors un demi-tour sur lui-même, révélant Jenna et Sarah, étroitement enlacées à l'intérieur de la cape. Lucy aussi serrait quelqu'un dans ses bras...

– Simon ! dit Septimus, se tournant vers Marcellus. Mon frère... Évidemment, c'est lui qui a tout manigancé. Maintenant que j'y pense, il s'en vantait dans le torchon qu'il m'a écrit : « Prends garde à la **Ténèbre.** »

– Pas du tout ! s'écria Simon, qui avait tout entendu. Tu te trompes. Je n'ai pas...

– La ferme, sale crapaud ! gronda Septimus.

Si Marcellus n'avait pas la moindre idée de ce qui se passait, il avait au moins une certitude : un **domaine ténébreux** n'est pas le meilleur endroit pour se disputer en famille.

– Crois-moi, je n'ai rien à voir avec tout ça, insista Simon, mi-suppliant, mi-furieux de se voir une fois de plus accusé à tort.

Septimus laissa exploser sa colère :

– Menteur ! Comment oses-tu...

– Silence, apprenti ! ordonna Marcellus.

Septimus se tut, choqué : jusque-là, l'alchimiste avait toujours fait preuve d'une politesse scrupuleuse à son égard.

– Si vous tenez à la vie, ajouta Marcellus, profitant du silence étonné qui avait suivi sa sortie, vous allez faire ce que je vous dis. Compris ?

Ils acquiescèrent tous – même Simon –, subitement conscients de la précarité de leur situation.

– Bien, reprit Marcellus. Jenna connaît le chemin. Elle va nous guider avec le cheval. À eux deux, ils devraient nous dégager un peu la voie.

Comme Simon allait protester, il l'arrêta d'un geste. Il se tourna ensuite vers Septimus :

– Apprenti, ta mère est très faible. Le **voile** que je t'ai donné est assez grand pour vous couvrir tous les deux. Il lui évitera le pire. Je fermerai la marche avec la jeune damoiselle et Simon Heap – car je présume que c'est toi ? Cette formation en chevron est la plus efficace pour se déplacer à l'intérieur d'un fluide visqueux. Surtout, je vous demande de garder le silence. Je ne tolèrerai aucune contestation. Est-ce clair ?

Tous opinèrent du chef comme un seul homme.

Puis ils se mirent en mouvement, tel un troupeau d'oies sauvages : d'abord Jenna et Tonnerre, puis Septimus et Sarah, enveloppés dans le **voile de Ténèbre**, et enfin Marcellus, écartant les pans de son manteau afin d'abriter Simon et Lucy.

Jenna se surprit à énoncer leur destination à voix basse. Elle en ignorait la raison, mais elle eut aussitôt la certitude qu'elle mènerait ses compagnons à bon port. Elle quitta rapidement la voie du Magicien pour un réseau de ruelles qui formaient un raccourci vers l'Enchevêtre. Le silence qui l'entourait favorisait la concentration, et sa cape lui procurait un sentiment de sécurité. Elle se déplaçait sans effort, et quand elle se retourna pour vérifier que les autres la suivaient toujours, elle constata qu'à l'instar de Tonnerre elle avait tracé un sillon à l'intérieur de la **Ténèbre**. Cette cape possédait décidément des pouvoirs étonnants.

Parmi les rares personnes qui se risquèrent à affronter le **brouillard** durant cette nuit de terreur, aucune n'avait le cœur rempli d'allégresse, hormis Jenna. Le bonheur d'avoir retrouvé Sarah occultait toute autre considération. C'est à peine si elle se souciait du **domaine ténébreux** ou de la soudaine réapparition de Simon. Tout ce qui lui importait, c'était que sa mère soit saine et sauve.

Avec ça, tous les itinéraires qu'elle avait dû mémoriser pour obtenir son certificat d'aptitude à circuler dans l'Enchevêtre menaient à leur destination : La Grande Porte rouge, Première Allée et Venue.

34
La Grande Porte Rouge

Le **domaine ténébreux** s'était arrêté aux portes de l'Enchevêtre.

Ils commencèrent par percevoir le bruit des sabots de Tonnerre. D'abord distant et assourdi, le son gagnait en netteté à chaque pas, puis les silhouettes vagues de leurs compagnons se précisèrent. *Flap, flap*, entendit Lucy avant de voir la chaussure abîmée de Marcellus battre le pavé. Toutefois, ce n'est que lorsqu'ils distinguèrent la clarté tremblante d'une torche au loin qu'ils eurent la certitude d'avoir atteint les limites du **domaine**. Quand ils émergèrent dans une ruelle à proximité du salon de thé de Mamie Frangipane, ils eurent la sensation qu'on venait d'ôter un poids de leurs épaules. Ils échangèrent des coups d'œil furtifs – seules Lucy et Sarah osèrent regarder Simon – mais aucun ne prononça un mot.

Sitôt libre, Tonnerre s'ébroua et manifesta l'intention de rejoindre son maître. Jenna lâcha ses guides, et comme il s'éloignait d'un pas pesant, elle eut la surprise d'apercevoir un rat, cramponné à sa crinière.

– Stanley ?

Le rat ne répondit pas. Les yeux fermés, il paraissait bouleversé et Jenna l'entendit marmonner dans ses moustaches : « Bougre d'idiot, stupide, stupide rat... »

Marcellus promena un regard inquiet à la ronde. La frontière d'un **domaine ténébreux** n'est pas un endroit sûr ; on risque d'y croiser des éclaireurs en patrouille, ou travaillant à son extension. Il plaça un doigt sur ses lèvres, réclamant le silence, puis il se tourna vers Jenna et demanda :

– De grâce, gente princesse, quelle direction ?

Dans les moments de tension, il retrouvait naturellement les tournures archaïques de son époque.

Jenna lui indiqua une torche unique éclairant une porte délabrée, presque recouverte de lierre et d'une plante grimpante à fleurs violettes qui tendait à envahir les murs du Château. Si les fleurs étaient depuis longtemps fanées, de longues lianes ligneuses leur frôlèrent la tête quand ils franchirent le passage voûté donnant sur le silence de l'Enchevêtre.

Septimus entreprit de ranger le **voile**. Il se pliait aussi facilement que du papier de soie et tenait aussi peu de place. Une fois le briquet refermé, il le glissa dans sa poche la plus profonde, avec la précieuse clé du donjon numéro un.

– Je vais **protéger** la porte, proposa-t-il. Ça devrait retarder un peu la progression de la **Ténèbre**.

Marcellus secoua la tête.

– Non, apprenti. Il ne faut laisser aucune trace de notre passage.

Hors du **domaine ténébreux**, leur groupe ne tarda pas à se scinder suivant les affinités et les antipathies de chacun. Septimus marchait devant avec Marcellus, veillant à laisser la plus grande distance possible entre son frère et lui. Encadré par Lucy et Sarah, Simon restait en arrière et accordait toute son attention à Tonnerre afin de cacher sa gêne. Jenna hésitait entre les deux sous-groupes, partagée entre le désir de se rapprocher de sa mère et la répulsion que lui inspirait Simon. Comme Marcellus et Septimus hésitaient sur le chemin à suivre, elle finit par reprendre la tête.

En temps normal, pendant la nuit la plus longue, il régnait une atmosphère de fête dans l'Enchevêtre. Les portes ouvertes dévoilaient des intérieurs accueillants et vivement éclairés, avec des tables débordant de victuailles achetées à la foire d'hiver. Tandis que les adultes bavardaient, les enfants, exceptionnellement autorisés à veiller, se poursuivaient en riant le long des allées. La liesse générale était alimentée par les assiettes de biscuits et les bols de friandises traditionnellement déposés au pied des innombrables bougies qui illuminaient l'espace public.

Mais cette nuit-là, les seuls bruits qui filtraient à travers les portes des logements étaient les échos des conversations inquiètes auxquels se mêlaient parfois les pleurs d'un enfant déçu. Chacun semblait attendre que l'orage se déchaîne.

Malgré l'appréhension presque palpable, les bougies répandaient leur clarté tremblante dans les couloirs fraîchement balayés et les assortiments de douceurs attendaient dans leurs niches, intacts. Ils ne le restèrent pas longtemps : Jenna, qui n'avait rien avalé depuis le sandwich qu'elle avait partagé avec Moustique, attrapa une poignée de ses biscuits préférés, des lapins recouverts d'une couche de sucre rose. Septimus, pour sa part, fut ravi de découvrir un bol rempli d'oursons bananes. Même Marcellus s'autorisa un caramel.

Ils parcoururent une enfilade de couloirs déserts où résonnait le bruit des sabots de Tonnerre. De temps en temps, un visage apeuré apparaissait derrière une fenêtre éclairée. À une ou deux reprises, une porte s'entrouvrit à leur passage, et des yeux angoissés brillèrent dans l'entrebâillement. Mais la porte se refermait aussitôt, et quelqu'un s'empressait de souffler la bougie derrière la vitre. Nul ne paraissait rassuré de voir l'apprenti extraordinaire accompagné d'une sorcière, d'un alchimiste âgé de plusieurs siècles et de l'aîné des fils Heap, ce vaurien – comment s'appelait-il, déjà ?

Ils remontèrent à la suite de Jenna une allée en pente dépourvue d'escalier. Les passages charretiers, ainsi qu'on les appelait, étaient plus longs mais pas forcément plus larges que ceux réservés aux piétons. Le terme « charrette » désignait une grande variété de véhicules possédant entre deux et six roues, tous indispensables à l'activité quotidienne de l'Enchevêtre. Toutefois, les résidents des étages inférieurs les considéraient comme un fléau, surtout la nuit, où des groupes de jeunes gens turbulents s'amusaient à leur faire dévaler les ruelles les plus escarpées, en criant « Gare devant ! » pour faire dégager les promeneurs innocents. Les charrettes à deux roues étaient les plus prisées pour ce sport, car plus faciles à manœuvrer. Leurs brancards pouvaient également servir de freins, si on avait le réflexe de se pencher en arrière au bon moment. Mais cette nuit-là, il n'y avait aucun danger de se faire renverser par une charrette en vadrouille. Tous les garnements étaient confinés dans leurs foyers et obligés de faire bonne figure à leurs vieilles tantes en visite, lesquelles regrettaient amèrement d'être venues au Château ce soir-là.

Après avoir gravi un dernier passage particulièrement abrupt (les sabots de Tonnerre dérapaient à chaque pas sur les briques usées), ils furent soulagés de déboucher dans une artère plus large. La Grosse Bertha, comme on la surnommait, serpentait à travers le niveau supérieur de l'Enchevêtre tel un fleuve paresseux doté d'une multitude d'affluents. Cette partie du quartier était la plus difficile à appréhender pour les visiteurs de l'extérieur : les couloirs les plus engageants se terminaient en cul-de-sac, d'autres qui avaient tout l'air de culs-de-sac n'en étaient pas, mais la plupart présentaient des détours propres à désorienter même le voyageur le plus expérimenté.

Mais Jenna avait obtenu son certificat d'aptitude à circuler dans l'Enchevêtre avec mention, et cela se voyait. Tenant la clé de la Grande Porte rouge devant elle comme une boussole, elle traversa la Grosse Bertha et s'enfonça dans un corridor qui avait faussement l'air d'un cul-de-sac. Le mur au fond dissimulait en réalité deux autres passages. Il était coiffé d'une rangée de pots multicolores dont chacun contenait une haute et mince chandelle plantée dans un tas de sucettes. Jenna le contourna et emprunta le passage de droite. L'entrée en était étroite, et Tonnerre eut un peu de mal à en tourner l'angle, mais pour un cheval qui avait longtemps vécu dans un ancien terrier de guivre, les couloirs de l'Enchevêtre étaient spacieux et aussi larges que des boulevards.

Le passage débouchait sur une place circulaire à ciel ouvert avec au centre un puits entouré d'un muret. Trois seaux de tailles diverses étaient alignés sur la planche qui le recouvrait. Un système compliqué de treuils et de poulies permettait de puiser de l'eau dans une immense citerne aménagée dans les fondations de l'Enchevêtre. Des torches projetaient une lumière dorée sur les pavés mouillés, sur lesquels se posaient de rares flocons aussitôt fondus. Des bancs de pierres usées étaient encastrés dans les murs tout autour de la place. On avait disposé dessus des bougies et des friandises qui donnaient un air festif à cet endroit habituellement très fréquenté, mais comme le reste du quartier, celui-ci était désert ce soir-là.

Jenna attendit au milieu de la place que ses compagnons la rejoignent. Elle sourit à sa mère, espérant qu'elle reconnaîtrait le puits où elle puisait autrefois de l'eau et passait de longues heures à bavarder avec ses voisines, mais à son grand désespoir, Sarah lui retourna un regard vide.

– On est presque arrivés, dit-elle avec un enthousiasme forcé.

– Hé, Jen, tu te souviens de la fois où tu avais laissé tomber ton ours en peluche dans le puits ? demanda Simon. C'est moi qui l'avais repêché dans un seau...

Jenna l'ignora. Comment osait-il l'appeler par le diminutif qu'il lui donnait quand elle était petite, avant qu'il ne l'enlève et ne projette de la tuer ? Elle pivota sur ses talons et s'engagea dans un couloir blanchi à la chaux et bordé de bougies de toutes les couleurs. Très vite, ils retrouvèrent la Grosse Bertha, mais loin de l'endroit où ils l'avaient quittée. Au virage suivant, Jenna tourna dans un large couloir indiqué comme étant la « Première Allée et Venue ». Quelques minutes plus tard, elle s'arrêtait devant le logement où elle avait passé les dix premières années de sa vie.

Autrefois éraflée et d'un noir maussade, la porte était à présent d'un rouge éclatant, ainsi qu'au « bon vieux temps », comme l'appelaient toujours les habitants du Château. Silas la fermait chaque soir à l'aide de la clé qu'elle tenait à la main. Le reste du temps, celle-ci était accrochée à un clou à côté de la cheminée. Seuls les parents avaient le droit d'y toucher car, comme le leur avait appris Silas un jour où, après la chute du clou, Maxie l'avait cachée sous sa couverture, cette clé était avant tout un précieux souvenir de famille. En effet, la Grande Porte rouge, avec sa serrure et sa clé (cette dernière gravée au nom de *Benjamin Heap*), était le seul héritage qu'il avait reçu de son père.

Jenna tendit la clé à sa mère.

– À toi l'honneur, dit-elle.

Sarah prit la clé d'un air absent.

Jenna la regardait avec angoisse. Quand elle releva la tête, elle constata que tous avaient les yeux fixés sur elle, même

Marcellus. Sarah resta une éternité à considérer la grosse clé posée sur sa main. Enfin, elle sembla la reconnaître et ses lèvres esquissèrent un sourire.

D'un geste hésitant, elle introduisit la clé dans la serrure. La porte, elle, la reconnut aussitôt, et quand elle tourna légèrement la clé, la serrure fit le plus gros du travail à sa place.

35
LA NUIT LA PLUS LONGUE

Si une grande variété d'animaux avaient vécu – parfois toute leur existence – dans la pièce située derrière la Grande Porte rouge, Tonnerre était assurément le premier cheval à y pénétrer. Sam Heap avait un jour ramené une chèvre à la maison, mais elle n'y était restée que quelques secondes. À l'époque, Sarah interdisait son domicile à toutes les « bêtes à sabots ». Mais ce jour-là, la présence dans un coin de la pièce unique d'un grand cheval noir occupé à croquer des pommes flétries que son maître avait trouvées dans un bol ne semblait lui poser aucun problème.

Tandis qu'elle jetait des regards étonnés autour d'elle, observant les transformations que Silas avait secrètement apportées à leur ancien logis au cours de l'année écoulée, des souvenirs heureux remontaient à sa mémoire, dissipant peu à peu la torpeur mélancolique dans laquelle l'avait plongée la **Ténèbre**. Elle comprenait à présent pourquoi son mari s'absentait sans cesse du palais.

Ni Jenna ni Simon n'étaient retournés à leur ancien domicile depuis leur départ précipité, quatre ans plus tôt, et c'est à peine s'ils le reconnaissaient. Disparus, les piles de livres branlantes, les paillasses et tout le bric-à-brac familier. Les ouvrages de **Magyk** que Silas avait autrefois sauvés en les cachant au grenier s'alignaient sur des étagères parfaitement droites, quoique faites maison. La cheminée avait été nettoyée et garnie de bûches, les casseroles et marmites récurées et rangées par ordre de taille. Des tapis – dont plusieurs provenaient du palais, remarqua Jenna – recouvraient le plancher usé, des coussins s'entassaient sur le sol, attendant les fauteuils que Silas avait prévu de fabriquer.

Mais le plus troublé de tous était certainement Septimus. Enfin, il découvrait la pièce où il était né et avait passé les premières heures de sa vie. Du pas de la porte, il vit Simon, un bras autour de la taille de Lucy, indiquer quelque chose à celle-ci à travers une des fenêtres donnant sur la Rivière. Il comprit alors la raison de son malaise : Simon était ici chez lui. Septimus, lui, n'appartenait pas à cet endroit.

Sarah Heap vit son plus jeune fils hésiter sur le seuil, comme s'il attendait qu'on l'invite à entrer, et cette image chassa les dernières traces de **Ténèbre** de son esprit. Elle se dirigea vers lui, le prit par les épaules et dit :

– Bienvenue à la maison, mon chéri.

Puis elle l'attira à l'intérieur et referma la porte.

Un tourbillon d'émotions envahit alors Septimus. Il ne savait plus s'il avait envie de rire ou pleurer. La seule certitude qu'il avait, c'était qu'on venait de lui ôter des épaules un poids qu'il ignorait porter. Sa mère disait vrai : c'était ici chez lui.

Cependant, le **domaine ténébreux** continuait son avancée à travers le Château, se nourrissant de l'énergie des malheureux qu'il avait englobés. Seuls lui échappaient encore la tour du Magicien, le cabinet hermétique **scellé**, qui renfermait Moustique tel un cocon, une minuscule **chambre secrète** au sous-sol de la Grotte-Gothic, et l'Enchevêtre.

À l'époque de la construction de celle-ci, beaucoup des habitants du Château pratiquaient la **Magyk** en amateurs, et de faibles traces de leurs **sorts protecteurs**, **bénédictions** et **porte-fortune** subsistaient toujours aux différents portails, portes et fenêtres ouvrant sur le quartier. La pierre en était imprégnée, et cette barrière avait suffi à arrêter jusque-là la progression du **domaine**. Toutefois, elle n'était pas assez puissante pour contrer l'offensive qui se préparait.

En effet, une **créature** dépenaillée venait de surgir du **brouillard** à proximité du salon de thé de Mamie Frangipane, comme devant chacune des entrées de l'Enchevêtre. Insensible aux échos de l'ancienne **Magyk**, elle franchit sans effort la porte couverte de lierre qu'avaient empruntée un peu plus tôt nos héros. Un tourbillon **ténébreux** s'engouffra dans le couloir à sa suite, étouffant la flamme de la torche solitaire. La **créature** – qui se trouvait être celle que Boutefeu avait expédiée dans la Rivière – avança, laissant une traînée humide derrière elle. Les bougies s'éteignaient dans son sillage, des volutes de **brouillard** s'insinuaient sous les portes et dans les trous de serrure des maisons qu'elle dépassait, faisant taire les conversations apeurées à l'intérieur. Parfois, un cri de joie s'élevait, provoqué par l'illusion des retrouvailles avec un être aimé depuis longtemps perdu de vue, puis le silence retombait.

Derrière la Grande Porte rouge, Sarah Heap se préparait à soutenir un siège. Elle venait d'annoncer son intention de retourner au puits, soulevant une vague de protestations.

– Je viens avec toi, dirent Simon et Septimus d'une seule voix, avant d'échanger des regards furieux.

Sarah considéra ses deux fils, puis elle déclara :

– Vous pouvez venir tous les deux, si vous me promettez de ne pas vous disputer en chemin. Compris ?

Les deux garçons acquiescèrent avec un grognement et se renfrognèrent, mécontents de leur réaction identique.

Escortée à la fois par son aîné et son benjamin, qui la dépassaient tous deux de plusieurs têtes, Sarah refit donc à l'envers l'itinéraire familier qui menait au puits. Tandis qu'elle marchait d'un pas vif le long des couloirs silencieux, il lui semblait vivre un rêve éveillé. Peu importait que les deux garçons aient refusé de se parler, ou même la catastrophe qui s'était abattue sur le Château et ne tarderait sans doute pas à les rejoindre. La vie lui avait rendu ses fils, et elle savourait chacune des précieuses secondes qu'elle passait à leurs côtés. Pas tous ses fils, bien sûr, mais les deux qu'elle avait plus d'une fois crus morts et craint de ne jamais revoir.

Toutefois, son bonheur ne dura pas. Sur le chemin du retour, ils distinguèrent au loin, à l'angle de la Grosse Bertha, une turbulence qui signalait l'approche de la **Ténèbre**. Vite, ils s'engagèrent dans la Première Allée et Venue, portant chacun deux seaux remplis à ras bord, et la Grande Porte rouge s'ouvrit devant eux. Ils se précipitèrent à l'intérieur, et Sarah donna deux tours de clé.

– Il faudrait protéger la porte avec un **sort anti-Ténèbre**, remarqua Septimus. Je m'en charge !

Étant issue d'une famille qui comptait à la fois des magiciens et des sorcières, Sarah n'aimait pas beaucoup qu'on prononce le mot « **Ténèbre** » sous son toit, même assorti du préfixe « anti », et elle souscrivait entièrement au dicton selon lequel « Nommer, c'est créer. »

– Non merci, mon chéri. La porte possède sa propre **Magyk**. Nous ne risquons rien.

Marcellus, qui se sentait inutile depuis qu'ils étaient parvenus à destination, sauta sur l'occasion de placer un avis :

– Nous aurons besoin de toute la protection possible, dame Sarah. Mon apprenti a raison.

Sarah et Simon lui lancèrent un regard interrogateur.

– *Votre* apprenti ? dit Sarah, incrédule.

Marcellus décida de « laisser galoper », comme aurait dit Septimus.

Il reprit :

– J'irais jusqu'à affirmer qu'un sort **anti-Ténèbre** pourrait se révéler essentiel pour notre survie.

Cette fois, Simon ne put s'empêcher de se mêler de la conversation :

– Ce qu'il nous faut, c'est un **anti-Ténèbre** fluide associé à un **écran total** et à un **camouflage**. C'est le minimum.

Septimus ricana avec mépris. Comment son frère osait-il ramener sa science alors qu'il était la cause de tout ?

Simon se méprit sur sa réaction et tenta de se justifier :

– Tu peux tenter le **sort anti-Ténèbre** le plus puissant au monde, il ne servira à rien s'il est visible. Le **domaine** va s'acharner dessus jusqu'à ce qu'il cède, ce qui arrivera tôt ou tard. Fais-moi confiance, je sais de quoi je parle.

Septimus laissa éclater son indignation, s'efforçant d'ignorer le fait qu'il partageait l'avis de Simon :

– Te faire confiance ? Tu ne manques pas de culot !

Dans un premier temps, Sarah se garda d'intervenir. Elle avait l'habitude de laisser ses fils régler eux-mêmes leurs différends et comptait sur l'approche du **domaine ténébreux** pour calmer les esprits. Toutefois, quand elle eut terminé l'inventaire des conserves et aliments séchés dont Silas avait rempli le garde-manger, elle leur intima l'ordre de cesser de se chamailler. Après avoir murmuré à l'oreille de Tonnerre pour le rassurer, elle entreprit de balayer les copeaux de bois que Silas avait laissés derrière lui, sommant Jenna et Lucy de rester en dehors de la querelle. Mais comme celle-ci dégénérait, opposant d'un côté Septimus et Jenna, et de l'autre, Simon et Lucy, Sarah finit par perdre patience.

– Assez ! hurla-t-elle, frappant le sol avec le manche de son balai.

Les belligérants se turent aussitôt et se tournèrent vers elle, surpris.

– Je ne veux pas de dispute sous mon toit, compris ? Je me

moque de ce que vous avez fait par le passé, que ce soit par bêtise, méchanceté ou à cause de mauvaises influences – ou les trois, pour l'un d'entre vous – parce que vous êtes tous mes enfants. Oui, toi aussi, Lucy. Alors, quels que soient vos griefs, je vous demande de les oublier tant que vous vous trouverez dans cette pièce et de vous comporter comme il convient entre frères et sœurs. Vous avez entendu ?

– Bien parlé, murmura Marcellus.

Les quatre jeunes gens acquiescèrent docilement, puis Simon et Lucy allèrent s'asseoir près du feu, laissant Septimus contrer la **Ténèbre** à sa manière – et comme son aîné l'aurait fait à sa place, ne put s'empêcher de remarquer celui-ci.

Assis sur le rebord de la fenêtre, un rat inhabituellement silencieux regardait à l'extérieur. Jenna s'approcha et dit :

– Salut, Stanley.

– Bonsoir, Votre Principauté, répondit Stanley avec un soupir.

Jenna regarda à son tour. Le ruban bleu nuit de la Rivière s'écoulait lentement en contrebas, et sur la berge opposée, les lumières de la taverne du Turbot-Reconnaissant scintillaient à travers les arbres.

– C'est magnifique, non ? dit-elle. Aucune trace de la **Ténèbre** de ce côté-ci.

– Ce n'est qu'une question de temps, remarqua Stanley d'un ton sinistre.

Marcellus les rejoignit, annoncé par un « flap-flap » discret.

– Erreur, dit-il. L'eau en mouvement, surtout celle qui est soumise aux marées, a le pouvoir d'arrêter la **Ténèbre**.

– Ah bon ? fit Jenna. Donc, ce qui se trouve derrière cette vitre n'a rien à craindre ?

Depuis la fenêtre, le regard plongeait à pic vers la Rivière. Marcellus étudia celle-ci avant de répondre :

– Je crois que non. La berge est toute proche.

Jenna le savait mieux que quiconque pour avoir passé de longues heures le visage collé à la lucarne de son lit-armoire.

– L'eau lèche le pied du mur, expliqua-t-elle. Il n'y a pas de grève à cet endroit, juste des pontons pour y amarrer les bateaux.

– Alors le **domaine** ne peut passer.

– Dans ce cas, dit Stanley, qui avait suivi cet échange avec grand intérêt, permettez que je prenne congé.

– Tu t'en vas ? s'exclama Jenna, étonnée.

– Il le faut, Votre Principauté. J'ai laissé quatre petits rats seuls à notre domicile. Je n'ose imaginer ce qui a pu leur arriver.

– Comment feras-tu pour descendre ? demanda Jenna, scrutant le précipice.

– Un rat a plus d'un tour dans son sac, Votre Altitude. Et il me semble apercevoir une gouttière. Si vous voulez bien ouvrir la fenêtre...

Jenna se tourna vers Marcellus, indécise :

– Est-ce prudent ?

– Oui, princesse, du moins pour le moment. Nous ignorons ce qui va ruisseler du toit plus tard. Si le rat doit partir, mieux vaut qu'il le fasse maintenant.

– Je ne demande pas mieux, affirma Stanley, visiblement soulagé. Messire, si vous voulez bien me faire l'honneur...

– Quel honneur ? s'interrogea Marcellus, décontenancé.

Jenna connaissait suffisamment Stanley pour pouvoir traduire :

– Il voudrait que vous ouvriez la fenêtre.

Marcellus s'exécuta, et un souffle d'air frais pénétra dans la pièce.

– Qu'est-ce que vous faites ? s'écria Sarah, affolée. Refermez ça tout de suite !

Le rat sauta prestement sur le rebord de la fenêtre et étudia la paroi abrupte sous lui, cherchant des points d'appui.

– Stanley, est-ce que tu pourrais... commença Jenna alors que Sarah venait dans leur direction, brandissant son balai.

– Oui ? dit Stanley, surveillant le balai d'un œil inquiet.

– Va trouver Nicko – Nicko Heap – au chantier de Jannit, et dis-lui ce qui se passe. Dis-lui aussi où on est. S'il te plaît...

Sarah referma violemment la fenêtre.

À travers la vitre, Jenna vit Stanley basculer dans le vide, bouche bée de stupeur.

– Maman ! hurla-t-elle. Tu l'as tué !

– C'était lui ou nous, objecta Sarah. Et d'abord, les rats retombent toujours sur leurs pattes.

– Pas les rats, les chats ! Mon pauvre Stanley...

Jenna fouilla l'obscurité du regard sans apercevoir Stanley nulle part. Elle soupira. Décidément, la conduite de sa mère était incompréhensible. Comment pouvait-elle précipiter un malheureux rat vers une mort certaine après avoir risqué sa propre vie pour un canard ?

– Il s'en sortira, princesse, assura Marcellus. Il trouvera moyen de se raccrocher à quelque chose.

– Je l'espère...

La chute de Stanley les avait tous bouleversés, même Sarah. Dans sa hâte, elle n'avait pas remarqué que le rat se trouvait à l'extérieur de la fenêtre, mais ça, elle ne l'aurait avoué pour rien au monde. Il importait qu'elle garde le contrôle de la situation. Si ses compagnons la croyaient assez impitoyable pour sacrifier un rat innocent, ça ne pouvait que renforcer son autorité.

Elle entreprit de répartir les tâches. Bientôt, un grand feu ronflait dans l'âtre, sous une marmite d'où s'échappait un délicieux fumet de ragoût. Un ragoût, remarqua Lucy, tellement éloigné de ceux que cuisinait sa mère qu'il aurait mérité un autre nom. La jeune fille soupira. Elle n'osait pas imaginer ce qui avait pu arriver à ses parents, ou à son frère Rupert. En fait, tout ça était tellement terrifiant qu'elle osait à peine penser à quoi que ce soit. Elle se rassit près de la cheminée et se serra contre Simon. Lui, au moins, était sain et sauf, quoique encore contusionné.

Simon passa un bras autour de sa taille.

– Ne t'inquiète pas pour eux, Lu, dit-il. Il ne leur arrivera rien.

Mais Lucy continua à s'inquiéter, comme chacun derrière la Grande Porte rouge.

36
HORS LES MURS DU CHÂTEAU

Stanley fit cette nuit-là la chute la plus longue de son existence. La vie d'un rat est pleine de dangers, surtout celle d'un rat coursier, et Stanley était tombé de nombreuses fois, mais jamais d'aussi haut. Et on ne l'avait encore jamais poussé dans le vide.

Ce dernier point lui sauva probablement la vie. La surprise lui évita de se crisper pendant sa chute. Ainsi, lorsqu'il rebondit sur un buisson qui poussait dans une anfractuosité du mur de l'Enchevêtre pour atterrir – de justesse – sur un coussin plus touffu du buisson en question, trois mètres plus bas, ses petits os de rat résistèrent, alors qu'ils se seraient certainement brisés s'il avait raidi tous ses muscles dans l'attente du choc.

Il ne réagit pas immédiatement quand les branches

dépouillées du buisson se mirent à craquer sous son poids. Puis un craquement plus menaçant finit par le tirer de son étourdissement. D'un bond parfait, il se propulsa sur une pierre saillante juste avant que le buisson ne cède et ne bascule à son tour dans le vide. Ses griffes délicates fermement plantées dans le mur, le rat entama alors ce qu'il devait décrire plus tard (en de multiples occasions) comme la descente contrôlée la plus périlleuse de l'histoire du Château.

À cet endroit, le mur plongeait à pic dans la Rivière, mais heureusement pour Stanley, celle-ci était soumise à la marée, même à cette distance du Port. Le rat prit pied sur les blocs de roche moussus qui constituaient les fondations de l'Enchevêtre, glissa et s'enfonça dans la boue avec un « plouf » assourdi.

Il devait encore parcourir une longue route afin de regagner son domicile, trottant sur la berge chaque fois qu'il le pouvait, sautant de rocher en rocher, escaladant des épaves, bondissant au-dessus des flaques de boue quand il n'avait pas d'autre choix. Ce fut un périple sinistre et parfois terrifiant. À un moment, il lui sembla entendre un rugissement qui montait des profondeurs du sol. Ce bruit provoqua chez lui une vive émotion, mais comme il ne se reproduisait pas, il finit par se convaincre qu'il l'avait imaginé. Tout en cheminant, il jetait des coups d'œil vers le ciel, espérant apercevoir une lumière, mais apparemment, la seule fenêtre éclairée de tout le Château était celle qu'il avait laissée derrière lui, et il craignait qu'elle ne soit à présent éteinte. Cette obscurité effrayait Stanley. Les rats ne partagent pas l'amour des hommes pour les flammes et les illuminations ; ils préfèrent l'ombre, qui leur permet de fuir sans être vus. La lumière est pour eux synonyme de danger ; elle précède généralement l'apparition d'un humain hostile, brandissant un balai ou pire. Mais cette nuit-là, tandis qu'il traversait une nouvelle flaque de boue à l'aspect trouble et peu engageant, Stanley prit conscience d'une chose : par le passé, chaque fois qu'il levait les yeux vers une fenêtre éclairée, il savait que cette lumière indiquait une présence vivante. Quelqu'un avait allumé cette bougie et s'activait dans la pièce à sa clarté tremblante. Par contraste, toutes ces fenêtres éteintes donnaient l'impression que les habitants du Château avaient déserté celui-ci. Or, le rat a besoin de l'homme pour prospérer.

C'est donc un rat plein d'appréhension que nous retrouvons en train d'escalader la tour de guet de la porte Est, à la fois siège du Bureau des rats coursiers et domicile de Stanley et de sa famille. Stanley jeta un coup d'œil par une meurtrière et ne vit rien. En revanche, son nez ultrasensible capta des relents de pourriture mêlés à une odeur âcre de citrouille brûlée. Il arrivait trop tard : le **domaine ténébreux** avait envahi son refuge et retenait captif les quatre orphelins qu'il avait recueillis et aimait plus que tout au monde.

Aux yeux du profane, rien ne distinguait Sydney, Lydia, Faith et Edward – ou Syd, Di, Fay et Ed, ainsi que les appelait tout le monde hormis Stanley – de n'importe quel rat adolescent famélique et emprunté, mais pour leur père adoptif, ils incarnaient la perfection. Ils n'avaient que quelques jours quand il les avait découverts dans une cavité du mur d'enceinte du Château. Jusque-là, Stanley n'avait jamais manifesté le moindre intérêt pour les bébés. Pourtant, il avait ramené chez lui les petites créatures aveugles et presque nues et avait pris soin d'elles comme il l'aurait fait pour ses propres enfants. Il les avait nourries, épouillées, s'était fait un sang d'encre quand elles étaient sorties fouiller les poubelles sans lui pour la première fois. Quelques semaines plus tôt, il avait entrepris de leur transmettre les bases du métier de rat coursier. Ils étaient toute sa vie. Plus important encore, ils représentaient l'avenir et l'espoir de la profession. Hélas, il ne les reverrait plus. Accablé par le chagrin, Stanley lâcha prise et retomba au pied du mur.

Un cri strident s'éleva :

– Hé ! Fais gaffe, p'pa !

– Edward ! s'exclama Stanley. Le ciel soit loué !

– Dis, tu pourrais te bouger ? reprit Ed d'un ton bourru. Tu m'écrases la queue.

– Pardon.

Stanley se déplaça avec une grimace de douleur. Il n'avait plus l'âge de faire des chutes pareilles.

– Tout va bien, p'pa ? s'inquiéta Di.

– T'étais où ? demanda Fay.

– Oh ! P'pa, on avait peur que cette saleté t'ait eu...

Syd – le plus sensible des quatre – serra Stanley dans ses bras, achevant de le réconforter.

Assis en rang sur le chemin des Chats, l'étroite corniche qui longeait le pied de la tour de guet, les quatre jeunes rats écoutèrent leur père leur relater les événements des dernières heures dans un silence maussade.

– C'est grave, hein ? dit enfin Syd.

– La situation ne se présente pas très bien, en effet, admit

Stanley. Mais à en croire l'alchimiste – un brave type, soit dit en passant – nous ne risquons rien à l'extérieur des murs. Je m'inquiète davantage pour les malheureux rats piégés à l'intérieur. Dire que je venais à peine de compléter mon équipe de coursiers ! ajouta-t-il avec un soupir.

– On va où, maintenant ? demanda Ed, toujours impatient.

– Nulle part, Edward, à moins que tu aies envie de remonter le Fossé à la nage. Nous allons attendre le jour ici.

– Mais il fait froid ! protesta Di, observant d'un œil morne la chute des minuscules flocons.

– Pas autant que dans le Château, répliqua Stanley d'un air sévère. Il y a une cavité dans le mur un peu plus loin. Nous allons nous y abriter. Ça vous entraînera.

– À quoi ? gémit Fay.

– À devenir des rats coursiers sérieux et dignes de confiance, Faith.

Cette réponse souleva une vague de protestations qui retomba aussitôt : les jeunes rats étaient fatigués, terrifiés et soulagés d'avoir retrouvé leur père adoptif. Ce dernier les guida jusqu'à la cavité. Résignés à passer la nuit à la dure, ils s'entassèrent pêle-mêle à l'intérieur, reproduisant à leur insu la disposition dans laquelle Stanley les avait découverts, bébés.

S'étant assuré qu'ils étaient bien installés, Stanley annonça à contrecœur :

– Je dois encore faire quelque chose. Je n'en ai pas pour longtemps. Attendez-moi et, surtout, ne bougez pas !

– Y'a pas de danger, répondirent en chœur quatre voix ensommeillées.

Stanley se mit en route pour le chantier de Jannit Maarten, marmonnant pour lui-même :

– Combien de fois te l'ai-je dit ? Garde-toi comme de la peste des magiciens et des princesses ! À elle seule, la nôtre vaut au moins une demi-douzaine de magiciens. Chaque fois que tu as affaire à cette maudite race – surtout les Heap –, tu en es quitte pour passer la nuit à cavaler, quand tu pourrais rester bien au chaud dans ton lit...

Plus il progressait le long de la corniche, plus l'envie de rebrousser chemin le taraudait.

– Où cours-tu comme ça, espèce d'idiot ? Tout ça pour un de ces bons à rien de Heap... Tu n'as rien promis, je te signale. En réalité, tu n'as pas eu le temps de placer un mot. Et pourquoi, je te le demande ? Parce que la mère de cette engeance a essayé de te tuer, voilà pourquoi ! Et au cas où tu ne l'aurais pas remarqué, cervelle de mulot, il gèle à pierre fendre, tu risques de te briser le cou à chaque pas, et Dieu seul sait ce qui se passe à l'intérieur du Château. Avec ça, tu devrais avoir honte d'avoir laissé les enfants seuls, une fois de plus. Ne sont-ils pas tout aussi importants que ces casse-pieds de magiciens ? Par les moustaches de ma tante Sidonie, keskecékeça ?

Un rugissement féroce venait de briser le silence, et cette fois, sa source était proche – trop proche. En réalité, Stanley aurait juré qu'elle se trouvait juste au-dessus de lui. Plaqué contre le mur, il leva craintivement la tête. De rares étoiles à l'éclat voilé parsemaient le ciel d'un noir d'encre. Les murs du Château se dressaient derrière lui, et encore au-dessus, les maisons hautes et étroites qui dominaient le Fossé. Mais ça, il ne pouvait que le deviner, car il ne distinguait rien dans cette nuit absolue.

Il se demandait s'il pouvait repartir sans danger quand il se rendit compte que l'obscurité n'était pas aussi complète qu'il l'avait cru. Au-delà de la courbe que formait le mur, son œil exercé de rat avait décelé un vague reflet à la surface du Fossé. Cette faible lueur lui redonna courage. Estimant qu'elle provenait de sa destination – le chantier de Jannit Maarten –, il décida de s'acquitter de sa mission, même si elle l'obligeait à fréquenter une fois de plus ces bons à rien de Heap.

Quelques minutes plus tard, Stanley se frayait un chemin à travers le capharnaüm qui encombrait le chantier de Jannit Maarten, courant en direction de cette vision aussi rare qu'enchanteresse : une fenêtre éclairée. Certes, il ne s'agissait pas à proprement parler d'une fenêtre mais d'un hublot, et celui-ci appartenait à la barge du Port. Mais Stanley n'en avait cure : une lumière est une lumière, et là où il y a de la lumière, il y a de la vie.

L'écoutille de la cabine au hublot éclairé était fermée, mais il en fallait davantage pour décourager un rat coursier. Stanley sauta sur le toit, repéra la bouche d'aération – un simple tube coudé – et plongea à l'intérieur.

Nicko n'avait encore jamais entendu sa patronne crier. En réalité, il s'agissait moins d'un cri que d'un glapissement, bref et très aigu. Tellement aigu qu'on avait du mal à croire qu'il provenait de Jannit.

– Un rat... Là !

Jannit se leva d'un bond, empoigna la clé de serrage qui ne

la quittait jamais et abattit celle-ci sur le sol. Heureusement, Stanley avait de bons réflexes. Il évita la clé à la dernière seconde et se mit à agiter les bras, couinant :

– Rat coursier !

Jannit s'immobilisa, le bras levé, et considéra le rat qui venait de sauter sur la table, manquant de renverser la bougie allumée. Stanley avait les yeux fixés sur la clé. Toutes les personnes assises autour de la table le fixaient, lui.

Jannit Maarten – une petite femme robuste au visage hâlé, coiffée d'une longue tresse grise – abaissa lentement la clé. Stanley, qui avait retenu son souffle jusque-là, poussa un long soupir. Puis il regarda les visages curieux qui l'entouraient et un frisson le parcourut. Cette tension dramatique, cette sensation de pouvoir, c'était ce qu'il préférait dans ce métier.

Stanley balaya son auditoire d'un regard plein d'assurance, sachant qu'il ne risquait plus rien, du moins pendant quelques minutes. Puis il se tourna vers le destinataire du message, Nicko Heap, pour s'assurer de son identité. Là-dessus, il n'y avait aucun doute : avec la multitude de rubans mêlés à ses cheveux blonds et ses yeux verts de magicien, il l'aurait reconnu entre mille. Rupert Gringe était assis à ses côtés. Ses cheveux roux jetaient des reflets carotte à la lueur de la bougie, et pour une fois, il n'avait pas l'air renfrogné. Son visage arborait même un sourire tandis qu'il couvait du regard sa voisine, une jeune femme bien en chair. Stanley reconnut le capitaine de la barge du Port. Elle aussi était rousse, avec des cheveux plus longs et épais que ceux de Rupert, et son expression inhabituellement cordiale suscita un mélange d'étonnement et de méfiance chez le rongeur. La dernière fois qu'il l'avait vue, elle le visait avec une tomate pourrie. Moins dangereux qu'une clé de serrage, certes, mais quand même...

Nicko le tira brusquement de ses réflexions en demandant :

– C'est pour qui ?

– Hein ?

– Le message. Il est destiné à qui ?

– Hum !

S'étant éclairci la voix, Stanley se dressa sur ses pattes arrière :

– La situation... particulière et les circonstances y afférentes rendant inapplicable le protocole type, l'établissement ne garantit pas l'exactitude ou l'exhaustivité du présent message. Il ne vous sera demandé aucun règlement. Veuillez toutefois noter l'existence d'une boîte destinée aux dons sur la porte du Bureau des rats coursiers, à la tour de guet de la porte Est, près de la gouttière neuve. Le contenu de la boîte est relevé chaque soir à la fermeture...

– Quoi, c'est tout ? s'exclama Nicko. Tu es venu jusqu'ici pour nous parler d'une gouttière ?

– Quelle gouttière ? demanda Stanley, chez qui la parole précédait souvent la réflexion.

– Hé ! On s'est déjà rencontrés, reprit Nicko. Tu es Stanley, pas vrai ?

– En effet. Comment m'as-tu reconnu ? s'enquit le rat d'un ton soupçonneux.

Nicko sourit.

– Une simple intuition. Dis-moi, Stanley, qui est le destinataire du message ?

– Nicko Heap, répondit Stanley.

Pour une raison qui lui échappait, il se sentait vaguement froissé.

– Moi ? fit Nicko, surpris.

– Si tu es bien Nicko Heap, alors oui.

– Évidemment, que c'est moi ! Ce message, il dit quoi ?

Stanley prit une profonde inspiration et récita :

– « Va trouver Nicko – Nicko Heap – au chantier de Jannit, et dis-lui ce qui se passe. Dis-lui aussi où on est. S'il te plaît... »

Nicko devint tout pâle.

– Ça vient de qui ?

Stanley s'installa confortablement sur une pile de feuilles avant de répondre :

– Tu te doutes que je ne transmettrais pas ce genre de message pour n'importe qui, surtout compte tenu des circonstances. En l'occurrence, j'estime avoir moins agi en messager qu'en qualité de représentant personnel de... Ouch !

L'index de Nicko s'enfonça dans l'estomac rebondi du rat, qui protesta :

– Ça fait mal ! Pourquoi tant de violence ? Si je suis venu, c'est par pure bonté d'âme !

Nicko se pencha vers la table et planta son regard dans le sien.

– Stanley, si tu ne me dis pas tout de suite qui t'a chargé de ce message, je t'étrangle de mes propres mains. Compris ?

– Pigé. Capito. Reçu cinq sur cinq.

– Alors ?

– Le message vient de la princesse.

– Jenna ?

– Oui. La princesse Jenna.

Nicko se tourna vers ses compagnons. L'unique bougie placée au centre de la table projetait des ombres mouvantes sur leurs visages soucieux. Pendant quelques minutes, les pitreries de Stanley leur avaient fait oublier la situation, mais à présent, toutes leurs pensées étaient dirigées vers leurs familles et leurs amis à l'intérieur du Château.

– Où est Jenna ? reprit Nicko. Avec qui ? Est-ce qu'elle va bien ? Quand t'a-t-elle confié ce message ? Et comment as-tu...

Stanley l'interrompit à son tour :

– La journée a été longue, lança-t-il d'un ton las, et j'ai vu des choses que je préférerais oublier. Je te dirai tout ce que je sais, promis. Mais d'abord, j'aurais besoin d'un remontant. Une tasse de thé et un biscuit feront l'affaire.

Maggie fit mine de se lever, mais Rupert la retint.

– Pour toi aussi, la journée a été longue, lui dit-il. Je m'en charge.

Le silence retomba, à peine troublé par les sifflements discrets du petit poêle, puis un rugissement soudain et terrifiant monta des profondeurs de la nuit.

37
Entre frères

Les réfugiés derrière la Grande Porte rouge dormaient d'un sommeil léger sur les tapis et les coussins dépareillés. À deux reprises, Tonnerre (qui ne devait pas uniquement son nom à sa robe couleur d'orage) les avait réveillés en émettant des bruits inconvenants, mais après avoir vivement protesté et agité l'air pour chasser l'odeur, chacun avait fini par se rendormir.

Jenna avait retrouvé son minuscule lit-armoire et ses vieilles couvertures râpées. Quelle différence avec le lit à baldaquin, les draps en lin et les fourrures dont elle jouissait au palais ! Pourtant, c'est avec un bonheur sans nom qu'elle s'était glissée à l'intérieur. Agenouillée sur son matelas, elle avait passé de longues minutes à contempler le ciel et la Rivière à travers la lucarne, comme elle le faisait chaque soir, enfant.

Mais entre l'absence de lune et les épais nuages de neige qui occultaient les étoiles, elle n'avait pas vu grand-chose. Elle ne se rappelait pas qu'il faisait aussi froid à l'intérieur de l'armoire. Toutefois elle ne tarda pas à s'endormir, couchée en chien de fusil (le lit était trop court pour elle à présent), enroulée dans les couvertures usées, son manteau de princesse doublé de fourrure et la cape qui attestait sa nouvelle qualité de sorcière.

Septimus et Marcellus se relayaient toutes les deux heures pour monter la garde. Vers quatre heures du matin, le **domaine ténébreux** envahit la Première Allée et Venue. Septimus réveilla alors l'alchimiste. Durant de longues minutes, ils virent la porte plier sous la pression, toutefois elle tint bon.

La Grande Porte rouge ne devait pas uniquement sa résistance à Septimus. Benjamin Heap l'avait lui-même imprégnée de **Magyk** pour garantir la sécurité de ses petits-enfants avant d'en confier la clé à son fils, Silas. Si ses **sorts protecteurs** étaient inefficaces contre les ennemis que les Heap avaient le malheur d'inviter à entrer (telle la matrone qui avait enlevé Septimus), ils arrêtaient les autres indésirables. Benjamin n'en avait jamais parlé à Silas, craignant que celui-ci n'en déduise qu'il n'avait pas confiance dans ses talents de magiciens – c'était le cas – mais Sarah l'avait depuis longtemps deviné.

Le **domaine ténébreux** insista, s'acharnant sur la porte comme il le faisait simultanément sur les trois autres endroits du Château qui lui résistaient toujours : la tour du Magicien, le cabinet hermétique et la **chambre secrète** de la Grotte-

Gothic où s'étaient réfugiés Igor, Matt, Marcus et Marissa. Mais pour l'heure, les occupants de l'appartement derrière la porte rouge n'avaient rien à craindre. Et quand les premières lueurs de l'aube filtrèrent à travers les vitres poussiéreuses, Septimus et Marcellus baissèrent leur garde et s'assoupirent près de l'âtre où rougeoyaient des braises.

Sarah Heap s'éveilla avec le jour, fidèle à son habitude. Elle étira son cou endolori – elle avait passé la nuit sur un tapis élimé, avec un coussin aussi dur qu'une pierre pour oreiller –, s'approcha de la cheminée d'une démarche raide, enjambant Marcellus, et glissa délicatement un coussin sous la tête de Septimus. Puis elle plaça une bûche sur les braises et assista au réveil des flammes en se frottant les bras. Elle remercia intérieurement Silas pour les réserves qu'il avait entreposées dans l'appartement : les bûches empilées avec soin sous le lit de Jenna, les couvertures, tapis et coussins, les deux placards pleins de conserves de fruits et de légumes, les **MagiSticks** qui, une fois reconstitués grâce au **charme** que Silas avait glissé sous la boîte, leur fourniraient de délicieux bâtonnets de viande ou poisson séché. Il avait même réussi à réparer les latrines ! Le piètre état des sanitaires faisait partie des points faibles de l'Enchevêtre, et les lieux d'aisances – de minuscules cabanes adossées aux maisons, au-dessus du vide – étaient le plus souvent impraticables. Pendant des années, ces problèmes avaient empoisonné le quotidien de leur famille, mais c'était terminé. Ce dernier détail, s'ajoutant à la découverte, la veille au soir, d'un **ondin** dissimulé au fond d'un placard, avait empli le cœur de Sarah de nostalgie et de tendresse pour son époux. Elle aurait aimé pouvoir le remercier de vive voix et s'excuser pour toutes les fois où elle lui avait reproché de disparaître sans dire où il allait. Surtout, elle aurait voulu lui faire savoir qu'elle était saine et sauve.

Sarah sortit l'**ondin**, le posa sur le placard où elle l'avait trouvé et sourit. Elle comprenait pourquoi Silas l'avait caché, car le petit homme barbu y était représenté dans une attitude inconvenante. Mais peu importait, du moment que le filet qui s'en écoulait à la demande leur permettrait de remplir leur bouilloire. La question de l'approvisionnement en eau était le principal souci de Sarah et avait motivé son expédition périlleuse au puits. À présent, grâce à Silas, ils étaient assurés de ne pas en manquer.

Elle accrocha la bouilloire remplie au-dessus du feu et attendit que l'eau soit chaude, comme elle l'avait fait chaque matin durant de nombreuses années. Elle appréciait alors ces trop rares moments de calme et de solitude. Quand les enfants étaient encore petits, elle en avait souvent un ou deux assis à ses pieds dans un demi-sommeil, mais ils se tenaient généralement tranquilles. Plus âgés, ils restaient tous couchés jusqu'à ce qu'elle donne le signal du lever en frappant le flanc de la marmite de porridge avec la cuillère. Elle ôtait la bouilloire du feu juste avant qu'elle ne siffle et se préparait une tasse de thé qu'elle dégustait en contemplant les formes endormies tout autour de la pièce, comme elle le fit de nouveau ce matin-là... À la différence que Tonnerre avait marqué sa présence en déposant sur le tapis un tas de crottin frais qui gâchait un peu l'ambiance.

Elle s'arma d'une pelle et balança par la fenêtre les excréments encore fumants. Penchée vers l'extérieur, elle respira à pleins poumons l'air tonifiant chargé d'effluves de neige et de vase. Elle revit leur famille fêtant le solstice d'hiver, et ces souvenirs heureux en firent surgir d'autres, vieux de quatorze ans, qui l'étaient beaucoup moins. Elle se tourna ensuite vers son plus jeune fils et se dit que quoi qu'il arrive, il aurait passé au moins une nuit dans la pièce où il aurait dû grandir.

Elle vit le soleil pointer au-dessus des lointaines collines et darder ses pâles rayons à travers les branches des arbres dépouillés au-delà de la Rivière. Avec un soupir, elle songea qu'il était doux de voir se lever un jour nouveau. Mais qui pouvait dire ce que celui-ci lui apporterait ?

La journée commença par une nouvelle dispute entre Simon et Septimus.

Ce dernier s'était retiré près de la bibliothèque avec Marcellus afin de rechercher des informations sur les **domaines ténébreux**. Ils n'avaient rien trouvé d'utile : Silas possédait surtout des manuels d'instruction et des éditions bon marché d'ouvrages savants, amputés des passages les plus intéressants, comme il se doit.

Septimus venait pourtant de dénicher une mince brochure cachée derrière un exemplaire taché d'encre de *Magyk troisième année : canules, caquetiers et casse-pieds* quand Simon s'approcha, désireux de vérifier si certains de ses anciens livres de chevet figuraient toujours sur les étagères. Ce faisant, son regard tomba sur le titre de la brochure : *Le Pouvoir occulte de la bague à deux faces.*

Septimus se plongea dans sa lecture :

La bague à deux faces est un artefact ténébreux *très dangereux et fondamentalement vicié. Traditionnellement, on la porte au pouce gauche. Une fois en place, on ne peut l'enlever qu'« en sens* contraire », *c'est-à-dire par la base du pouce. On suppose que ses deux visages représentent ses créateurs. Chacun désirant s'approprier la bague, ils s'affrontèrent à mort. (À ce sujet, on lira avec profit l'ouvrage que nous avons consacré à la formation du Tourbillon sans fond de la Crique funeste. En vente six groats au Bouquin enchanté.) Par la suite, la bague connut plusieurs propriétaires successifs, semant le chaos et la désolation partout où elle passait. On lui attribue un rôle majeur dans la Grande Marée verte qui faillit engloutir le Port, les nombreuses attaques de serpents de rivière contre l'Enchevêtre, voire dans l'apparition de la* Fosse ténébreuse *sur laquelle fut élevé le dépotoir communautaire du Château. Chacun de ses propriétaires acquiert en même temps qu'elle le pouvoir accumulé par ses prédécesseurs. Toutefois, elle n'atteint sa pleine puissance qu'après avoir été portée pendant treize mois lunaires. Certains la prétendent toujours active, mais nous n'en croyons rien : cela fait plusieurs siècles qu'on n'a pas entendu parler de la bague à deux faces, ce qui nous porte à croire qu'elle est irrémédiablement perdue.*

– Intéressant, commenta Simon, qui avait lu par-dessus l'épaule de son frère. Mais pas entièrement exact.

La réponse de Septimus fut aussi brève que brutale :

– Casse-toi !

– Hum ! fit Marcellus.

– Je voulais juste aider, se défendit Simon. On cherche tous comment nous débarrasser du **domaine ténébreux**.

– Nous, oui, lui rétorqua Septimus, regardant ostensiblement Marcellus. Mais toi ?

Simon soupira, ce qui énerva encore plus Septimus.

– Je te l'ai dit, je ne trempe plus dans ces trucs-là.

– Ben voyons !

Marcellus se manifesta de nouveau, sans plus de succès que la première fois :

– Apprenti, rappelle-toi ce que tu as promis à ta mère...

– J'ai fait une erreur, d'accord ? reprit Simon, exaspéré. Une grave erreur, je te l'accorde, mais depuis, je m'efforce de réparer le mal que j'ai causé. Je ne vois pas ce que je pourrais faire de plus. Et je pourrais vous être très utile. J'en sais plus sur... ce *truc* que vous deux réunis.

– Là, je te crois ! ironisa Septimus.

– Apprenti, tu serais bien inspiré de te calmer et de...

Simon laissa exploser sa colère :

– Tu t'imagines tout savoir parce que tu es le chouchou de Marcia, mais tu te trompes !

– Ne me parle pas sur ce ton !

Sarah apparut subitement à leurs côtés.

– Qu'est-ce que je vous ai dit, les garçons ?

– Pardon, maman, marmonnèrent Simon et Septimus, échangeant des regards furieux.

Marcellus s'efforça une fois de plus d'arrondir les angles :

– La situation est grave, apprenti. Et dans les situations graves, toutes les aides sont les bienvenues. Simon a l'avantage de bien connaître la **Ténèbre**, et...

– Tu l'as dit ! murmura Septimus.

– ... et je suis convaincu qu'il a changé, poursuivit Marcellus, feignant de n'avoir rien entendu. Si l'un de nous sait comment vaincre un **domaine ténébreux**, c'est lui. Inutile de faire cette tête, Septimus !

– Peuh !

– Nous devons tenter tout ce qui est en notre pouvoir. Nous ignorons beaucoup de choses. Combien de temps allons-nous pouvoir repousser la **Ténèbre** ? Quelles sont les chances de survie des malheureux que le **domaine** a engloutis ? Et la tour du Magicien ? Jusqu'à quand tiendra-t-elle ?

– La tour peut tenir éternellement, affirma Septimus.

– Honnêtement, j'en doute. Et quand bien même ce serait vrai, elle deviendrait une île perdue au milieu d'un océan de mort.

– Non !

– Crois-le bien, apprenti, plus longtemps le **domaine** demeurera en place, plus cette prophétie risque de se réaliser. La plupart de ses prisonniers mourront au bout de quelques jours. D'autres, peut-être les moins chanceux, survivront mais y laisseront la raison. Nous avons le devoir de tout faire pour empêcher cela. N'es-tu pas de cet avis ?

Septimus acquiesça à contrecœur, sachant ce qu'allait dire ensuite Marcellus.

Et en effet :

– C'est pourquoi je suis favorable à ce que nous acceptions l'aide de ton frère.

Cette idée était insupportable à Septimus.

– On ne peut pas lui faire confiance, protesta-t-il.

– Je suis persuadé du contraire, apprenti.

– C'est faux ! Il trafique avec la **Ténèbre** en connaissance de cause !

Marcellus sourit :

– Comme nous, tu veux dire ?

– Nous, c'est différent.

– Ton frère aussi est différent.

– Ça, c'est sûr !

– Ne fais pas semblant de ne pas comprendre, reprit Marcellus d'un ton sévère. Simon a commis des erreurs. Il l'a chèrement payé, et il le paie encore.

– Bien fait pour lui !

– Je te trouve bien vindicatif. C'est un défaut qui sied mal à quelqu'un d'aussi doué. Tu devrais te montrer plus magnanime dans la victoire.

– Quelle victoire ?

– À ton avis, qui de vous deux a le sort le plus enviable ? Toi, Septimus Heap, l'apprenti extraordinaire promis à un brillant avenir, aimé et respecté de tout le Château, ou Simon Heap, le paria, condamné à mener une existence précaire au Port ?

Septimus n'avait pas considéré les choses sous cet angle. Il lança un coup d'œil à son frère qui regardait par la fenêtre, seul dans son coin. Pour rien au monde il n'aurait échangé sa place contre la sienne.

– C'est bon, marmonna-t-il.

C'est ainsi que Sarah eut la surprise de voir son aîné et son benjamin passer les heures qui suivirent tranquillement assis au pied de la bibliothèque de Silas, en grande conversation avec Marcellus Pye (lequel venait de monter de plusieurs crans dans son estime). Parfois, l'un d'eux prenait un livre sur les rayonnages, mais la plupart du temps, ils restaient côte à côte en bonne intelligence.

À la tombée de la nuit, Septimus et Marcellus avaient beaucoup appris de Simon. Le jeune homme leur avait raconté dans quelles circonstances il avait vu la bague à deux faces pour la dernière fois – au doigt du squelette de son ancien maître, DomDaniel, alors que celui-ci s'apprêtait à l'**assécher** –, et comment il avait réussi à enfermer le paquet d'os visqueux dans un sac qu'il avait jeté dans le placard sans fond de l'observatoire. C'était probablement là que Merrin l'avait récupérée, en l'arrachant du pouce de DomDaniel « en sens **contraire** ». (Tous les trois avaient frissonné en tentant d'imaginer la scène.)

Septimus était convaincu qu'il leur suffirait d'ôter la bague du pouce de Merrin pour faire disparaître le **domaine ténébreux**, mais Simon l'avait détrompé : une fois le domaine en place, seule la **Magyk** la plus puissante pourrait le déloger. Quand il avait mentionné les **codes appariés**, Marcellus leur avait relaté à contrecœur les événements survenus au Manuscriptorium, suscitant un silence maussade.

– Il existe peut-être un autre moyen, déclara Simon au bout d'un moment. Un lien magique unit les apprentis successifs d'un même magicien extraordinaire. Alther et Merrin ont tous les deux eu DomDaniel pour maître. Il y a une chance infime pour qu'Alther puisse **défaire** le **domaine ténébreux**, celui-ci étant l'œuvre d'un apprenti moins expérimenté. Seulement...

– Oui ? fit Septimus, qui avait écouté avec attention.

C'était la première fois qu'il adressait la parole à son frère autrement que pour l'accuser.

– Je ne suis pas certain que ça marche avec un fantôme, acheva Simon.

– Mais c'est possible ?

– Possible… ou pas.

La décision de Septimus était prise : il pénétrerait dans le **palais obscur** et ramènerait Alther. Peu importait que ce dernier ait ou non le pouvoir qu'évoquait Simon. Lui saurait quoi faire, Septimus en était persuadé. Il représentait leur seul espoir.

Il se lança :

– Marcellus, vous avez dit qu'il existait plus d'un **portail** pour accéder au **palais obscur**, vous vous rappelez ?

– En effet, répondit Marcellus, redoutant ce qui allait suivre. Et donc… ?

– Je voudrais que vous m'indiquiez le plus efficace, afin que j'aille chercher Alther.

– Tu ne peux pas faire ça ! s'exclama Simon, horrifié.

– Si, je le peux. De toute manière, j'avais déjà l'intention d'y aller avant que tout ceci n'arrive.

– Septimus, sois très prudent. C'est la raison pour laquelle je t'ai écrit – hormis le fait que je tenais à m'excuser de… d'avoir essayé de te tuer. Ce que je regrette sincèrement. Tu me crois, j'espère ?

– Oui, je te crois. Et je te remercie.

– Eh bien, je ne souhaite pour rien au monde voir mon petit frère trafiquer avec la **Ténèbre**. Elle est redoutable, tu sais. Elle t'attire à elle et te transforme à ton insu. Et elle n'est nulle part aussi puissante que dans le **palais obscur**.

– Je n'ai aucune envie d'aller là-bas, crois-moi. Mais c'est là que se trouve Alther. S'il y a une chance, même minuscule, pour qu'il puisse nous aider, alors je ne la laisserai pas échapper. En plus, j'ai promis à Alice de le ramener. Et une promesse est une promesse.

Simon abattit sa dernière carte :

– Et maman, qu'est-ce qu'elle va en penser ?

– Qu'est-ce que je vais penser de quoi ? lança l'intéressée à travers la pièce.

Sarah avait l'ouïe aussi fine qu'un chat dès que ses enfants parlaient d'elle.

– De rien, m'man, répondirent les deux garçons à l'unisson.

Entre-temps, Marcellus avait exhumé de la bibliothèque l'édition de poche de l'almanach qui constituait la dernière partie de son livre, *Moi, Marcellus*. Il l'ouvrit au chapitre intitulé « Calcul des coordonnées géographiques et géodésiques des différents portails ».

La nuit était à présent tombée. Septimus **appela** de nouveau Boutefeu, sans grand espoir. Le silence qui suivit sa tentative l'emplit d'angoisse, mais il s'efforça de n'en rien montrer.

Sarah prépara le dîner avec l'aide de Lucy, qui voulait apprendre à cuisiner un ragoût digne de ce nom. Après le repas, Septimus, Simon et Marcellus, revigorés par le ragoût, se replongèrent dans leurs calculs. Il ne leur fallut pas longtemps pour obtenir les coordonnées du principal portail d'accès au **palais obscur**. Aucun d'eux ne fut vraiment étonné en découvrant son emplacement.

Durant la soirée, le vent se mit à souffler du nord-est, faisant trembler les vitres. Enveloppés dans leurs couvertures pour se protéger des courants d'air, les réfugiés se préparèrent à passer une deuxième nuit derrière la Grande Porte rouge.

Peu après minuit, une **créature** parvint à la Première Allée et Venue. Elle considéra la porte avec intérêt, appliqua ses mains décharnées sur le panneau d'un rouge vif et grimaça au contact du **camouflage**. À l'insu de Marcellus – qui était censé veiller mais avait brièvement cédé au sommeil – la porte frémit et ses gonds grincèrent légèrement.

La **créature** s'éloigna le long du corridor, marmonnant des imprécations **ténébreuses**.

38
La baille à cochon

Sitôt après le départ de Stanley, Nicko s'était mis en route afin d'aller secourir Jenna et ses compagnons. Il ne souhaitait pas s'encombrer de la barge du Port, mais il avait été mis en minorité. Même Jannit s'était rangée à l'avis de Rupert et de Maggie. Ils risquaient de découvrir d'autres réfugiés, avait-elle plaidé, et la barge ne serait alors pas de trop pour les évacuer. En outre, ils n'avaient pas le choix : à cette saison, la plupart des bateaux dont ils avaient la garde étaient en cale sèche. Nicko s'était incliné à contrecœur, et il l'avait rapidement regretté : la baille à cochon, comme il n'avait pas tardé à rebaptiser la barge, s'était révélée le boulet qu'il redoutait.

Pour commencer, ils avaient dû faire un long détour car la portion du Fossé comprise entre le chantier et l'Enchevêtre n'était pas navigable pour la barge du Port. Pour ne rien arranger, ils avaient le vent en face, et l'étroitesse du Fossé gênait la marche du bateau, peu maniable. Debout de chaque côté du pont, Nicko et Rupert la faisaient avancer à l'aide d'une longue perche. Si le reflux facilitait un peu leur progression, celle-ci n'en était pas moins désespérément lente et leur laissait tout le loisir d'observer le Château enveloppé de **Ténèbre**.

– On dirait que tout le monde est... parti, murmura Maggie à Rupert.

Elle n'avait pas osé prononcer le mot qui lui brûlait les lèvres. Pourtant, elle ne voyait pas comment quiconque aurait pu survivre à l'intérieur du Château. Elle avait hâte de lever l'ancre pour regagner le Port avec Rupert.

Nicko poussait de toutes ses forces sur l'aviron, propulsant la barge en direction du rocher du Corbeau, centimètre après centimètre, et attendant impatiemment le moment où ils pourraient hisser les voiles. Mais juste comme ils atteignaient l'endroit où le Fossé rejoignait la Rivière, la barge échoua sur la Souille, un banc de vase bien connu des marins. C'en était trop !

Malgré les efforts des deux jeunes gens, arc-boutés sur leurs avirons conçus spécialement pour cet usage, « cette maudite saleté de baille à cochon », comme l'appelait Nicko en fulminant, refusa de bouger.

Maggie était mortifiée. Un enlisement représente une tache indélébile sur la réputation d'un capitaine d'embarcation. Dans son malheur, elle se réjouissait que cette mésaventure ne lui soit pas arrivée avec une barge pleine de passagers et d'animaux dont elle aurait dû supporter les plaintes, les protestations, les aboiements et les hennissements durant de longues heures. En outre, le fond plat du bateau était prévu pour reposer sur la vase. Tout compte fait, ils avaient évité le pire.

Nicko et Rupert n'étaient pas de cet avis. Ils fixaient désespérément l'eau sombre et boueuse, songeant que chaque minute qui s'écoulait augmentait le danger pour Jenna, Sarah, Septimus et Lucy. (Ils avaient oublié Marcellus, et ni l'un ni l'autre ne se souciaient du sort de Simon.) Ils se raccrochaient à l'espoir de les revoir vivants, mais celui-ci s'amenuisait à mesure que la marée descendait.

Impuissants, ils finirent par se rasseoir et contemplèrent le Château, évitant de se demander quel genre de créature poussait par moments un rugissement qui leur donnait la chair de poule. Leur seule consolation résidait dans la clarté indigo et pourpre qui, leur avait expliqué Nicko, émanait du **dôme** protégeant la tour du Magicien.

À minuit, le sens de la marée s'inversa. Sur les plages du Port, les rigoles creusées dans le sable s'emplirent d'eau salée. Dans le silence de la nuit, celle-ci envahit ensuite les bassins de mouillage et remonta le cours de la Rivière. Vers trois heures, la barge bougea très légèrement. Accompagnés par un nouveau rugissement échappé du Château, Rupert et Nicko empoignèrent leurs avirons et poussèrent de toutes leurs forces. Dix minutes plus tard, ils reprenaient enfin leur lente progression vers la Rivière. Jannit fit la remarque qu'ils étaient un peu trop proches du rocher du Corbeau. Maggie donna un coup de gouvernail à droite, toutefois, la barge continua à se traîner, et à l'approche du rocher, sa coque rencontra un obstacle.

Jannit comprit immédiatement qu'ils venaient de heurter un des Becs-de-corbin, une ligne de récifs situés dans le prolongement du rocher du Corbeau. Maggie, quant à elle, se sentait d'autant plus humiliée qu'elle avait sèchement remis Jannit à sa place quand elle lui avait signalé le danger.

Rupert et Nicko se précipitèrent à la cale. L'eau entrait à flots par une brèche. Rupert fut horrifié, mais Nicko savait d'expérience qu'une voie d'eau est souvent moins grave qu'il n'y paraît. Et en effet, après avoir colmaté la brèche à l'aide d'une voile de secours, ils constatèrent que le trou était à peine plus gros que le poing de Rupert. La toile rouge s'assombrissait à vue d'œil pendant qu'elle s'imprégnait d'eau. Celle-ci s'écoulait toujours dans la cale, mais au goutte à goutte, ce qui laissait aux deux jeunes gens le temps de l'évacuer avec un seau.

Un bateau qui prend l'eau doit regagner la rive au plus vite. Ils décidèrent de conduire la barge au débarcadère le plus proche, côté Château – aucun d'eux ne voulait prendre le risque de l'amarrer côté Forêt en pleine nuit. Pendant que les deux garçons écopaient, Maggie et Jannit joignirent leurs forces pour manœuvrer le gouvernail exceptionnellement rétif. En temps normal, les lumières du palais offraient un repère aux marins. Mais tandis qu'ils se dirigeaient vers la berge, ils ne voyaient qu'un bloc d'obscurité pure à l'emplacement du vaste bâtiment.

– On dirait qu'il n'est plus là, murmura Jannit.

Le temps qu'ils atteignent le débarcadère – toujours visible, lui – tous commençaient à regretter leur décision. Nicko dirigea une lanterne vers la berge. Le faisceau puissant se brisa contre ce qui ressemblait à un banc de brouillard. Mais alors que le brouillard ordinaire réfléchit la lumière, celui-ci semblait l'attirer à lui pour l'étouffer, songea Nicko avec un frisson.

– Je ne crois pas qu'on devrait approcher, dit-il. Ce n'est pas prudent.

Maggie, qui craignait de voir couler son bateau, lui objecta qu'ils n'étaient pas plus en sécurité sur la Rivière. Elle donna un vigoureux coup de gouvernail à droite – la barge se montrait toujours aussi contrariante –, en direction du débarcadère.

Soudain une voix spectrale se propagea à la surface de l'eau :

Prenez garde... Fuyez, fuyez ce lieu de désolatiooooon...

Ils échangèrent des regards. Tous les quatre paraissaient livides dans la lumière de la lanterne.

– Je vous l'avais dit ! s'exclama Nicko. On ferait mieux d'aller ailleurs.

Maggie, qui n'avait plus confiance dans ses propres décisions, rétorqua d'un ton coupant :

– D'accord, mais où ? On ne peut pas aller loin. Et si c'est pareil partout, on fait quoi ?

Nicko avait réfléchi à la question. Grâce à Stanley, il savait qu'ils avaient affaire à un **domaine ténébreux**. Écolier, il ne s'était jamais montré très assidu aux cours de **Magyk** – dès qu'il l'avait osé, il avait pris l'habitude de les sécher pour se rendre au chantier de Jannit –, toutefois certaines comptines mnémotechniques étaient restées gravées dans sa mémoire.

Par exemple :

À la claire fontaine
Un ténébreux domaine
Se morfond et enrage
Car l'eau lui fait barrage.

Ou encore :

Ah ! Mon beau Château
Que tes murs sont hauts !
Si elle vient d'ailleurs
La Ténèbre *n'y entre point*
Si elle surgit à l'intérieur
La Ténèbre *n'en sort point.*

– Ce ne sera pas pareil partout, affirma Nicko, répondant à Maggie. Cette cochonnerie ne peut franchir ni la Rivière ni le mur du Château. C'est pour ça qu'elle a épargné le chantier. Je propose qu'on aille chez Sally Mullin. Sa taverne se trouve à l'extérieur du mur. Amarrée au Quai Neuf, ta barge sera en sécurité. En plus, il y a des chances qu'on trouve un bateau de rechange là-bas. T'en penses quoi ?

Maggie ne pensait pas grand-chose du plan de Nicko, mais comme elle n'en avait pas de meilleur, elle hissa les voiles avec l'aide de Jannit et entreprit de diriger la barge vers le milieu de la Rivière.

C'est alors qu'ils découvrirent que le gouvernail était coincé. La barge n'était pas sortie indemne de sa rencontre avec le banc de vase. À présent, elle ne pouvait tourner qu'à droite, ce qui expliquait qu'elle ait heurté les récifs. Elle dérivait vers le chenal du Corbeau, au désespoir de ses passagers, quand le contre-courant la repoussa vers les remous au pied du rocher, l'éloignant du Château. Malgré les efforts de Nicko et Rupert, arc-boutés sur les avirons, la « baille à cochon » filait droit vers la Forêt. À l'approche du lacis d'arbres qui couvrait les berges surélevées, des grognements et des cris terrifiants parvinrent à leurs oreilles. Au moins, fit remarquer Nicko, c'étaient là des bruits « normaux », préférables au silence surnaturel du Château, ponctué de rugissements à glacer le sang.

Apparemment, la chance était de leur côté : la barge s'échoua de nouveau, cette fois sur des galets, à une distance suffisante de la berge et de la Forêt.

Maggie insista pour prendre le premier tour de garde.

– Je suis le capitaine de ce bateau, dit-elle d'un ton ferme, coupant court aux protestations de Rupert. Et puis, vous avez besoin de repos. Il faudra que vous soyez en forme demain, pour vous occuper du gouvernail.

Nicko, Rupert et Jannit passèrent presque toute la journée suivante à réparer le gouvernail. Ce travail ne leur aurait causé aucune difficulté au chantier, mais sans les outils adaptés, il leur prit plus de temps que prévu. Si l'on ajoute à cela le froid et l'humidité, on comprendra que la tension qui régnait à bord ait augmenté au fil des heures, malgré les tournées de chocolat chaud dont les régalait Maggie.

Le soleil était déjà bas sur l'horizon quand la barge quitta enfin le banc de galets pour remonter la Rivière en direction du Quai Neuf. Passé le rocher du Corbeau, ils virent le Château **enténébré** pour la première fois en plein jour, et ce spectacle leur causa un choc. La nuit, seule l'absence de lumières trahissait la présence du **domaine**, tandis que le grand jour révélait toute l'étendue du désastre. Un dôme de nuées sombres coiffait les murs du Château, masquant le fouillis des toits et des cheminées, les tours et les tourelles qui semblaient saluer les bateaux en approche. On aurait dit, songea Nicko, un oreiller noir plaqué sur le visage d'un innocent dormeur. Toutefois, une lueur d'espoir brillait dans cet océan de noirceur : nimbée de son halo magique, la tour du Magicien émergeait – tout juste – du brouillard, répandant autour d'elle une vive clarté indigo et pourpre, semblable à un défi. Nicko et Rupert échangèrent un sourire crispé : tout n'était pas perdu.

La taverne et salon de thé de Sally Mullin resplendissait dans le crépuscule. Cette vision réchauffa le cœur de Nicko et lui confirma qu'il avait raison au sujet du **domaine**. Quand ils furent plus près, ils distinguèrent de nombreuses silhouettes à travers les fenêtres embuées du long bâtiment en bois. Apparemment, tous ceux qui avaient pu fuir la **Ténèbre** s'étaient réfugiés là. Les passagers de la barge se sentirent subitement moins seuls.

Mais alors qu'ils accostaient, un rugissement plus fort que tous les précédents s'échappa des murs du Château. Rupert et Nicko échangèrent de nouveau un regard, sans l'ombre d'un sourire cette fois, et chacun devina ce que l'autre avait en tête : qui aurait pu survivre dans un pareil enfer ?

39
LA LONGUE DESCENTE

La nuit se poursuivait derrière la Grande Porte rouge. Le rougeoiement des braises dans l'âtre éclairait faiblement les silhouettes des dormeurs enroulés dans leurs couvertures. Dehors, le vent soufflait fort et secouait les vitres des fenêtres.

Soudain, le rêve de Sarah se transforma en cauchemar. Elle se réveilla en sursaut, criant :

– Ethel !

– Maman, tu te sens bien ? demanda Simon, qui s'était assoupi durant son tour de garde.

– J'ai rêvé... commença Sarah d'un ton troublé. J'ai rêvé qu'on m'étranglait. Et Ethel... Oh ! Pauvre Ethel...

Simon se leva d'un bond. Une mince volute de **brouillard ténébreux** s'infiltrait sous la porte de Benjamin Heap.

– Debout ! hurla-t-il. Debout, tout le monde !

Tous se réveillèrent aussitôt. Tonnerre poussa un hennissement sourd.

Septimus se rua vers la porte, mais Marcellus le retint.

– N'y touche pas, apprenti ! C'est dangereux... Et de toute manière, il est trop tard.

Septimus s'arrêta net. Un autre filet de brume s'insinuait entre le battant et le chambranle. Marcellus avait raison : il était trop tard.

Jenna poussa la porte du lit-armoire, les cheveux en désordre, le menton enfoui dans le col de sa cape de sorcière.

– Qu'est-ce qui se passe ? demanda-t-elle d'une voix ensommeillée, craignant de connaître la réponse.

– C'est en train d'entrer, expliqua Septimus.

Au même moment, une bouffée de **Ténèbre** jaillit du trou de la serrure avec une telle force qu'on aurait dit qu'elle provenait d'un soufflet.

– Il faut partir immédiatement, annonça Marcellus. Tout est prêt, Sarah ?

– Oui, répondit la mère de Septimus d'un ton plein de regret.

Un rouleau de corde reposait par terre au pied de la fenêtre. La veille, ils en avaient attaché l'extrémité au meneau central avant de l'enrouler autour de la cheminée de pierre qui occupait le centre de la pièce et de l'y fixer au moyen d'un nœud impressionnant. Sarah ouvrit la fenêtre et eut le souffle coupé par une rafale glacée. Ce n'était pas un temps à mettre le nez dehors, et encore moins à entreprendre une descente d'une centaine de pieds le long d'un mur exposé au vent du nord, mais ils n'avaient pas le choix. Avec l'aide de

Jenna, Sarah souleva le rouleau et le fit basculer dans la nuit. Elles reculèrent et regardèrent la corde se tendre à travers la pièce tandis que son extrémité se déroulait dans le vide.

Simon s'approcha de Tonnerre et lui murmura :

– Adieu, mon garçon... Adieu, et pardon.

Il sortit de sa poche une poignée de pastilles de menthe qu'il offrit au cheval. Celui-ci frotta son nez contre sa paume, puis contre son épaule. Oubliant un instant la promesse qu'il avait faite à Lucy, le jeune homme tenta sur Tonnerre un **sort d'endormissement** avec juste la dose de **Ténèbre** nécessaire à sa survie. Le cheval s'étendit sur le meilleur tapis de la pièce et ferma les yeux. Simon étala une couverture sur lui avec des gestes tendres.

Quand ils avaient planifié leur évasion, ils avaient décidé de quitter l'appartement par ordre décroissant d'importance pour la sécurité du Château. Simon était le troisième sur la liste. Venaient ensuite Sarah et enfin Lucy, mais le jeune homme avait insisté pour sortir le dernier. Il était hors de question qu'il laisse sa mère et sa fiancée seules face à la **Ténèbre**. Tandis que Septimus et Marcellus s'approchaient de la fenêtre, Simon, assis près de Tonnerre, se demandait s'il allait demeurer prisonnier du **domaine** avec celui-ci quand une nouvelle volute de brume se glissa sous la porte.

– Il est temps, apprenti, dit Marcellus.

Septimus prit une profonde inspiration et se pencha par la fenêtre. La corde se déroulait le long du mur de pierre brute avant de disparaître dans la nuit. Il l'avait lui-même fabriquée la veille, en **transformant** trois tapis, deux couvertures et une pile de vieilles serviettes. Il n'avait encore jamais créé d'objet aussi long, et comme il s'efforçait en vain d'apercevoir le sol, il se surprit à espérer qu'il n'avait pas commis d'erreur.

Cependant, Sarah vérifiait nerveusement la solidité de ses nœuds. Si la fenêtre cédait sous leur poids, la cheminée résisterait sans aucun doute. Les nœuds, en revanche... Quel dommage que Nicko n'ait pas été là ! À la pensée de son sixième fils, l'angoisse la saisit, mais elle la refoula. Il serait toujours temps de s'inquiéter de Nicko quand ils auraient tous évacué l'appartement.

– Je vais **appeler** une dernière fois Boutefeu, dit Septimus, reculant le moment d'affronter le vide et sa propre peur.

Marcellus lança un regard anxieux vers la pièce. Partant de la porte, un long filet de **brouillard ténébreux** progressait sur le sol en direction de la cheminée.

– Pas maintenant, dit-il à Septimus. Attends que nous soyons tous en bas.

Septimus saisit la corde d'une main tremblante. Ses paumes étaient moites, mais il avait créé une corde assez épaisse et râpeuse pour offrir une bonne prise. Il franchit le rebord de la fenêtre et laissa pendre ses jambes à l'extérieur. Un frisson le traversa : il n'y avait rien entre ses pieds et la Rivière.

– Sois prudent, mon chéri, dit Sarah, assez fort pour couvrir les rugissements du vent. Surtout, prends ton temps. Une fois en bas, tire trois fois sur la corde. Jenna attendra ton signal.

Un bras passé autour de l'encolure du cheval **endormi**, Simon regarda son frère s'enfoncer lentement dans la nuit. Bientôt, il ne distingua plus que ses mains, cramponnées à la corde, et ses boucles blondes ébouriffées par la brise.

Septimus entama sa descente. Il savait que la survie de ses

compagnons dépendait de sa capacité à surmonter sa peur du vide et à se concentrer sur la tâche délicate qui l'attendait. Plus facile à dire qu'à faire, car le vent le poussait violemment contre le mur. Le corps meurtri, l'esprit confus, il connut la peur de sa vie quand la corde lui glissa des mains et qu'il se retrouva presque perpendiculaire au mur. Il découvrit alors que dans cette position, il offrait moins de prise au vent. En outre, ses pieds trouvaient des appuis sur les pierres brutes dont certaines, particulièrement saillantes, formaient comme des échelons.

Au bout d'un moment, son pied rencontra le buisson qui avait arrêté la chute de Stanley. La surprise provoqua chez lui un début de panique et il faillit lâcher la corde. Mais une fois calmé, il constata qu'il entendait les clapotis et respirait l'odeur de la Rivière. Subitement ragaillardi, il acheva la descente en deux temps trois mouvements et atterrit dans la boue, comme Stanley avant lui. Il tira trois coups secs sur la corde avant de s'adosser au mur, tremblant. Il avait réussi ! Il sentit la corde bouger et comprit que Jenna avait entrepris de le suivre. Elle fut bientôt à ses côtés, essoufflée et ravie. Contrairement à lui, elle avait trouvé l'aventure excitante. Les yeux levés vers l'unique fenêtre éclairée de tout l'Enchevêtre, ils virent une silhouette descendre rapidement le long du mur. Septimus s'étonnait de l'agilité de l'alchimiste quand la silhouette rencontra le buisson épineux et poussa un cri aigu qui trahit son identité : c'était Lucy, et non Marcellus, comme ils en étaient pourtant convenus.

– Il a insisté pour me céder son tour, leur expliqua la jeune fille, hors d'haleine, en tirant sur la corde. Il a dit qu'il avait déjà vécu assez longtemps, et que Simon devait passer juste après moi.

– Simon ? s'exclama Septimus. Mais c'est de Marcellus qu'on a besoin !

Lucy ne fit aucun commentaire. Elle avait le regard fixé sur son fiancé qui descendait aisément et rapidement. En un rien de temps, il fut à leurs côtés. Il tira trois coups secs sur la corde et leva à son tour un regard inquiet vers la fenêtre.

– La porte ne tiendra plus longtemps, dit-il. Ils vont devoir faire vite.

C'en était trop pour Jenna. Une fois déjà, elle avait attendu sa mère à l'extérieur d'une pièce envahie par la **Ténèbre**, et l'idée de revivre cette angoisse lui était insupportable.

– Maman ! hurla-t-elle. Maman, dépêche-toi ! Je t'en prie !

Mais personne n'apparut à la fenêtre.

Cependant, derrière la Grande Porte rouge, deux personnes qu'on aurait pu croire plus raisonnables se disputaient pour des questions de préséance. Sarah Heap jeta un regard à cette pièce qu'elle aimait tant – et que Silas aimait autant qu'elle, elle en avait à présent la certitude. Peu lui importait que la peinture rouge de la porte ait noirci à vue d'œil, comme si un incendie avait fait rage de l'autre côté, ou qu'une nappe de **brouillard ténébreux** ait plané au-dessus de leurs têtes, telles des nuées annonçant un ouragan : elle était résolue à partir la dernière.

– Vous d'abord, Marcellus.

– Je ne vous laisserai pas seule ici. Je vous en prie, partez.

– Non. Vous, allez-y.

– Non. Vous.

La porte de Benjamin Heap finit par les mettre d'accord. Soudain le bois se fendit avec un craquement sinistre, laissant la **Ténèbre** entrer à flots. Le feu s'étouffa dans la cheminée.

– Ce pauvre cheval... gémit Sarah, hésitant encore à quitter les lieux.

– Il faut partir, insista Marcellus, l'entraînant vers la fenêtre. On va y aller ensemble.

Sarah céda. Elle enjamba la fenêtre, saisit la corde et entreprit de descendre avec une agilité qui dénotait une certaine habitude, acquise à l'époque où elle vivait dans l'arbre-maison de Galen, la **guérisseuse** de la Forêt. Marcellus la suivit et referma la fenêtre derrière lui, la bloquant à l'aide de la corde. La descente lui parut facile, comparée à l'escalade de la grande cheminée qu'il pratiquait presque quotidiennement à l'époque où il était un vieillard. Au sol, Septimus, Jenna, Simon et Lucy se regardèrent, soulagés.

Le buisson de Stanley ralentit un peu la progression de Marcellus et Sarah, ce qui lui valut un coup de pied rageur et fatal de cette dernière. Déraciné, il tomba dans le vide, provoquant une pluie de pierres qui dispersa le groupe au pied du mur. Quand les jeunes gens relevèrent la tête, la fenêtre qui leur avait livré passage un peu plus tôt était éteinte. L'immense mur de l'Enchevêtre était à présent complètement aveugle.

Enfin, Sarah prit pied sur le sol mouvant.

– Maman ! s'écria Jenna, la serrant dans ses bras.

Marcellus s'élança avec une grâce athlétique – du moins espérait-il en donner l'impression – et atterrit avec un bruit mou à l'écart du groupe qui se pressait autour de Sarah.

– Pouacre ! l'entendit-on marmonner. Maudit cheval...

– C'était moins une, remarqua Septimus d'un air désapprobateur.

– Certes, acquiesça l'alchimiste, inspectant sa chaussure.

Sa désinvolture irrita son apprenti, qui insista :

– Pourquoi ne pas avoir respecté l'ordre de passage dont nous avions décidé ? La sécurité du Château était en jeu !

Marcellus soupira.

– Certaines décisions prises à la froide lumière de la raison ne résistent pas à la réalité. N'est-ce pas, Simon ?

– Très juste, répondit celui-ci, revoyant la **créature** étrangler sa mère.

– Tout est de ma faute, confessa Sarah. Je voulais être la dernière à quitter le bord, comme un capitaine de vaisseau. Mais tout ce qui importe, c'est que nous soyons en sécurité.

– Parce qu'on l'est ? demanda Lucy, exprimant tout haut la pensée de ses compagnons. Tu disais qu'on trouverait un bateau en bas, lança-t-elle à Jenna d'un ton accusateur. Où est-il ?

Jenna balaya du regard la bande de terre boueuse qui séparait la Rivière du mur de l'Enchevêtre. C'était à n'y rien comprendre. Autrefois, il y avait toujours des barques à cet endroit, amarrées à des anneaux avec de longues cordes dont l'extrémité lestée d'un poids s'enfonçait dans le lit de la Rivière. Mais ce jour-là, on n'en voyait aucune.

– Qu'est-ce qu'on va faire ? reprit Lucy, de plus en plus agitée. Bientôt, la marée sera haute, et je ne sais pas nager !

– Tout va bien se passer, assura Septimus, affichant une confiance qu'il était loin d'éprouver. Je vais **rappeler** Boutefeu.

Il devrait me répondre, maintenant que nous sommes sortis de la zone d'influence de la **Ténèbre**.

Il prit une profonde inspiration avant de lancer l'**appel** le plus puissant qu'il ait jamais tenté. Le mur de l'Enchevêtre réfléchit son cri modulé dont l'écho se propagea à la surface de l'eau avant de mourir. Une réponse lui parvint alors – pas le bruissement d'ailes qu'il espérait entendre, mais le hurlement terrifiant d'un monstre enfoui dans les profondeurs du Château.

– Qu'est-ce que c'était ? murmura Jenna.

– Je n'en sais rien, répondit Septimus.

Boutefeu ne vint pas, et son jeune maître n'osa pas l'**appeler** de nouveau.

Conscients que la marée montante allait peu à peu grignoter la bande de terre boueuse sur laquelle ils avaient trouvé refuge, tous jetaient des regards affligés vers la rive opposée. À droite, les lumières d'une lointaine ferme scintillaient à travers les branches dépouillées des arbres. À gauche, les fenêtres de la salle commune de la taverne du Turbot-Reconnaissant reflétaient les flammes de sa vaste cheminée. L'une et l'autre étaient inaccessibles.

– On va devoir marcher jusqu'aux anciens docks, dit Septimus. En priant pour y trouver un bateau.

– Tu veux dire, un bateau en état de flotter ? ironisa Jenna.

– T'as une meilleure idée ?

Sarah intervint :

– Ça suffit, tous les deux. Personne n'a de meilleure idée. Pas vrai ?

Seul le silence lui répondit.

– Va pour les anciens docks, alors, reprit-elle. Suivez-moi.

La petite troupe frigorifiée et épuisée se mit en route, mais là où un rat tel que Stanley gambadait sans crainte de s'enliser, eux progressaient lentement et avec difficulté. Leurs pieds s'enfonçaient dans la boue glacée et ils trébuchaient sans cesse sur des pierres invisibles. Ils dépassèrent un certain nombre de fenêtres béantes d'où pendaient des cordes de fortune, souvent faites de draps noués, et comprirent alors pourquoi tous les bateaux avaient disparu. Les fugitifs avaient même détaché les pontons pour les utiliser comme radeaux. On ne voyait plus aucun objet flottant de ce côté de la Rivière.

Ils finirent par atteindre l'entrée de l'Enferne, le cours d'eau souterrain qui prenait sa source sous les fondations du Château. Ignorant où elle se trouvait, Sarah fit un pas en avant et bascula dans l'eau sombre et profonde. En quelques secondes, le courant l'emporta vers le milieu de la Rivière.

Il y eut un « plouf » sonore, puis Lucy poussa un cri strident. Simon refit rapidement surface et s'éloigna en nageant à la suite de sa mère.

– Simon ! hurla sa fiancée. Siiiiimooooon !

Jenna, Septimus et Marcellus, frappés de stupeur, scrutèrent l'obscurité, en vain. Lucy cessa de hurler, le bruit des brasses de Simon s'éloigna. Paralysés par la bise glaciale, ils écoutèrent dans le silence de la nuit le faible écho des remous qui agitaient le milieu de la Rivière.

40
L'*ANNIE*

Sally Mullin avait insisté pour prêter à Nicko son nouveau bateau, l'*Annie*.

« J'espère qu'elle te portera chance comme l'a fait ma *Muriel* », lui avait-elle dit. « Mais cette fois, évite d'en faire des canoës. »

Nicko avait promis de bon cœur. L'*Annie* – un voilier spacieux, doté d'une cabine confortable – lui avait fait une trop bonne impression pour qu'il envisage de la transformer.

Après avoir aidé Jannit et Maggie à amarrer la baille à cochon, Nicko et Rupert s'étaient mis en route pour l'Enchevêtre à minuit passé. Au début, la bise de nord-est avait un peu ralenti leur progression, mais le lit de la Rivière épousant la courbe du mur extérieur du Château,

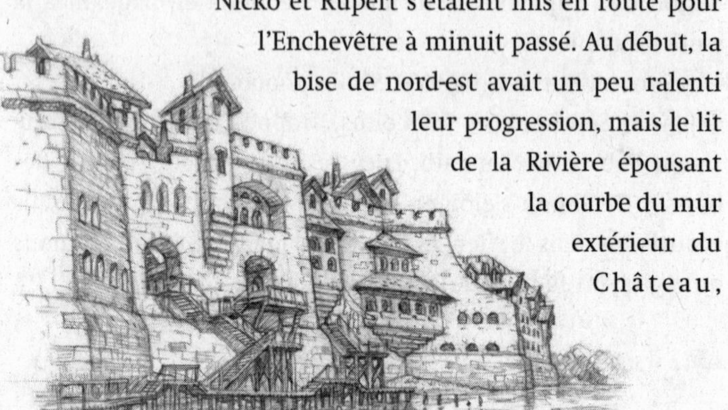

l'*Annie* avait fini par se retrouver avec un vent de côté qui lui avait permis de prendre de la vitesse.

Ce fut un triste voyage. Devant le spectacle désolé du Château **enténébré**, les deux jeunes gens en vinrent à douter de leurs chances de trouver quiconque encore en vie dans l'Enchevêtre. Puis un nouveau rugissement emplit l'espace, et ils se prirent à redouter ce qu'ils allaient trouver.

– Enfin, c'est quoi, ce bruit ? murmura Rupert.

Nicko secoua la tête. Il n'en savait rien et préférait continuer à l'ignorer. Plus ils approchaient des anciens docks et plus son estomac se nouait. Bientôt, ils apercevraient la minuscule fenêtre des Heap, tout au sommet de l'Enchevêtre. Chaque fois qu'il passait à cet endroit, Nicko levait instinctivement la tête et ressentait un peu de nostalgie. Mais cette nuit-là, il gardait les yeux fixés sur les eaux noires de la Rivière, se cramponnant à l'espoir que tout n'était pas perdu. Puis une bourrasque de neige lui fouetta le visage, et tandis qu'il l'essuyait avec sa manche, il leva machinalement les yeux. Aucune lumière n'égayait l'immense mur de pierre, aussi haut et abrupt qu'une falaise. Nicko se tassa sur son banc. C'est alors qu'il entendit un bruit de plongeon.

– Un canard, dit Rupert, répondant au regard interrogatif que lui lançait son compagnon.

– Un gros canard, alors.

Nicko regarda vers l'Enchevêtre, dans la direction d'où venait le bruit, et reprit espoir. Il y eut un nouveau « plouf », suivi d'un hurlement.

– Lucy ! s'exclama Rupert, qui aurait reconnu le cri de sa sœur entre mille.

Pendant que Nicko virait de bord, Rupert alluma la lampe du bateau et la braqua vers la surface de la Rivière.

– Je la vois ! cria-t-il. Lucy ! Lucy ! On arrive !

Il balança l'échelle de corde par-dessus bord.

Rassemblé près de la bouche de l'Enferne, le reste du petit groupe de rescapés entendit des cris provenant de la Rivière, puis un faisceau de lumière qui se balançait furieusement perça l'obscurité. Ils assistèrent de loin au sauvetage de Sarah et virent la tête de Simon apparaître au pied de l'échelle. Un juron retentit, puis une voix rude déclara :

– C'est ton idiot de frère.

Une réponse fusa :

– Lequel ?

Tous reconnurent Nicko.

– Comment ça, « lequel » ? marmonna Septimus.

Le canot de l'*Annie* fit plusieurs voyages pour ramener Jenna, Septimus, Lucy et Marcellus. Enfin, ils se retrouvèrent tous à bord, plus mouillés qu'ils ne l'auraient souhaité, mais pas autant – comme le souligna Jenna – qu'ils l'auraient été sans l'intervention providentielle de Rupert et Nicko.

Ce dernier, ivre de bonheur, serrait frénétiquement dans ses bras sa sœur et son frère – pas l'« idiot », l'autre.

– C'est Stanley qui t'a dit où nous trouver ? demanda Jenna, s'enroulant avec délice dans une des nombreuses couvertures que leur avait fournies Sally Mullin.

– Ça a été long pour lui faire cracher le morceau, répondit Nicko, mais oui. Tu parles d'un baratineur ! Bref, on a décidé de remonter la Rivière jusqu'à l'Enchevêtre et d'attendre au pied du mur. On se disait que tôt ou tard, tu jetterais un coup d'œil par la fenêtre de ton lit-armoire, Jen. Petite, tu avais toujours le nez collé à la vitre, ajouta-t-il avec un sourire.

– Cher Stanley, soupira Jenna. J'espère qu'il n'est rien arrivé à ses enfants.

– Ses *quoi* ?

Un rugissement sinistre qui se propageait à la surface de l'eau empêcha Jenna de répondre.

– Regardez ! s'exclama-t-elle. Qu'est-ce que c'est que ça ?

Éclairée par le rayonnement du **dôme vivant** de la tour du Magicien, une silhouette monstrueuse venait de se dresser à l'intérieur du **brouillard ténébreux**.

– C'est énorme ! gémit Jenna.

La créature ouvrit une gueule immense et poussa de nouveau son cri.

– Un dra... un dragon, bredouilla Nicko.

– Dix fois plus gros que Boutefeu, précisa Septimus, terriblement inquiet.

– Il le boufferait tout cru, oui ! renchérit son frère.

– Nicko ! protesta Jenna.

Mais celui-ci n'avait fait qu'exprimer tout haut la pensée de Septimus.

Ils virent le monstre déployer ses ailes – ils en comptèrent six –, s'élever dans les airs et retomber aussitôt avec un grondement qui semblait traduire sa déception.

– Six ailes, commenta Septimus. Un dragon **ténébreux**.

Nicko secoua la tête.

– Pas bon, ça.

Marcellus s'approcha.

– La situation est encore plus grave que nous ne l'imaginions. Avec cette créature en liberté, nul n'est plus en sécurité à l'intérieur du Château. À quelle vitesse peut aller ce bateau, Nicko ?

– Ça dépend du vent, répondit celui-ci. Il a l'air de forcir. Avec un peu de chance, on sera au Port un peu après le lever du jour.

Marcellus, perplexe, se tourna vers Septimus :

– Au Port ? Apprenti, tu ne lui as rien dit ?

– Quoi donc ? demanda Nicko d'un air soupçonneux.

– Que notre destination était la Crique funeste, avoua Septimus.

– La Crique funeste ?!

– Pardon, Nicko, mais oui, c'est là qu'on doit aller, et vite.

– Tu ne trouves pas qu'il y a assez de **Ténèbre** ici ? Il t'en faut davantage ?

– Je n'ai pas le choix, répliqua Septimus. C'est notre unique espoir de faire cesser ce qui se passe ici.

– Je ne te laisserai pas emmener maman là-bas, affirma Nicko.

La tête de Sarah apparut instantanément à l'écoutille :

– M'emmener où ça ?

– À la Crique funeste, répondit Nicko.

– Si c'est là que doit aller Septimus, alors j'irai aussi. Je ne voudrais surtout pas le retarder. Fais ce que ton frère – et Marcellus – te demandent.

– Bien, maman, dit Nicko, surpris. Comme tu voudras.

Ils dépassèrent la taverne du Turbot-Reconnaissant, normalement éclairée et par là même si rassurante, puis le mât de l'*Annie* frotta le dessous du pont Sans-Retour, provoquant une belle frayeur à Nicko. Comme ils abordaient la première courbe de la Rivière, ils se réunirent tous sur le pont pour apercevoir une dernière fois le Château. On n'entendait que les grincements des cordages et les clapotements de l'eau contre la coque de l'*Annie* qui filait à vive allure. Dans un silence maussade, ses passagers fixaient du regard la masse obscure du Château où ils avaient vécu la plus grande partie de leur existence, songeant à tous ceux qu'ils laissaient derrière eux. Lucy se demandait si ses parents étaient toujours en vie. Simon lui avait raconté qu'il était resté quarante jours plongé dans une transe **ténébreuse** sans en garder de séquelles, mais ce n'était pas pareil. Simon avait une grande expérience de la **Ténèbre**, même s'il n'en parlait pas volontiers, tandis que ses parents ignoraient tout de ces choses-là. La jeune fille les imagina s'effondrant à l'extérieur de la tour de la porte Nord et succombant lentement au froid, ensevelis sous la neige. Étouffant un sanglot, elle se précipita vers la cabine, aussitôt suivie par Simon.

Tandis qu'ils s'éloignaient, la tour du Magicien devint visible, mais à peine. À présent, seuls ses deux derniers étages – ceux des appartements de Marcia – et sa pyramide dorée émergeaient encore du **brouillard**. Le **dôme vivant** brillait toujours autant, mais des éclairs orangés troublaient par instants son éclat pourpre et indigo.

Sarah et Jenna se représentaient Silas à l'intérieur de la tour, contribuant dans ses modestes limites à la défense de celle-ci, et cette pensée les réconfortait un peu. Septimus et

Marcellus, eux, ne trouvèrent aucun réconfort devant ce spectacle.

L'alchimiste attira son élève à l'écart du groupe.

– Je suppose que tu connais la signification de cette clarté orange ? lui demanda-t-il.

– C'est un signal de détresse de la part du dôme, répondit Septimus. Ça n'annonce rien de bon.

– En effet.

– À votre avis, de combien de temps disposons-nous avant qu'il cède ?

– Je l'ignore. Tout ce que nous pouvons faire, c'est gagner au plus vite la Crique funeste. Je te suggère de prendre un peu de repos.

– Non. Nous devons calculer l'emplacement exact du portail.

– Apprenti, il faut que tu dormes. Tu auras besoin de toutes tes forces pour la tâche qui t'attend. Simon et moi ferons les derniers calculs... Pas de protestations, je te prie ! Ton frère a révélé un vrai talent pour les mathématiques.

Septimus voyait d'un mauvais œil que Simon prenne sa place auprès de Marcellus pendant son sommeil.

– Mais...

– Septimus, la survie du Château et de la tour du Magicien est en jeu. Chacun de nous a un rôle à jouer, et pour le moment, le tien consiste à te reposer. Et cesse de contempler ce spectacle, ça ne sert à rien.

Marcellus passa un bras autour des épaules du jeune garçon et tenta de l'entraîner vers la cabine, mais il résista.

– Je viens dans une minute, dit-il.

– Bien. Mais ne tarde pas.

Marcellus gagna la cabine, laissant Septimus. Celui-ci se tourna vers Nicko :

– Tu as une longue-vue ?

Il désirait simplement apercevoir le visage de Marcia à sa fenêtre, pour s'assurer qu'elle était saine et sauve.

– La tour a de l'allure, pas vrai ? remarqua Nicko en lui tendant ce qu'il demandait. J'adore les éclairs orange.

Septimus s'abstint de tout commentaire. Il dirigea la longue-vue vers la tour et l'améliora à l'aide d'un **sort magnifiant**. La pyramide dorée lui apparut brusquement dans ses moindres détails, émergeant de la **Ténèbre**. Septimus tressaillit. La tour paraissait si proche qu'il lui semblait qu'il n'aurait eu qu'à tendre la main pour la toucher. Le cœur battant, il chercha la fenêtre du bureau de Marcia. La silhouette reconnaissable entre toutes de sa tutrice, tronquée aux épaules, se découpait dans le rectangle de lumière à peine visible au-dessus du **brouillard**. On aurait dit qu'elle le fixait droit dans les yeux. Se trouvant un peu ridicule, Septimus leva le bras et agita la main, mais Marcia se détourna presque aussitôt. Il se rappela alors qu'elle ne pouvait le voir et se sentit très seul. Il aurait tant voulu pouvoir lui parler. *Ne perdez pas espoir*, lui aurait-il dit. *Résistez le plus longtemps possible. Je vous en prie, tenez bon...*

La voix de Jenna s'immisça dans ses pensées :

– S'il te plaît, Sep, laisse-moi regarder. Je voudrais... Je voudrais tenter de trouver papa.

Répugnant à rompre le lien ténu qui le rattachait à la tour du Magicien, Septimus jeta un rapide coup d'œil à la pyramide dorée et poussa un cri de surprise. Une silhouette massive était tassée sur la plate-forme au sommet de celle-ci.

– Qu'est-ce que tu as vu ? demanda Jenna, inquiète.

Septimus lui tendit la longue-vue avec un grand sourire.

– Boutefeu ! Il a réussi à s'introduire à l'intérieur du **dôme vivant** et à se poser en haut de la tour. C'est pour ça qu'il ne répondait pas à mes **appels**.

– C'est vrai, je le vois ! Il est malin, ce dragon. Là-haut, personne n'ira le chercher.

– Pour le moment, en tout cas, dit Septimus. Je vais me reposer, annonça-t-il, se dirigeant vers l'écoutille.

Jenna resta assise sur le toit de la cabine, à scruter avec la longue-vue les rares fenêtres encore visibles de la tour, jusqu'au moment où le Château disparut derrière une courbe de la Rivière. Mais elle ne vit aucune trace de Silas.

Quelques heures plus tard, un jour pâle se leva sur un paysage inconnu. De chaque côté de la Rivière, des champs saupoudrés de givre et parsemés d'arbres isolés s'étiraient jusqu'à l'horizon, barré par la ligne bleutée des collines. La campagne était déserte et on n'apercevait pas la moindre ferme.

À bord de l'*Annie*, une douce chaleur régnait à l'intérieur de la cabine bondée. Sitôt réveillés, Nicko, Jenna, Lucy et Rupert montèrent sur le pont tandis que Sarah préparait une montagne d'œufs brouillés dans la minuscule cuisine. Armés d'équerres et de rapporteurs, Marcellus et Simon entreprirent de dresser une carte à partir des coordonnées du **portail** qu'ils avaient précédemment décryptées. Septimus dormait toujours, recroquevillé sur une couchette étroite. Seuls ses cheveux bouclés dépassaient du manteau et de la couverture dans lesquels il s'était enroulé. Nul n'était pressé de le réveiller.

L'odeur appétissante des œufs finit par s'infiltrer dans ses rêves, et il entrouvrit les paupières.

Simon tourna vers lui des yeux rougis par la fatigue et annonça :

– On a trouvé l'emplacement exact du **portail**.

Avec un serrement de cœur, Septimus se rappela l'épreuve qui l'attendait ce jour-là.

Il se dressa sur la couchette et demanda :

– Alors ?

– Allons d'abord déjeuner, dit Marcellus. Nous en discuterons ensuite.

Septimus insista, pris d'un mauvais pressentiment :

– Dites-le-moi maintenant. Il faut que je le sache, pour... pour m'y préparer.

Marcellus soupira :

– Je regrette, Septimus. Le portail se trouve au fond du Tourbillon sans fond.

41
La Crique funeste

Profondément encaissée entre deux montagnes rocailleuses, la bien nommée Crique funeste était hantée par le spectre de la *Vengeance*, le vaisseau du **nécromancien** DomDaniel, qui y mouillait avant de sombrer corps et biens. Quelques arbres rabougris s'accrochaient encore au flanc aride des collines, mais la plupart avaient renoncé et achevaient de pourrir dans ses eaux profondes, servant d'abri au tristement célèbre serpent de la Crique funeste – en réalité, un ruban d'algues vénéneuses – et à son non moins délicieux parasite, la sangsue albinos géante. L'été, des essaims de moustiques patrouillaient le long des berges. L'hiver, les colonies de punaises sauteuses, de minuscules insectes qui s'aventuraient sur la terre ferme quand l'eau devenait trop froide à leur goût, remplaçaient avantageusement ceux-ci. Ces punaises pouvaient faire des bonds de deux mètres et plantaient leurs mandibules dans toute chair vivante qui passait à leur portée avant de la dévorer. La seule manière de s'en débarrasser consistait à leur arracher la tête d'un coup sec. Certaines continuaient à mastiquer leur proie pendant plusieurs jours après leur mort.

Parmi les rochers s'élevaient de misérables cahutes de pierre jadis construites par des ermites, des réprouvés ou des originaux désireux de vivre au bord de l'eau mais cruellement dépourvus de bon sens. Si leurs occupants avaient fui depuis longtemps, Septimus savait que l'une d'elles au moins était **possédée**.

Dans ces conditions, vous ne serez pas étonnés d'apprendre que la Crique funeste recevait rarement des visiteurs. Toutefois, cette désaffection tenait moins au vaisseau fantôme, à une faune hostile ou à l'odeur âcre de pourriture qui flottait dans l'air qu'au Tourbillon sans fond qui en gardait l'entrée.

Tous les enfants du Château connaissaient l'histoire de celui-ci. La légende prétendait que le Tourbillon était né d'un combat sans merci opposant deux magiciens des temps anciens, lesquels s'étaient poursuivis au-dessus de l'eau, décrivant des cercles de plus en plus rapides, jusqu'à être engloutis par le vortex qu'ils avaient eux-mêmes creusé. Chacun savait qu'il s'enfonçait jusqu'au centre de la Terre, certains affirmant même qu'il la traversait et ressortait de l'autre côté.

De temps en temps, des excursions partaient du Château pour voir le Tourbillon sans fond. La coutume voulait que les parents offrent ce voyage à leur enfant pour son treizième anniversaire. Après avoir sillonné la crique à la recherche de la *Vengeance*, les bateaux chargés d'adolescents surexcités faisaient le tour du vortex. Toutefois, ces croisières étaient dirigées par des capitaines expérimentés qui savaient jusqu'où ils pouvaient s'en approcher sans risquer la vie de leurs passagers. Seuls les vaisseaux les plus lourds et les plus imposants – comme la *Vengeance* – pouvaient passer sans danger à proximité du Tourbillon.

Nicko savait pertinemment que l'*Annie* ne faisait pas le poids. Il se savait également incapable d'évaluer d'instinct la limite d'approche du tourbillon, même s'il espérait reconnaître les signaux d'alerte au cas où il la dépasserait. C'est pourquoi l'apparition à l'horizon des deux colonnes de roche à l'aspect intimidant qui flanquaient l'entrée de la crique le rendit nerveux – mais pas autant que Septimus.

Ce dernier était allé s'asseoir seul à la proue du bateau, sous le beaupré et la grande voile rouge gonflée par le vent glacé. Il n'avait jamais eu aussi peur de sa vie, même lors des exercices de nuit dans la Forêt, à l'époque de la Jeune Garde. De temps en temps, il jetait un coup d'œil à la feuille sur laquelle Marcellus avait tracé d'une écriture précise une série de questions et réponses qu'il s'efforçait de mémoriser en prévision de sa confrontation avec la **Ténèbre**. Cette liste lui rappelait un peu les slogans que les recrues de la Jeune Garde devaient apprendre par cœur et scander avant chaque mission. Si elle ajoutait à son angoisse, cette réminiscence l'incitait aussi à retrouver ses réflexes de soldat et à se concentrer sur sa survie indépendamment de toute autre considération.

Fixant du regard la surface gris acier de la Rivière, il récita à voix basse :

« *Quel est ton nom ?*

– Sum.

– *Quelle est ta nature ?*

– **Ténébreuse.**

– *Quelle est ta fonction ?*

– Apprenti de l'apprenti de l'apprenti de DomDaniel.

– *Quelle est ta mission ?*

– Retrouver l'apprenti de DomDaniel. »

Il était tellement concentré qu'il ne remarqua même pas que Jenna et Nicko se glissaient l'un à sa droite et l'autre à sa gauche. Ils attendirent patiemment qu'il ait fini de réciter sa leçon, puis Jenna déclara :

– On vient avec toi.

– Quoi ? s'exclama Septimus.

– On a décidé de t'accompagner. On ne te laissera pas y aller seul.

Cette annonce eut l'effet opposé à celui qu'escomptait Jenna. Ni elle ni Nicko n'avaient la moindre idée de ce qu'il s'apprêtait à vivre, réalisa Septimus, et cette révélation accentua son sentiment de solitude.

Il secoua la tête.

– Non, Jen. Crois-moi, c'est impossible.

Jenna lut dans son regard qu'il disait la vérité.

– Je te crois, reprit-elle. Mais si on ne peut pas t'accompagner, au moins, dis-nous où tu vas. Marcellus le sait, lui. Même Simon est au courant. Nicko et moi, on pense qu'on mérite autant qu'eux de savoir.

Septimus continua à contempler la Rivière sans répondre. Il aurait voulu que Jenna et Nicko le laissent tranquille. Il avait besoin de s'isoler.

C'était compter sans l'entêtement de Jenna. Elle sortit *Les Règles de la royauté* de sous sa cape, l'ouvrit et le colla sous le nez de Septimus.

– Là, dit-elle, indiquant du doigt un paragraphe presque illisible.

Septimus prit le livre à contrecœur et tenta de déchiffrer les minuscules caractères. Pour ne rien arranger, la page était toute cornée et couverte de traces de doigts. Au bout d'un moment, il prit dans sa ceinture la **loupe** que Marcia lui avait offerte pour son anniversaire et la promena au-dessus du texte :

I – LE DROIT D'ÊTRE INFORMÉE
L'HTTP a le droit d'être informée de tous les faits afférents
à la sécurité et la prospérité tant du palais que du Château.
Par conséquent, le magicien extraordinaire – ou, par défaut,
l'apprenti extraordinaire – est tenu de répondre à ses questions
pleinement, sincèrement et sans délai.

Il était tellement préoccupé qu'il lui fallut un moment pour comprendre ce qu'il lisait. Puis il repensa au matin de son anniversaire (il lui semblait qu'il s'était écoulé des siècles depuis), à la sortie de Marcia contre « les recommandations ineptes de ce maudit bouquin rouge, conçu à seule fin de pourrir l'existence des magiciens extraordinaires », et il sourit. Le souvenir de la tour et du Château tels qu'ils étaient encore la veille, la présence de la magnifique **loupe** dans sa main allégèrent un peu sa solitude. En même temps, il éprouva du soulagement : il voulait que Jenna sache où il allait. Ainsi, même si elle ne pouvait l'accompagner, elle penserait à lui et prierait pour qu'il revienne sain et sauf du **palais obscur**. En revanche, il n'était pas certain de devoir mettre Nicko dans la confidence, mais il avait cessé de se soucier de ce qu'il convenait de faire ou non.

Par conséquent, tandis qu'ils faisaient route vers les remous qui annonçaient le Tourbillon sans fond, Septimus expliqua à ses deux compagnons comment il projetait de retrouver Alther et de le ramener au Château en passant par le donjon numéro un. Il leur dit de ne pas s'inquiéter pour lui, que le **voile de Ténèbre** le protègerait parfaitement, et même s'il n'en croyait pas un mot, il leur assura qu'il ne risquait rien et qu'il les reverrait bientôt. Un long silence suivit ses paroles. Enfin, Jenna s'essuya les yeux avec sa manche et Nicko toussa.

– On attendra ton retour, dit Jenna.

– À l'extérieur du donjon numéro un, ajouta Nicko.

– Il n'est pas question que...

Jenna ne le laissa pas achever.

– Nicko et moi allons t'attendre à l'entrée du donjon numéro un, affirma-t-elle d'un ton royal. Non, Sep. Je ne veux rien entendre. Ma cape de sorcière nous permettra de traverser le **brouillard ténébreux**. Tu n'es pas tout seul sur ce coup-là. Compris ?

Septimus acquiesça, la gorge nouée par l'émotion.

Le cri de Rupert les ramena à la réalité :

– Nicko ! On est en train de dévier !

Nicko se leva d'un bond. Il sentait la traction du courant sous la coque, et le claquement des voiles indiquait que l'*Annie* était trop près du vent. Ils se dirigeaient droit vers la colonne de vapeur qui signalait l'emplacement du Tourbillon sans fond. Nicko se rua vers la poupe, prit le gouvernail des mains de Rupert – qui n'était pas un marin-né, contrairement à lui – et hurla :

– Tous aux rames ! Vite !

Sarah, Simon, Lucy et Rupert se jetèrent sur les quatre rames posées sur le toit de la cabine et les plongèrent dans l'eau, debout des deux côtés du pont. L'*Annie* ralentit progressivement et cessa enfin d'avancer vers le Tourbillon.

Septimus se leva et dit à Jenna :

– Il faut que j'y aille. En restant plus longtemps, je vous mets tous en danger.

– Oh ! Sep, Sep...

Il la serra dans ses bras et recula vivement.

– Ta cape... Elle crépite quand on la touche !

– Tant mieux, répondit Jenna, résolue à se montrer optimiste. Ça veut dire qu'elle est chargée de... de sorcellerie. Ça nous sera utile pour traverser le Château.

Septimus se força à sourire.

– Tu as raison. On se retrouvera là-bas, alors.

– On t'attendra à l'entrée du donjon numéro un, Nicko et moi. Promis.

– Je compte sur vous. Bon, eh bien, je vais dire au revoir aux autres.

– C'est ça, vas-y. À plus tard.

Septimus s'éloigna. Il dépassa Lucy et Simon, assis sur le toit de la cabine telles deux mouettes à l'air sinistre.

– Bonne chance, Sep, lui lança la jeune fille.

– Merci.

Simon lui tendit un **charme** en métal noir.

– Prends-le. Il te guidera sous terre.

Septimus secoua la tête. Dans ces circonstances, il lui était pénible de refuser l'aide de quiconque, même celle de Simon, mais il tint bon.

– Non merci. Je n'accepte d'**amulettes** de personne.

– Dans ce cas, accepte au moins ce conseil : va toujours à gauche.

Au même moment, Marcellus émergea de la cabine.

– Il est l'heure, apprenti, dit l'alchimiste avec un regard inquiet vers Sarah.

Il venait d'avoir une discussion tendue avec celle-ci. Il s'était notamment efforcé de la convaincre qu'elle devait laisser partir son fils sans effusions excessives, pour ne pas le perturber inutilement, mais il craignait qu'elle n'en soit incapable.

Sarah parvint à se maîtriser, de justesse.

– Sois prudent, mon chéri, murmura-t-elle, enveloppant son benjamin dans une étreinte désespérée.

– Je le serai, maman. Je te promets qu'on se reverra bientôt. D'accord ?

Sarah se précipita à l'intérieur de la cabine.

Nicko et Rupert firent descendre le canot le long de la coque au moyen d'une corde. Conscient que tous – sauf sa mère – le regardaient, Septimus leur adressa un sourire crispé et emprunta l'échelle afin de rejoindre le canot.

– Ça ira ? lui demanda Nicko en lui tendant la pagaie.

Septimus acquiesça.

Faisant taire son instinct qui lui soufflait qu'il envoyait son petit frère à une mort certaine, Nicko lança la corde à l'intérieur du canot, libérant celui-ci. La fragile embarcation circulaire, faite d'une peau tendue sur des branches de saule, commença par dériver au fil du courant. À la voir se balancer à la surface de l'eau, on aurait pu croire à une innocente partie de canotage sur un lac paisible. Puis elle se mit à tourner sur elle-même, d'abord lentement, comme poussée par la brise. Tandis qu'elle se dirigeait vers la colonne de vapeur qui s'élevait du Tourbillon, elle prit peu à peu de la vitesse et se mit à tournoyer tel un manège de fête foraine devenu incontrôlable, irrésistiblement attirée vers l'abîme bouillonnant.

Enfin, elle atteignit le point de non-retour. Tous les passagers de l'*Annie* poussèrent un cri d'effroi quand le vortex l'aspira dans son sillage. La cape verte de Septimus était à présent le pivot autour duquel tournait le minuscule canot, semblable à une toupie décrivant des cercles de plus en plus étroits. Après une ultime accélération, le canot plongea dans le cœur du Tourbillon et disparut.

Un silence de mort planait sur la crique et sur le pont du bateau. La même question hantait tous les témoins de la scène : qu'avaient-ils fait ?

42
Le palais obscur

– Ellibah Sum, murmura Septimus au moment où le canot piquait vers le centre du Tourbillon.

Aussitôt, le **voile de Ténèbre** l'enveloppa comme une seconde peau.

Jusque-là, tout va bien, songea-t-il, satisfait de ses réflexes.

Il ne tarda pas à déchanter.

Le vortex rugissant le saisit, le secoua comme une brindille et l'engloutit dans sa gueule. Il tomba, tomba, tournoyant si rapidement que ses pensées se condensèrent en un point minuscule et sombre au centre de son esprit, laissant tout l'espace au grondement de l'eau, à la traction implacable du vide infini sous lui.

Sans le **voile de Ténèbre**, il se serait alors noyé, comme la plupart des précédentes victimes du Tourbillon. Ses poumons se seraient remplis d'eau et il aurait été aspiré par un orifice au fond du lit de la Rivière, à l'intérieur d'une caverne pareille à un tombeau creusé dans la roche. Il serait resté là, en suspens, jusqu'à ce que ses os tombent un à un et se mêlent à ceux, fragiles et d'un blanc d'ivoire, des malheureux qui l'avaient précédé au fil des siècles.

Le **voile** ne lui évita pas d'être aspiré dans la vaste caverne ovoïde, mais il le protégea comme l'aurait fait un gant et lui procura la maîtrise de l'art **ténébreux** de la suspension, alors qu'il avait fallu à Simon de longues et pénibles semaines d'entraînement, la tête plongée dans un seau, pour parvenir au même résultat. Pendant qu'il décrivait des cercles paresseux autour de la caverne, son esprit se dénoua, il ouvrit les yeux et constata qu'il était toujours en vie.

L'art **ténébreux** de la suspension créait une distanciation assez déstabilisante. L'objectif était d'épargner au sujet immergé une crise d'angoisse qui aurait entraîné une perte d'oxygène, mais cela, Septimus (comme la plupart de ceux qui en avaient tiré bénéfice avant lui) l'ignorait. Il lui procurait également une vision parfaite en dépit de l'opacité qui régnait à cette profondeur, ce qui rendait l'expérience plus proche du vol que de la nage. À sa grande surprise, Septimus ne tarda pas à éprouver un certain bien-être. Son anneau dragon diffusait une douce clarté opaline autour de lui et faisait scintiller les cristaux enchâssés dans les parois quand le courant le poussait vers celles-ci.

Mais l'effet de l'art **ténébreux** de la suspension n'était que temporaire. Au bout de quelques minutes, la torpeur cotonneuse qui avait saisi Septimus céda la place à un malaise diffus. Au bord de l'asphyxie, il remonta vers ce qu'il croyait être la surface et manqua de se fracasser le crâne. La panique l'envahit.

Il se laissa couler et nagea aussi vite qu'il le pouvait, son anneau tendu devant lui, espérant apercevoir au moins une crevasse au-dessus de sa tête. Une gorgée d'air, une seule longue et bienfaisante inspiration, il n'en demandait pas davantage... Il était tellement absorbé qu'il faillit dépasser un escalier taillé dans la roche. C'est seulement quand l'anneau éclaira le bord d'une marche incrustée de lapis-lazuli, puis une autre, puis encore une autre au-dessus, qu'il comprit qu'il avait trouvé une issue. Ses mains remontèrent les marches et disparurent à travers un orifice circulaire dans le plafond de la caverne. Mu par un besoin urgent de respirer, il se hissa jusqu'à lui et émergea dans le **palais obscur**, pantelant.

Le froid intense le saisit. Ruisselant, claquant des dents, il se releva péniblement. Pendant les préparatifs de sa semaine **ténébreuse**, il avait lu de nombreuses descriptions de ce que quantité d'auteurs considéraient comme un lieu purement mythique. Toutes évoquaient l'odeur de renfermé qui l'avait saisi à la gorge, l'impression d'être écrasé sous des tonnes de terre et de roche, la plainte lugubre, lancinante qui semblait le pénétrer jusqu'aux os. Les textes anciens mentionnaient également un sentiment de peur irrésistible, mais Septimus, protégé par le **voile de Ténèbre** qui le recouvrait de la tête aux pieds, éprouvait seulement l'exaltation d'être en vie et de respirer de nouveau.

Il savoura plusieurs longues inspirations. Derrière lui se

trouvait l'orifice qui venait de lui livrer passage. L'incrustation de lapis-lazuli qui bordait la dernière marche lançait des reflets à la clarté de son anneau dragon. Devant lui s'étendait l'inconnu, une obscurité totale et insondable. Il n'avait aucun point de repère, juste la sensation d'un vide colossal. Pour se guider, il n'avait que le conseil de Simon. Résolu à le suivre, il partit donc vers la gauche.

Bientôt, il trouva son rythme, et les dernières traces de la panique qui l'avait saisi sous l'eau se dissipèrent, lui laissant les idées claires. À en croire Marcellus, il n'avait qu'à marcher devant lui jusqu'à l'entrée de l'antichambre du donjon numéro un. Toujours selon l'alchimiste, c'était là qu'il avait le plus de chances de trouver Alther. « Il ne s'est guère écoulé de temps depuis son **bannissement**, apprenti. Je doute qu'il se soit beaucoup éloigné. » Marcellus lui avait ensuite décrit l'entrée en question – un portique flanqué de colonnes ornées de lapis-lazuli – avec une telle abondance de détails que Septimus l'avait aussitôt soupçonné de l'avoir vue de ses propres yeux. Il avait estimé la longueur du trajet à une dizaine de kilomètres, soit la distance à vol d'oiseau entre le Tourbillon sans fond et le Château.

Septimus avançait d'un pas rapide. À cette allure, calcula-t-il, il lui faudrait environ deux heures pour atteindre sa destination. Il ne distinguait que le sol en terre battue sous ses pieds, et un cercle de lumière quand il tendait son anneau devant lui. Quoique désorienté, il était plein d'enthousiasme : Alther était proche. Très bientôt, il lui dirait : « Oh ! Vous êtes là ? » comme lorsqu'il lui arrivait de croiser le vieux fantôme au beau milieu de la voie du Magicien. Pour passer le temps, il tenta d'imaginer la réponse que lui ferait Alther, et la gratitude qu'il lui témoignerait. Afin de se préparer, il repassa en esprit le **contresort de bannissement** que lui avait enseigné Marcia. La formule en était compliquée, et de même que le **sort** d'origine, elle devait être prononcée en une minute précise, sans hésitation, répétition ni erreur.

Le sol rendait un son mat sous ses pas, lui donnant la sensation de se déplacer dans un espace certes immense, mais non pas vide. Une plainte désespérée, semblable à celle du vent, tournoyait dans l'air chargé d'humidité. Un souffle le frôlait par moments, parfois tiède, parfois glacé, parfois encore tellement imprégné de malignité qu'il frissonnait et se rappelait alors que le danger rôdait tout autour de lui.

Il s'écoula un certain temps (pas loin de deux heures, sans doute) avant qu'il ne soupçonne que le **palais obscur** était beaucoup plus étendu que Marcellus ou lui-même ne l'avaient cru. Un auteur ancien l'avait surnommé « l'infini royaume des pleurs ». Et en effet, la vaste caverne semblait n'avoir aucune limite. L'énormité de sa tâche lui apparut soudain. Il n'existait aucune carte du **palais obscur**. Tout ce qu'on en connaissait reposait sur des légendes ou sur les témoignages de la poignée de magiciens qui s'y étaient aventurés et avaient eu la chance d'en revenir. Toutefois, la plupart avaient sombré dans la folie peu après leur retour, ce qui, songea Septimus, jetait un doute sur la véracité de leurs récits.

Gagné par la lassitude, il peinait à mettre un pied devant l'autre quand, à son grand soulagement, il vit surgir de la pénombre une ouverture en forme de portique, flanquée de colonnes en lapis-lazuli. Il accéléra le pas, revigoré par la certitude de toucher au but.

En s'approchant, il distingua au pied du portique une forme ramassée qui brillait d'un éclat lunaire. Bientôt, il reconnut un squelette humain, entièrement nu, à part un anneau de cuivre serti d'une pierre rouge glissé au petit doigt de sa main gauche. Adossé au mur, la tête inclinée vers la colonne la plus proche, il semblait lui indiquer la sortie d'un air presque joyeux.

Incapable de l'ignorer, Septimus fit halte à sa hauteur. Sa taille légèrement inférieure à la sienne, son apparence frêle, sa solitude lui serrèrent le cœur. Quelle tristesse d'avoir survécu au Tourbillon sans fond pour trouver la mort dans le froid d'une nuit éternelle !

Une soudaine bourrasque le fit frissonner malgré le **voile de Ténèbre**. Il était temps qu'il pénètre dans l'antichambre du donjon numéro un, retrouve Alther et accomplisse sa mission. Il adressa un petit salut au squelette avant de s'engager entre les colonnes.

Il émergea dans un espace aussi immense et désert que celui qu'il venait de quitter. Toutes les descriptions de l'antichambre qu'il avait pu lire – et il n'avait aucune raison de douter de leur exactitude – évoquaient une pièce ronde aux murs de briques noires, les mêmes qui avaient servi à la construction du cône signalant l'entrée supérieure du donjon. En outre, il ne voyait aucune trace d'Alther, ni d'aucun autre fantôme. Or, l'antichambre passait pour être l'endroit le plus hanté au monde, principalement par les âmes des malheureux qu'on avait jetés aux oubliettes du Château au fil des siècles. La sinistre réputation du donjon numéro un tenait en partie au fait que ceux qui y trouvaient la mort tombaient sous l'emprise du **palais obscur** et demeuraient à jamais sous terre, sans jamais revoir les lieux et les personnes qu'ils avaient aimés de leur vivant. Dans ces conditions, la plupart préféraient la compagnie de leurs semblables à une errance sans fin à travers « l'infini royaume des pleurs ».

Le désespoir s'abattit sur Septimus. Si ce n'était pas là l'antichambre du donjon numéro un, alors où se trouvait-il ? La réponse surgit d'elle-même : il était bel et bien perdu. Jamais encore il ne s'était senti à ce point désemparé, pas même durant la nuit qu'il avait passée dans la Forêt, seul avec Nicko, des années plus tôt. Pour éviter de céder à la panique, il se demanda ce qu'aurait dit Nicko dans cette situation. Il aurait dit de continuer à avancer, qu'ils finiraient bien par tomber sur l'entrée du donjon numéro un, que ce n'était qu'une question de temps... Aussi se remit-il en route, réconforté par la présence imaginaire de son frère à ses côtés.

Presque aussitôt, il fut récompensé par la vision de trois ouvertures rectangulaires, découpées dans la roche lisse. Le conseil de Simon lui revint en mémoire, de même que les paroles de Marcellus : « Je suis persuadé qu'on peut lui faire confiance, apprenti. »

Il franchit la porte de gauche et pénétra dans un nouvel espace qui résonnait de plaintes lugubres. Résistant à la peur, il avança droit devant lui. Avant longtemps, il parvint à deux autres portes. Cette fois encore, il choisit celle de gauche et s'enfonça dans un long couloir tortueux battu par un vent violent qui le cinglait, hurlait dans ses oreilles et le projetait parfois contre la paroi. Mais il tint bon et finit par déboucher dans une autre salle immense et vide où, une fois de plus, il opta pour la voie de gauche.

Au bout d'une nouvelle heure de marche fastidieuse, il avait les pieds meurtris, et l'effet protecteur du **voile de Ténèbre** semblait se dissiper. Le froid le pénétrait jusqu'aux os et il grelottait sans répit. Les plaintes étaient si stridentes par moments qu'il perdait le fil de ses pensées et ne savait plus qui il était. Une terreur sourde que même le Nicko imaginaire ne pouvait dissiper s'insinua en lui. Il se força à poursuivre. Sinon, pensa-t-il, il ne lui restait plus qu'à s'asseoir et attendre de devenir lui-même un tas d'os.

Enfin, il aperçut au loin un portique qui correspondait parfaitement à la description de celui qu'il cherchait. Cette vision suscita chez lui un espoir prudent. Il pressa l'allure, mais en approchant, il distingua un squelette, adossé au mur près d'une des colonnes.

Il s'arrêta net. Quelles étaient les probabilités pour qu'il existe deux portiques identiques gardés chacun par un squelette ? Il s'avança lentement jusqu'à celui-ci. Petit et d'aspect fragile, il inclinait la tête vers la colonne d'un air presque joyeux. Un anneau en cuivre serti d'une pierre rouge ornait le petit doigt de sa main gauche.

Accablé, Septimus se laissa glisser jusqu'au sol, le dos appuyé contre la colonne de lapis. Il était revenu sur ses pas. Simon l'avait une fois de plus trahi. Marcellus n'était qu'un idiot. Jamais il ne trouverait le donjon numéro un. Il allait mourir là, et un jour, quelque infortuné voyageur découvrirait deux squelettes au pied du portique. Il s'expliquait mieux la présence du premier à présent : comme lui, le malheureux était revenu à son point de départ alors qu'il croyait progresser, et cela combien de fois ? Quand il releva la tête, il lui sembla que le crâne poli lui souriait et qu'une lueur complice brillait dans ses orbites vides, mais après la succession de salles désertes qu'il venait de traverser, il lui procurait au moins l'illusion d'une compagnie.

– Je suis désolé que tu n'aies pas réussi à sortir de là, dit-il au squelette.

– Personne ne le peut sans aide, lui répondit un murmure.

Septimus crut à une hallucination. Toutefois il demanda, pour le seul plaisir d'entendre une voix humaine :

– Qui est là ?

La réponse, à peine audible, lui parvint mêlée à la plainte du vent :

– Moi.

– « Moi », répéta-t-il. Voilà que je me parle à moi-même...

– Non. C'est moi qui te parle.

Septimus regarda le crâne, qui lui retourna son regard avec une expression moqueuse.

– C'est toi ? s'enquit-il.

– C'*était* moi. Mais plus maintenant. Moi, je suis là.

Septimus sourit alors, pour la première fois depuis qu'il avait quitté l'*Annie*. Une silhouette était en train de se matérialiser devant ses yeux – le fantôme d'une enfant d'environ dix ans, petite et nerveuse, qui avait tout d'une Jannit Maarten miniature. Sa ressemblance avec la patronne de Nicko était encore accentuée par sa tenue : marinière en toile brute, pantalon au-dessous du genou, longue et fine tresse le long du dos. Septimus fut presque aussi heureux de la voir **appa-raître** que s'il s'était agi d'Alther.

– Tu me vois ? demanda-t-elle, inclinant la tête dans une attitude qui rappelait celle de son squelette.

– Oui.

– Moi aussi, maintenant que tu m'as parlé, je peux te voir. Tu es... bizarre.

Le petit fantôme tendit une main crasseuse à Septimus.

– Relève-toi, lui dit-elle. Si tu tardes trop, tu n'y arriveras jamais et tu resteras là. Comme moi.

Septimus se hissa sur ses pieds avec difficulté.

Le fantôme leva vers lui un regard brillant d'excitation.

– Tu es mon premier vivant, annonça-t-elle, débordant d'une énergie telle qu'on avait du mal à la croire morte. De la côte, j'ai vu ces méchantes gens t'abandonner à bord d'un canot. Alors, je t'ai suivi. Dans le Tourbillon, oui, précisa-t-elle devant l'expression interloquée de Septimus. C'est par là que je suis passée la première fois.

Septimus crut devoir laver la réputation des passagers de l'*Annie*.

– Mes amis ne m'ont pas « abandonné », rectifia-t-il. Je suis venu ici de mon propre gré, afin de retrouver un fantôme. Il s'appelle Alther Mella. Il est grand, avec des cheveux blancs attachés en queue-de-cheval. Il porte une robe de magicien extraordinaire tachée de sang. Tu le connais ?

– Ah ça, non ! se récria l'enfant. Les fantômes d'ici sont méchants. Je ne veux rien avoir à faire avec eux. Si je suis revenue dans cet endroit affreux, c'est uniquement pour te sauver. Viens, je vais te montrer comment en sortir.

Septimus dut faire appel à toute sa volonté pour refuser.

– Je te remercie, mais non, dit-il d'un ton lourd de regret.

– T'as pas le droit de faire ça ! protesta le fantôme, tapant du pied. Je suis revenue exprès pour toi !

– Je sais, répliqua Septimus, agacé.

Il s'était préparé à affronter bien des dangers dans le **palais obscur**, mais certainement pas la mauvaise humeur d'une petite fille morte.

Il reprit :

– Si tu tiens vraiment à me sauver, alors indique-moi le chemin du donjon numéro un. Tu sais comment aller là-bas ?

– Bien sûr !

– Alors, tu veux bien ?

– Et pourquoi je ferais ça ? C'est un endroit horrible. Je le déteste !

Septimus prit une profonde inspiration et compta jusqu'à dix. Elle le tenait en son pouvoir. Il devait la convaincre d'accéder à sa demande sans prendre le risque de la braquer.

Soudain elle tendit la main vers lui et un souffle glacé effleura son anneau dragon.

– Moi aussi, j'ai une bague, dit-elle, agitant son petit doigt. Mais elle n'est pas aussi jolie que la tienne.

Ne sachant s'il devait lui donner raison ou la démentir, Septimus opta pour le silence.

– Ton dragon, ajouta-t-elle, brusquement sérieuse. Tu le portes à la main droite.

– En effet.

– La main *droite*, insista-t-elle.

– Tu l'as déjà dit, rétorqua Septimus, exaspéré – il n'était pas venu là pour parler bijoux et chiffons.

– Tu n'es qu'un idiot, reprit le fantôme. Si tu as envie de rester, tant pis pour toi. Moi, je m'en vais. Adieu.

Sur ces paroles, elle s'évanouit.

Septimus resta seul avec le petit squelette dont le crâne semblait lui sourire.

43
Le Donjon numéro un

Assis près du squelette, Septimus ruminait de sombres, très sombres pensées. Il songea à Moustique, **scellé** à l'intérieur du cabinet hermétique, et à lui-même, coincé sous terre dans le **palais obscur**, et eut la conviction que rien ne pouvait les sauver.

Il baissa les yeux vers son anneau, la seule compagnie qui lui restait, admira son éclat doré et l'œil d'émeraude du dragon. Le petit fantôme bavard avait raison : c'était une jolie bague. Soudain un déclic se fit dans son esprit. Le fantôme avait insisté sur le fait qu'il la portait à la main droite, comme il l'avait toujours fait. Pourtant, quand il regardait ses mains, l'anneau apparaissait à son index gauche. Cette découverte lui causa une intense surprise, puis il comprit : dans le **palais obscur**, tout était **inversé**. Ainsi, chaque fois qu'il avait cru choisir la voie de gauche, il avait en réalité pris celle de droite. Peut-être Simon avait-il dit vrai, en définitive. Peut-être...

Il se releva d'un bond et se remit en marche, le cœur gonflé d'espoir. Parvenu aux trois portiques, il franchit celui de droite et pénétra dans une salle qu'il traversa presque en courant, impatient de vérifier la justesse de sa théorie. Confronté à un nouveau choix, il prit la voie de droite et s'enfonça dans un couloir voûté qui menait à deux escaliers. Ayant gravi celui de droite, il poussa une porte massive et se retrouva dans une caverne d'une hauteur prodigieuse. Des torches encastrées dans la roche répandaient une vive clarté et projetaient des ombres immenses sur le sol. Il réprima un cri de triomphe. Cette fois, il touchait au but !

En chemin, il rencontra à plusieurs reprises des **créatures**, des magogs, des magiciens, des sorcières et des êtres difformes dont la vue lui causa une joie intense. Aucun ne lui prêtait attention, abusé par le **voile de Ténèbre** qui leur donnait l'illusion qu'il était des leurs.

Il dépassa l'entrée de plusieurs passages fermés par des grilles dont même Marcia devait ignorer l'existence et qui, supposa-t-il, conduisaient à différents endroits du Château. Il percevait autour de lui une excitation qu'il attribua aux événements qui se déroulaient à la surface. Comme il croisait deux magiciens tombés en disgrâce quelques années plus tôt, il entendit l'un d'eux murmurer à l'autre : « L'heure de la revanche a sonné ! »

Enfin, il aperçut un portique flanqué de colonnes de lapis-lazuli dont les dorures étincelaient à la lumière des torches et eut la certitude que c'était celui qu'il recherchait.

Quelques minutes plus tard, il s'apprêtait à franchir le portique quand Tertius Fumée, qui ne manquait jamais une occasion d'importuner son prochain et inspirait une véritable terreur à la plupart des spectres, surgit brusquement devant lui et abattit sur son épaule une main si froide qu'elle paraissait brûlante. Le cœur du jeune garçon s'emballa. Jusque-là, il n'avait pas eu vraiment l'occasion d'éprouver l'efficacité du **voile de Ténèbre**. Tertius Fumée allait-il le reconnaître ?

Le test parut concluant. Le fantôme le scruta de ses petits yeux perçants et demanda :

– *Quel est ton nom ?*

– Sum, répondit immédiatement Septimus.

– *Quelle est ta nature ?*

– **Ténébreuse**.

– *Quelle est ta fonction ?*

– Apprenti de l'apprenti de l'apprenti de DomDaniel.

Surpris, Tertius Fumée interrompit l'interrogatoire et tenta de déterminer à qui il avait affaire. Septimus en profita pour franchir le portique. Il est probable que personne avant lui n'avait éprouvé une telle joie en découvrant la vaste salle ronde aux murs de briques noires et la foule de spectres moroses qui s'y morfondaient. Il ne lui restait plus qu'à trouver celui qu'il était venu chercher.

Il regarda autour de lui et son cœur fit un bond quand il vit Alther, assis sur un banc encastré dans le mur.

Renonçant à comprendre qui il était – les possibilités étaient trop nombreuses – Tertius Fumée se laissa flotter jusqu'à lui, semblable à un nuage d'orage.

– *Quelle est ta mission* ? demanda-t-il.

Septimus ne répondit pas et entreprit de franchir la foule des fantômes en faisant des écarts pour éviter de les **traverser**. Enfin, il rejoignit Alther. Tandis qu'il errait dans le **palais obscur**, combien de fois avait-il imaginé cet instant, et l'expression d'Alther quand son regard se poserait sur lui et **percerait** le **voile** pour découvrir sa vraie nature ? Mais à sa grande déception, le vieux spectre ne réagit pas. Les yeux fermés, aussi immobile qu'une statue, il semblait n'avoir aucune conscience de ce qui l'entourait. Septimus devina qu'il s'était réfugié au plus profond de lui-même.

Marcellus lui avait expressément recommandé de s'en tenir aux réponses rituelles en présence de la **Ténèbre**, et celle-ci n'avait pas de représentant plus zélé que Tertius Fumée. Il se demandait comment atteindre Alther quand Fumée le tira d'embarras en répétant sa question :

– *Quelle est ta mission* ?

– Retrouver l'apprenti de DomDaniel, répondit-il bien fort, espérant qu'Alther reconnaîtrait sa voix.

Les secondes qui suivirent furent parmi les plus belles de son existence. Alther ne bougea pas, mais ses paupières se soulevèrent lentement. Son regard s'éclaira à la vue de Septimus, puis il aperçut Tertius Fumée à ses côtés et referma les yeux. Le jeune garçon eut du mal à dissimuler sa joie. Il avait réussi à tirer Alther de sa prostration, et le vieux fantôme avait saisi la situation !

Par chance, Tertius Fumée n'avait rien remarqué. Il était trop occupé à détailler le nouveau venu de la tête aux pieds. Il y avait quelque chose de bizarre chez lui, mais quoi ?

– Je crains que tu n'aies frappé à la mauvaise porte, Sum,

dit-il d'un ton mielleux. L'apprenti de DomDaniel se trouve à la surface, où il connaît une réussite aussi insolente qu'inespérée, m'a-t-on dit.

Septimus s'inclina en silence.

Fumée lui rendit son salut avec un sourire narquois avant de s'éloigner.

Septimus s'assit à côté d'Alther. Il avait perçu la méfiance de Fumée et savait qu'il devait agir vite.

– Je suis là pour **révoquer** le **bannissement**, annonça-t-il de but en blanc. Marcia m'a appris la formule.

Il regarda Alther à la dérobée. Un observateur moins averti n'aurait décelé aucune différence dans son attitude, mais il devinait chez lui une tension comparable à celle d'un chat prêt à bondir sur sa proie.

Le jeune garçon prit une longue inspiration et entreprit de réciter la formule d'une voix sourde et monotone. Il fut tenté de la débiter d'une haleine afin d'en terminer avant que Tertius Fumée ne se doute de quelque chose, mais c'était impossible : la **révocation** devait avoir la même durée que le **bannissement** (dont elle reprenait le texte mot pour mot, mais à l'envers), à la microseconde près.

En procédant par élimination, Tertius Fumée avait réduit la liste des ex-apprentis de DomDaniel à sept noms. À exactement cinq secondes et demie de la fin de la formule, il comprit à qui il avait affaire. Il s'élança vers Septimus, **traversant** tous les fantômes qui se dressaient sur son chemin. Sans le mauvais caractère d'un maçon qui avait fait une chute mortelle dans le donjon alors qu'il en réparait le mur, il l'aurait certainement empêché d'achever la **révocation**. Mais par bonheur, il le rejoignit juste comme il prononçait les derniers mots de la formule : « Overstrand Marcia, moi. »

Alther se dressa tel un ressort. Avec une vigueur inattendue chez un fantôme, il agrippa la main de Septimus et se rua vers le vortex **ténébreux** au centre de l'antichambre. Tertius Fumée tenta de les rattraper, en vain. Le vortex engloutit Septimus et Alther mais il rejeta leur poursuivant, toujours sous le coup du **bannissement** que lui avait infligé Marcia, et l'envoya tournoyer à travers la pièce tel un spectre fraîchement éjecté du donjon numéro un.

Cramponnés l'un à l'autre, Septimus et Alther traversèrent plusieurs strates d'ossements et de désespoir et jaillirent dans la cheminée du donjon, couverts de vase et d'immondices. Septimus aperçut loin au-dessus de lui les échelons auxquels il devait à tout prix se raccrocher s'il ne voulait pas retomber au fond du donjon, dans le cloaque d'où bien peu parvenaient à s'extraire. Il n'était plus qu'à une longueur de bras du premier quand la gravité le rattrapa.

– Le **Grand Vol** ! lui cria Alther, qui flottait près de lui. Pense au **Grand Vol**... Deviens le **Grand Vol** !

Septimus ferma les yeux et se revit au bord d'un gouffre insondable, au milieu d'une plaine enneigée. Puis il se représenta la minuscule flèche en or et en argent qui se languissait à présent au fond d'une urne, dans la chambre forte du Manuscriptorium, et sentit qu'il reprenait de l'altitude. Sa main se referma sur du métal froid. Il était sauvé !

Alther resta à ses côtés tandis qu'il gravissait péniblement les échelons. Le rugissement du vortex s'éloigna peu à peu, et enfin, il distingua au-dessus de lui la porte piquée de rouille du donjon. Arrivé au dernier échelon, il s'arrêta et porta la main à sa poche, cherchant la précieuse clé. Ses doigts engourdis de fatigue mirent plusieurs minutes interminables à défaire les boutons de sa poche, mais il finit par attraper la clé. Enroulant le cordon autour de son poignet pour plus de sécurité, il l'introduisit dans la serrure et la fit tourner.

La porte s'ouvrit, le **brouillard ténébreux** s'engouffra dans le puits, prenant Septimus par surprise. Déséquilibré, il serait certainement tombé si quatre bras robustes ne l'avaient tiré à l'extérieur comme un sac de pommes de terre.

– Sep ! Oncle Alther ! Le ciel soit loué, vous êtes tous les deux sains et saufs !

Si le **brouillard** étouffait un peu la voix de Jenna, son rire était bien audible et son soulagement tangible.

Septimus resta adossé au cône de briques noires qui signalait l'entrée du donjon, trop épuisé pour faire autre chose que sourire. Nicko et Jenna, enveloppés dans la cape de cette dernière, souriaient également. Aucun d'eux n'éprouvait le besoin de parler.

Puis Alther rompit le silence :

– Eh bien, eh bien, murmura-t-il. On ne peut pas dire que vous ayez pris beaucoup de soin de cet endroit en mon absence. Je ne vous félicite pas !

44
À LA TOUR DU MAGICIEN

Rose frappa timidement à la grande porte pourpre des appartements de Marcia. La porte était d'un naturel méfiant. N'ayant pas reconnu la jeune fille, elle resta obstinément fermée et Marcia dut l'ouvrir en personne. Rose était tellement impressionnée de pénétrer chez la magicienne extraordinaire que, pendant quelques secondes, elle en oublia la raison de sa visite.

– Oui ? fit Marcia avec impatience.

– Oh ! pardon, dame Marcia, mais l'infirmière chef vous fait dire que nous ne pouvons rien pour votre patiente. Aussi, elle vous prie respectueusement d'en disposer à votre convenance.

Marcia soupira. Cette nouvelle tombait on ne peut plus mal.

– Merci, Rose. Dites-lui que je viendrai chercher la patiente après ma tournée, vous voulez bien ?

Quelques minutes plus tard, Marcia empruntait l'escalier, qui fonctionnait à présent en mode « économie d'énergie », afin de parcourir la tour au pas de charge et soutenir le moral de ses occupants. Pour maintenir le **dôme vivant** et contenir l'avancée de la **Ténèbre**, il fallait que chacun reste concentré sur sa tâche. Les éclairs orangés, de plus en plus fréquents, qui brillaient à travers les vitres leur rappelaient constamment que leurs réserves de **Magyk** s'épuisaient. Marcia doutait qu'ils puissent tenir encore très longtemps, et la plupart des magiciens partageaient probablement son sentiment. Mais elle avait le devoir de leur faire croire qu'ils le pouvaient.

Tandis qu'elle avançait dans sa tournée, distribuant les encouragements, le bourdonnement de la **Magyk** emplit peu à peu ses oreilles, lui procurant une légère ivresse – comme après un orage, quand l'air frais et chargé d'une pluie fine vous picote agréablement le visage. Terminé les commérages, les chicaneries, les rivalités mesquines qui agitaient la société de la tour. À présent, tous agissaient de concert.

La plupart des magiciens et apprentis avaient gagné les parties communes de la tour, redoutant de rester seuls chez eux dans ces circonstances. Beaucoup s'étaient rassemblés dans le grand hall où ils marchaient de long en large en murmurant des incantations, et leur rumeur affairée s'élevait vers les étages. D'autres, assis près d'une fenêtre, fixaient le **dôme** du regard et tâchaient de ne pas se laisser déconcentrer par les éclairs orange qui le traversaient par moments.

S'étant assurée que la plus grande partie des magiciens l'avaient vue, Marcia se rendit à l'infirmerie. Elle fit une rapide visite à la **chambre de désenchantement** pour dire au revoir à Syrah, par précaution. Elle savait que la jeune fille ne survivrait pas longtemps si le **brouillard ténébreux** parvenait à s'infiltrer dans la tour.

Quand elle ressortit de la **chambre**, encore chancelante, elle découvrit que Jillie Djinn l'attendait à l'accueil, comme un colis en instance.

– L'infirmière chef vous prie de l'excuser, mais elle a dû s'absenter pour une urgence, dit Rose, lui tendant un formulaire. Hum, vous voulez bien signer le bon de restitution ?

Marcia s'exécuta sans enthousiasme.

– Mlle Djinn est libre de partir, à présent, reprit Rose.

– Merci. Je l'emmène.

Marcia entreprit de regagner ses appartements, s'arrêtant à chaque étage afin de féliciter les magiciens qu'elle rencontrait. Jillie Djinn ne la quittait pas d'une semelle, aussi docile qu'un toutou.

Une fois la grande porte pourpre refermée, Marcia abandonna son masque de gaieté. Elle fit asseoir Jillie Djinn sur le sofa et se laissa tomber sur le tabouret de Septimus, près de la cheminée. Elle prit sur celle-ci un coffret en argent qu'elle ouvrit. Il contenait l'exemplaire des **codes appariés** de la tour : un disque en argent dont la surface brillante était gravée de chiffres et de symboles, reliés chacun au centre par un trait mince.

Marcia resta un long moment à le contempler, songeant

combien la situation aurait été différente si elle avait eu l'exemplaire du Manuscriptorium en sa possession. Le disque solitaire semblait lui adresser des reproches. *Où se trouve mon frère ?* crut-elle l'entendre demander. Elle fut tentée de se **transporter** à l'extérieur pour y traquer Merrin Mérédith. Quel plaisir elle aurait eu à mettre la main sur lui ! Mais la moindre brèche dans le **dôme** aurait permis à la **Ténèbre** d'envahir la tour. Elle était prisonnière du système de défense qu'elle avait elle-même mis en place.

Elle lança un regard meurtrier à Jillie Djinn. Si elle n'avait pas nourri Merrin, ce serpent, dans le sein du Manuscriptorium, rien de tout cela ne serait arrivé. Quelle faute grossière ! Marcia referma le coffret d'un coup sec, faisant sursauter Eugène Ni. Avec un grognement, le génie hibernant se retourna et prit ses aises, la tête appuyée sur l'épaule à la propreté douteuse de la première scribe hermétique. Cette dernière ne réagit pas. Le visage blême, elle fixait obstinément le vide. Soudain un éclair orange illumina Jillie Djinn et le génie, leur donnant l'aspect vaguement effrayant de mannequins de cire.

Le désespoir envahit Marcia. Jamais elle ne s'était sentie aussi seule depuis la nuit où Alther et la reine Cerys avaient été tués. Elle se demanda où était Septimus et l'imagina étendu dans la neige, inconscient, au fond d'une ruelle déserte. *Tout est ma faute*, songea-t-elle. C'était son intransigeance qui avait amené son apprenti à se tourner vers Marcellus. C'était encore elle qui avait **banni** Alther à cause d'une erreur stupide. Et son nom resterait à jamais honni comme celui de la magicienne extraordinaire qui avait livré la tour à la **Ténèbre** et dilapidé le précieux savoir amassé au fil des siècles entre les murs de ce véritable temple de la **Magyk**. Marcia Overstrand, sept cent soixante-seizième et dernière magicienne extraordinaire...

Elle exhala un soupir qui ressemblait à un sanglot.

La fenêtre du salon de la magicienne extraordinaire, au dernier étage de la tour, ouvrait sur une plate-forme conçue pour l'atterrissage des dragons et des fantômes peu habitués aux efforts physiques. Alther s'y reposa un instant – il se réjouissait d'avoir un jour marché jusqu'à l'extrémité de la plate-forme, jeune apprenti, pour répondre à un défi – avant de s'approcher de la fenêtre. Dans la pénombre, il distingua une silhouette assise devant la cheminée, la tête entre les mains, mais il n'aurait su dire de qui il s'agissait.

Dès qu'il se sentit la force de se **dématérialiser**, il prit une profonde inspiration (ou ce qui en tenait lieu chez les fantômes) et entra.

Marcia releva la tête. Ses yeux verts s'agrandirent, et elle resta bouche bée d'étonnement durant quelques secondes. Puis elle se leva d'un bond et se mit à piailler – oui, à piailler :

– Alther ! *AltherAltherAlther !* C'est bien vous ?

Oubliant qu'elle avait affaire à un mort, elle se précipita vers son vieux professeur afin de le serrer dans ses bras, mais elle le **traversa** et se cogna contre la vitre.

– Pardon ! s'écria-t-elle, confuse. Je ne voulais pas... Oh ! Vous n'imaginez pas combien je suis heureuse de vous voir.

Alther sourit.

– Probablement autant que moi de te voir.

Les cheveux volant dans le vent, Marcia referma la lucarne qui permettait d'accéder à la pyramide dorée depuis la bibliothèque de la tour.

– J'ai vu sa queue ! s'exclama-t-elle, stupéfaite. Mais enfin, qu'est-ce qu'il fiche là-haut ?

– Il a dû trouver le point de fusion du **dôme** et se faufiler à travers.

Marcia soupira.

– Décidément, je ne suis pas douée pour la soudure, remarqua-t-elle.

– Il n'existe pas de barrière inviolable, Marcia. Je trouve que tu as fait de l'excellent travail. Et il est sans doute plus facile à un dragon qu'à un magicien de traverser un **dôme vivant**. Je regrette de ne pouvoir t'aider davantage, ajouta Alther après un silence. Septimus me pensait capable de **défaire** le **domaine ténébreux** parce que Merrin Mérédith et moi avons eu le même maître.

– C'est pourtant vrai ! Ça ne m'était pas venu à l'esprit.

– Moi-même, j'évite d'y penser. Septimus supposait que mon antériorité me permettrait de réparer les dégâts causés par mon successeur. Hélas ! Cette règle ne s'applique qu'aux vivants. Il n'y a que toi qui puisses le faire, Marcia. Ton dragon t'attend... et ton apprenti aussi.

– Vous oubliez ce sale petit cafard, Alther.

– Tu as raison. Même si je doute que Merrin Mérédith espère ta venue avec la même impatience.

Marcia referma violemment la fenêtre de son salon.

– Il n'a pas voulu venir. La sale bête, il m'a snobée !

– Si le dragon ne vient pas à toi, alors c'est toi qui iras au dragon.

– Quoi ? Là-haut ?

– C'est faisable, crois-en mon expérience. Je ne prétends pas que ce sera une partie de plaisir, mais à circonstances exceptionnelles...

– ... mesures exceptionnelles, compléta Marcia, s'armant de courage.

Quelques minutes plus tard, un hypothétique promeneur doué d'une vue assez perçante pour pénétrer le **brouillard ténébreux** aurait eu la surprise de voir Marcia Overstrand gravir péniblement une des faces de la pyramide dorée qui coiffait la tour du Magicien, sa cape pourpre déployée derrière elle telles les ailes d'un oiseau. Elle se déplaçait à l'intérieur du halo violet et indigo qui enveloppait la tour, derrière la silhouette presque transparente d'un fantôme également vêtu de pourpre. Celui-ci la guidait vers un dragon, perché au sommet de la pyramide.

– Je te tiens ! s'exclama Marcia, agrippant la queue du dragon.

Boutefeu releva la tête et promena un regard endormi autour de lui. *Zut*, pensa-t-il. *Encore cette agaçante petite personne en pourpre !* Son maître ne lui avait jamais dit d'accourir quand la petite personne en pourpre l'**appelait**, mais il lui avait donné l'ordre de se laisser monter par elle – même si, d'après ses souvenirs, elle n'était pas très douée pour ça.

Le dragon attendit patiemment que Marcia ait pris place sur son dos et appliqué un **sort inverse** à son manteau afin de se protéger du **domaine ténébreux**.

– Suis ce fantôme, lui dit-elle alors.

Il déploya ses ailes et s'éleva lentement à la suite d'Alther, qui le dirigea vers une minuscule brèche à l'endroit où les bords du **dôme** étaient censés se rejoindre. À l'approche de celle-ci, il effectua une manœuvre délicate et acheva sa montée en chandelle, les ailes pliées le long du corps, obligeant Marcia, paniquée, à se cramponner à son cou. Le museau pointé vers le ciel, tel un trait d'arbalète en forme de dragon, il franchit la brèche à une vitesse prodigieuse, laissant le **dôme** intact, comme deux jours plus tôt, quand il l'avait traversé pour la première fois.

Dragon et fantôme s'enfoncèrent alors dans le **brouillard ténébreux**, volant en direction de la guérite de péage du mail des Artisans.

La grande porte pourpre des appartements de la magicienne extraordinaire s'ouvrit d'elle-même devant Silas Heap.

Celui-ci s'arrêta sur le seuil et murmura :

– Marcia ?

Pas de réponse. La clarté mouvante du feu projetait des ombres étranges sur le mur – celle d'un nain et d'un personnage coiffé d'une pile de beignets.

Pas vraiment rassuré, Silas reprit :

– Marcia, tu es là ? Ce n'est que moi. Je venais prendre de tes nouvelles. Je... Eh bien, j'ai pensé que tu apprécierais peut-être un peu de compagnie. Marcia ?

Seul le silence lui répondit. L'oiseau s'était envolé.

⁜ 45 ⁜
COMBAT DE DRAGONS

– Quel temps splendide !

La voix de la Grande Mère portait loin et fort dans le **brouillard**. Réfugiés à l'intérieur de la guérite de péage du mail des Artisans, Jenna, Septimus et Nicko virent les cinq sorcières du Port les dépasser d'un pas aussi nonchalant que si elles se promenaient par une belle journée d'été. Nettement moins à l'aise, la matrone trottinait derrière elles, enveloppée dans une couverture de **Ténèbre**.

– Tes nouvelles copines, Jen, murmura Septimus.

– Oh ! C'est bon, souffla Jenna.

L'apparition des cinq silhouettes difformes avait ravivé le souvenir de la terreur qu'elle avait éprouvée dans la Masure maudite et quelque peu refroidi l'affection qu'elle portait à sa cape. Ils suivirent les sorcières du regard jusqu'au moment où elles disparurent à l'angle de la voie Cérémonielle.

Nos trois héros attendaient en réalité l'arrivée de Boutefeu. Pour cela, ils avaient choisi un endroit assez vaste pour que le dragon puisse s'y poser. Alther avait promis de le ramener le plus vite possible, mais chacun craignait de nouvelles complications. Chaque minute passée à l'intérieur de la guérite leur semblait durer une heure. Puis l'ombre d'un dragon planant dans le ciel se découpa sur le sol du mail, et le temps leur parut s'arrêter. Aucun d'eux ne pensa, pas même une seconde, qu'il pouvait s'agir de Boutefeu.

Après trois essais malheureux, le dragon **ténébreux** – et d'une maladresse affligeante, comparé à Boutefeu – se posa lourdement au centre du mail des Artisans, faisant trembler la guérite.

Les trois amis se plaquèrent contre le mur du fond, persuadés que le dragon avait perçu leur présence. Lors de ses tentatives d'atterrissage, ses six ailes avaient brassé l'air avec vigueur, dissipant le **brouillard** juste assez pour leur permettre de le distinguer dans toute son horreur. Le plus choquant était sa taille – auprès de lui, Boutefeu aurait paru aussi frêle et délicat qu'une libellule. Tassé sur lui-même, il déplaçait son énorme poids d'une patte sur l'autre en dardant une langue blanche et fourchue. Il balançait sa tête grossière en faisant rouler dans ses orbites ses six yeux d'un rouge sanglant. Ceux-ci lui offraient une vision quasi circulaire, avec un angle mort d'à peine dix degrés contre quatre-vingt-dix pour un dragon ordinaire. Son dos était semé de crêtes tranchantes, ses quatre pieds pourvus de serres recourbées comme des cimeterres. Détail atroce, un morceau d'étoffe bleue sur lequel on distinguait des traces rouges – ainsi que ce qui avait tout l'air de lambeaux de chair – pendait d'une de ces griffes. Jenna se couvrit le visage de ses mains. C'était là tout ce qui restait d'un être humain, un habitant du Château semblable à eux.

Septimus lui décocha un coup de coude.

– Regarde, chuchota-t-il. Il y a quelqu'un sur son dos.

Comme Boutefeu, le monstre présentait une crête saillante à la base du cou. Mais alors que celle du dragon de Septimus avait un sommet arrondi, la sienne se terminait par une pointe acérée. Juste derrière, on apercevait une silhouette drapée dans une robe de scribe crasseuse.

– Merrin Mérédith ! murmura Jenna.

– Ouais. Il a pris du galon, à ce qu'on dirait. Ce n'est plus le petit cafard morveux qu'on a connu.

– Je n'en crois pas mes yeux. Ce minable est à l'origine de tout ceci...

– Grâce à la **Ténèbre**. Il a appris à se servir de sa bague, mais il est trop bête pour réfléchir aux conséquences de ses actes. Tout ce qui l'intéresse, c'est de détruire.

– Et surtout de te détruire, toi.

– Moi ?

– Selon Moustique, il n'arrête pas de déblatérer contre toi. Il raconte que tu lui as volé son nom, qu'il va t'éliminer afin de prendre ta place... et que son dragon est dix fois plus fort que le tien.

– Plus fort, ça reste à voir. Mais dix fois plus gros, c'est sûr !

– Ce n'est pas pour autant qu'il peut battre Boutefeu.

– T'as raison. Boutefeu est le meilleur.

Soudain le dragon **ténébreux** secoua ses ailes. Une rafale puissante s'engouffra dans la guérite, apportant une odeur qui souleva le cœur des trois amis. Elle dispersa également le **brouillard** qui avait commencé à se reformer, dégageant le mail de telle sorte qu'ils virent distinctement le dragon se mettre en mouvement. Il entreprit de remonter la voie Cérémonielle d'un pas pesant, agitant ses ailes telles de grandes voiles noires. Peu à peu, il prit de la vitesse. Parvenu aux grilles du palais, il quitta le sol, s'éleva lourdement à travers le **brouillard** et disparut dans la nuit.

– Ouf ! fit Nicko. Il est parti.

– J'avais peur que Boutefeu n'arrive pendant qu'il était encore là, avoua Jenna.

Septimus avait ressenti la même crainte mais il l'avait fermement repoussée. Comme le disait volontiers tante Zelda, « Penser c'est presque créer ».

Toutefois, il était à mille lieues de penser – et à plus forte raison de créer – ce qui arriva quelques minutes plus tard : le dragon **ténébreux** revint. Il atterrit au milieu du mail, faisant de nouveau trembler la guérite. Les trois amis retinrent leur souffle. Les yeux rouges du monstre roulèrent dans leurs orbites, puis il se mit à courir le long de la voie Cérémonielle, de plus en plus vite, et s'envola. Trois fois, le même manège se répéta. Trois fois, les occupants de la guérite prièrent pour que Boutefeu ne choisisse pas ce moment pour apparaître. Chaque retour du dragon les confortait dans la certitude qu'il avait senti leur présence – sinon, pourquoi serait-il revenu ? Mais alors qu'il se préparait à décoller avec une agilité qu'il n'avait pas manifestée jusque-là, Jenna eut une révélation.

– Il s'entraîne, murmura-t-elle à ses compagnons. C'est le seul endroit du Château qui puisse servir de piste d'envol et d'atterrissage à un dragon de sa taille.

Ils comprirent alors quel était le but de cet exercice : Merrin Mérédith s'apprêtait à donner l'assaut à la tour du Magicien.

Le dragon **ténébreux** avait disparu depuis plusieurs minutes quand la silhouette de Boutefeu, plus menue et infiniment plus plaisante au regard, se détacha du **brouillard**, annoncée par la descente en piqué, les bras largement écartés, d'Alther.

Boutefeu atterrit en douceur à l'endroit même d'où le monstre avait pris son élan un peu plus tôt. Il renifla autour de lui avec l'expression méfiante d'un chat découvrant qu'un lion a posé sa crotte à l'extérieur de sa chatière. Avant qu'il n'ait pu réagir, il vit accourir vers lui trois créatures surexcitées. Avec un soulagement immense, il aperçut son maître parmi elles. Voler sous la conduite de la petite personne en pourpre s'était révélé un vrai cauchemar.

Toutefois, la petite personne en pourpre ne montrait aucune envie de céder sa place à son maître légitime.

Malgré le plaisir qu'il avait éprouvé à voir Marcia, Septimus n'entendait pas lui confier les commandes de son dragon dans un moment aussi crucial. Il se montra on ne peut plus direct.

– Poussez-vous ! lui hurla-t-il à travers le **brouillard**.

– Vite, Marcia, insista Alther, qui partageait les doutes de

Septimus sur les talents de pilote de son ancienne élève. Descends et laisse faire le petit.

– Ça vient, rétorqua Marcia. Mon manteau s'est accroché à une de ces fichues crêtes...

Trépignant d'impatience, Septimus tira d'un coup sec sur le manteau **inversé**. Déséquilibrée, Marcia descendit plus vite qu'elle ne l'aurait souhaité. Pourtant, elle surprit son apprenti en le serrant fougueusement dans ses bras et en l'aidant à se hisser sur le dos de Boutefeu. Elle se glissa ensuite à la place du navigateur, juste derrière lui. Jenna réprima à grand-peine son agacement – ce n'était ni le moment ni le lieu de se quereller pour des questions de préséance – pour s'insérer entre Marcia et Nicko.

Boutefeu prit rapidement de l'altitude, escorté par Alther. Marcia donna une tape sur l'épaule de Septimus et lui cria, profitant de l'éclaircie créée par les battements d'ailes du dragon :

– Manuscriptorium !

Le Manuscriptorium était le dernier endroit où Septimus souhaitait se rendre. Tout ce qu'il désirait, c'était fuir le danger.

– Pourquoi ? demanda-t-il.

– Merrin Mérédith ! Le **code** !

– Quelle corde ?

– Pas corde, **code** ! Les **codes appariés**. C'est lui qui a le deuxième ! Au Manuscriptorium !

Enfin, Septimus comprit.

– Il n'y est plus ! hurla-t-il.

Au même moment, une ombre immense glissa au-dessus

d'eux, et un souffle d'air puissant apporta une odeur fétide à leurs narines.

– Il est là-haut ! ajouta Septimus.

Tous levèrent les yeux. Le déplacement du dragon **ténébreux** dispersait le **brouillard** juste assez pour qu'ils aperçoivent ses serres sanglantes qui tranchaient sur son ventre blanc. Pour la première fois, Septimus entendit sa tutrice jurer comme une charretière.

– Cette crapule ne s'en tirera pas comme ça ! s'exclama Marcia. Je le rattraperai, dussé-je y laisser la vie !

C'est probablement ce qui va se passer, songea Septimus.

Marcia ajouta :

– Ramène immédiatement Boutefeu à la tour. Vous trois, vous resterez là-bas.

Septimus n'avait aucune intention de rester à la tour, mais ce n'était pas le moment de discuter. Il s'exécuta. Le dragon piqua à travers le point de fusion du **dôme** et s'enfonça dans le halo magique de la tour avant un atterrissage parfait devant la fenêtre de Marcia.

– Attendez-moi ici, dit celle-ci, se laissant glisser sur la plate-forme. Je vais ouvrir.

Une fois Jenna et Nicko à l'intérieur, elle attendit impatiemment que son apprenti lui laisse sa place. Voyant qu'il ne bougeait pas, elle dit :

– Descends, Septimus. C'est un ordre.

– Pardon, mais je refuse d'obéir. C'est moi qui vous conduirai.

– Il n'en est pas question. Allez, ouste !

Ils auraient certainement poursuivi leur dialogue de

sourds si les éclairs orange qui zébraient l'extérieur du **dôme** n'avaient brusquement cessé.

– Les barrières sont en train de céder ! s'exclama Marcia. Descends tout de suite !

Tandis que la couleur du **dôme** virait lentement au rouge, un mouvement dans le ciel incita Septimus à lever les yeux : un filet de **brouillard ténébreux** avait réussi à traverser le point de fusion et se déployait lentement au-dessus de la tour. Soudain une énorme patte griffue se glissa à son tour dans l'interstice.

Septimus n'hésita pas une seconde.

– Envole-toi ! ordonna-t-il à Boutefeu.

Avant que Marcia n'ait pu les en empêcher, maître et dragon s'élevèrent à travers le halo pourpre vacillant, à la rencontre d'un autre dragon et de son maître.

46

SYNCHRONIE

Boutefeu traversa le point de fusion du **dôme** tel un boulet de canon et fonça tête la première contre le ventre blanc et mou de son adversaire. Si la violence du choc le projeta en arrière, le dragon **ténébreux** ne parut pas davantage affecté que par une piqûre de guêpe.

Boutefeu se rétablit et émit un grondement belliqueux. À l'époque lointaine où le monde était rempli de dragons, un individu n'était considéré comme adulte par sa communauté qu'après avoir défié et vaincu un de ses congénères. Aussi l'envie de combattre était-elle profondément enfouie dans son cerveau de reptile.

Le maître du dragon **ténébreux** brûlait égale-

ment d'en découdre. Penché au-dessus du vide, les yeux étincelants, il lança à Septimus :

– Je vais t'écrabouiller, la grenouille !

– Tu peux toujours courir, face de rat !

– Pan ! reprit Merrin, pointant son pouce gauche comme un pistolet. T'es mort, et ton dragon de poche aussi !

Boutefeu remonta en flèche, frôlant le dragon **ténébreux** de si près que Septimus aurait pu compter les boutons sur le visage blême de Merrin. La haine qui brillait dans le regard de son adversaire lui causa un choc encore plus violent que la vision rapprochée de sa monture. Avant de s'éloigner, il adressa à l'apprenti de DomDaniel un geste grossier, provoquant un torrent d'obscénités qui se répandit dans la nuit.

Boutefeu s'immobilisa avant de crever le plafond du **brouillard** et Septimus regarda vers le bas, au fond du puits que leur déplacement avait creusé dans celui-ci. Il aperçut l'énorme masse du dragon de Merrin et au-delà, le halo enveloppant la tour du Magicien, à présent d'un rouge terne.

Septimus et Boutefeu restèrent un moment à planer au-dessus du **domaine ténébreux**, entre le ciel étoilé et le silence qui s'étendait sous eux. Un sentiment de paix les envahit et ils atteignirent un état auquel la plupart des maîtres de dragon aspirent toute leur vie sans jamais y parvenir. Dans cet état, appelé **synchronie** (cf. Draxx, *J'élève mon dragon*, p. 1141), maître et dragon pensent et agissent en parfaite harmonie, jusqu'à la fusion.

Soudain Ils plongèrent dans le puits de clarté qui s'ouvrait sous eux. Septimus se cramponna au cou du dragon. L'air sifflait à ses oreilles, la vitesse provoquait chez lui une sorte d'euphorie. Tandis qu'Ils fonçaient vers le sol, Ils virent Merrin hurler, le visage levé vers Eux, en bourrant de coups de talon les flancs de son dragon. Après une décélération pleinement maîtrisée, un virage serré Les amena au niveau de la dernière paire d'ailes du dragon **ténébreux**, qu'Ils lacérèrent avec la pointe de Leur mufle corné. Ils firent volte-face sous une pluie d'os brisés et de lambeaux de peau malodorants et s'arrêtèrent pour considérer ce qu'Ils avaient fait.

Devenu incontrôlable, le dragon **ténébreux** perdit rapidement de l'altitude. Le **brouillard** absorba les cris de terreur de son pilote tandis qu'il plongeait en direction de la tour. Avec un « boum » qui retentit comme un coup de tonnerre lointain, il s'abattit sur le **dôme** chancelant. Des étincelles de **Magyk** fusèrent, une cascade de lumières rouges ruissela jusqu'au sol, comme si on avait allumé une chaîne de pétards. Fouettant de la queue, agitant frénétiquement ses quatre ailes intactes, le monstre rebondit sur le **dôme** et s'écrasa sur les maisons qui entouraient la cour du Magicien, projetant autour de lui des cheminées et des tuiles cassées. Septimus et Boutefeu triomphaient : Ils n'auraient jamais cru qu'il était aussi facile de se débarrasser d'un dragon **ténébreux**.

Ils avaient tort de se réjouir. Quatre ailes suffisent à un dragon – même aussi énorme que celui qu'avait **engendré** Merrin – pour voler. Le monstre se releva, resta un moment perché sur un toit, puis, comme les poutres pliaient sous son poids, il s'éleva dans les airs. Ses six yeux rouges se fixèrent sur Boutefeu et Septimus. Une fraction de seconde plus tard, il se ruait vers Eux, sa gueule ouverte dévoilant trois rangs de crocs aussi aiguisés que des rasoirs.

Ils l'attendirent de pied ferme. Quand il fut assez proche pour qu'Ils distinguent les pupilles de ses six yeux (son maître, lui, avait fermé les siens), Ils bondirent au-dessus de lui de manière à se retrouver dans son angle mort, se faufilèrent sous son ventre blême et surgirent devant lui. Profitant de ce qu'il regardait vers le haut, se demandant où Ils étaient passés, Ils abattirent la pointe de Leur queue sur son nez. Les dragons ont le nez sensible. Un hurlement de douleur déchira la nuit.

– Tu vas me le payer ! cria Merrin.

– Dans tes rêves !

Ils continuèrent à le narguer, décrivant des cercles autour de lui, plongeant vers le sol pour disparaître à sa vue et resurgir à l'opposé de l'endroit où regardait son dragon. Ils décochèrent des coups de queue à celui-ci, lui piquèrent le ventre avec Leur museau aussi dur que de la corne. Quoique Leurs estomacs soient vides, Ils parvinrent même à cracher un bouquet de flammes qui roussirent le sommet de sa deuxième paire d'ailes. Le dragon rendait coup pour coup, avec cinq secondes de retard. Le temps qu'il réponde à une attaque, la suivante était déjà en cours. Dans sa frustration, il poussait des rugissements de fureur qui étouffaient les gémissements de terreur de son maître.

Vibrant d'excitation, Ils remontèrent en flèche jusqu'au plafond du **domaine ténébreux**. Ballottés par le vent violent qui soufflait à cette altitude, Ils respirèrent à pleins poumons l'air pur et glacé. Au-dessus d'Eux se déployait la voûte céleste pailletée d'étoiles ; au-dessous, les volutes du **brouillard** évoquaient de longues algues dansant dans le courant. Ils eurent soudain le sentiment enivrant de se trouver au sommet du monde.

Tout en bas, le dragon **ténébreux** les attendait, tapi dans l'obscurité. Il était temps, décidèrent-Ils, d'attirer le monstre hors du **domaine**. Enragé comme il l'était à présent, il Les aurait suivis n'importe où. Ils prirent une longue inspiration et se laissèrent tomber à travers le **brouillard**. Six minuscules points rouges trouaient la nuit sous Eux, se rapprochant à une vitesse vertigineuse : les yeux de leur cible.

Veillant à toujours se trouver dans sa ligne de vision, Ils entamèrent avec lui le jeu du chat et de la souris, se risquant à la portée de ses serres redoutables. À une ou deux reprises, celles-ci sifflèrent dans l'air dangereusement près de Leurs têtes, faisant voler Leurs cheveux. À force de provocations, de feintes et d'esquives dignes des meilleurs escrimeurs, Ils l'attirèrent peu à peu vers le ciel sans que son pilote geignard Leur oppose la moindre résistance.

Soudain Ils jaillirent du **brouillard** comme un boulet de canon. Concentré sur la pointe de Leur queue, qui s'agitait à une longueur d'aile de sa gueule, Leur adversaire Les suivit sans méfiance et se heurta à un mur d'air pur. Étourdi, il s'arrêta net. Pour la première fois de sa courte existence, le monstre se trouvait privé de la protection de la **Ténèbre**. Son maître ouvrit les yeux, aperçut le serpent noir et glacé de la Rivière sous lui et hurla.

Sentant ses forces l'abandonner, son dragon renversa la tête en arrière et poussa un mugissement désespéré. Sans la barrière du **brouillard**, le son se propagea à travers la campagne à des lieues à la ronde. Tirés de leur sommeil, les paysans terrifiés se réfugièrent sous leurs lits. En bordure du Château, dans la taverne et salon de thé de Sally Mullin, cette dernière et Sarah Heap, le visage collé à une fenêtre, scrutèrent la nuit avec angoisse.

– Quel horrible cri... murmura Sarah.

Sally passa un bras autour de ses épaules.

Dehors, Simon Heap et Marcellus Pye arpentaient nerveusement le quai auquel était amarrée l'*Annie*. Le jeune homme avait fait part à l'alchimiste de son intention de retourner à l'intérieur du Château – enfin, les circonstances lui donnaient l'occasion de mettre au service de tous sa connaissance de la **Ténèbre** – mais Marcellus n'en avait pas entendu un mot. La vision de Septimus englouti par le Tourbillon continuait à le hanter. Il ne cessait de repasser la scène dans son esprit, et plus il y repensait, plus il doutait que le jeune garçon ait survécu à cette épreuve. Il avait envoyé son plus cher apprenti à une mort certaine, et cette idée l'anéantissait.

Un rugissement s'immisça dans ses réflexions. Il releva la tête et vit Boutefeu tomber du ciel, éclairé par les lumières de la taverne salon de thé. Le dragon de Septimus était venu venger son maître. Marcellus se résigna. Il avait mérité son sort.

Le voyant regarder vers le ciel, Sally Mullin murmura :

– Il se passe quelque chose dehors.

– Je voudrais que Simon rentre, soupira Sarah. Je voudrais...

À cet instant, Sarah avait trop de vœux à exaucer pour pouvoir les formuler tous, même si le désir de revoir Septimus figurait en tête de la liste. Pour s'éviter de penser à toutes les choses horribles qui avaient pu arriver à son benjamin, elle fixa son attention sur Marcellus.

– Il en fait un peu trop, tu ne trouves pas ? demanda Sally avec malice, espérant la dérider.

En effet, Marcellus avait pris une attitude ridiculement dramatique, les bras dressés vers le ciel. Les lumières de la taverne faisaient scintiller les dorures de son manteau d'alchimiste. Puis les deux femmes le virent se retourner et crier quelque chose à Simon, qui accourut.

– Enfin, qu'est-ce qui leur prend ? marmonna Sally. Grands dieux ! Sarah, c'est Septimus ! Regarde !

Sarah étouffa un cri. Monté sur son dragon, son plus jeune fils piquait vers la Rivière – et vers une mort certaine, elle en était persuadée. Quand elle aperçut la silhouette du dragon **ténébreux** lancé à Leur poursuite, elle poussa un hurlement si strident que Sally crut devenir sourde. Le monstre plongeait vers sa proie tel un faucon s'apprêtant à saisir un malheureux moineau dans ses serres. Quand il fut sur le point de déchiqueter Boutefeu et son maître, Sarah n'y tint plus. Avec un gémissement de désespoir, elle enfouit son visage dans ses mains.

À quelques mètres de la surface de l'eau, Boutefeu et Septimus changèrent de cap, mais au moment où Ils ralentissaient, la plus longue griffe du pied droit du dragon **ténébreux** toucha Leur tête. Sally réprima un cri, histoire de ne pas affoler davantage son amie. Boutefeu se projeta en arrière, battant frénétiquement des ailes, et quelques secondes plus tard, une immense gerbe d'eau s'éleva dans les airs.

Le dragon **ténébreux** heurta brutalement la surface et coula à pic.

Sally Mullin poussa un « hourra ! » sonore.

– Tu peux regarder, dit-elle à Sarah comme Boutefeu, tremblant, volait au ras de la Rivière. Ils vont bien.

Submergée par l'émotion, Sarah éclata en sanglots.

Sally la réconforta tout en gardant un œil sur ce qui se passait à l'extérieur. Quand Septimus sauta dans les flots agités de remous, elle préféra le taire à son amie.

Son plongeon dans l'eau glacée avait étourdi Septimus. S'étant ressaisi, il se dirigea rapidement vers Merrin, qui se débattait en hurlant :

– Au secours ! Au secours ! Je sais pas nager !

En réalité, l'ex-apprenti de DomDaniel était capable de barboter sur plusieurs mètres, mais pas de rejoindre la terre ferme sans aide.

Septimus, en revanche, était parfaitement à l'aise dans l'eau, et les exercices de nuit de la Jeune Garde l'avaient habitué à nager dans la Rivière par tous les temps. Il passa un bras autour de Merrin et entreprit de le ramener vers le ponton devant la taverne-salon de thé. Boutefeu décrivait des cercles au-dessus d'eux. Du sang suintait d'une profonde entaille au sommet de sa tête. Le dragon était inquiet, mais il obéit aux instructions de son maître et alla se poser sur le Quai Neuf. Emporté par le courant, Septimus dépassa le ponton. Il était inutile de résister. Il s'efforça alors d'atteindre la berge en nageant en diagonale, tirant le poids mort de Merrin.

Simon observait ses efforts avec angoisse. Encore peu de temps auparavant, il se serait réjoui de voir son plus jeune frère aux prises avec la Rivière glacée, mais à présent, il avait honte de l'homme qu'il avait été. Voyant que le courant emportait Septimus et son fardeau, il courut en direction du Quai Neuf où venait d'atterrir Boutefeu. Il s'en approchait quand un hurlement parvint à ses oreilles, suivi par des bruits de lutte dans l'eau. Il se précipita et vit les deux garçons s'empoigner sauvagement à quelques mètres du bord – la distance exacte que Merrin se savait capable de parcourir par ses propres moyens.

L'ex-apprenti de DomDaniel, qui semblait avoir récupéré avec une rapidité étonnante, essayait d'enfoncer la tête de son adversaire sous l'eau. Septimus résistait, mais son **voile de Ténèbre** plein d'accrocs ne faisait pas le poids face à la bague à deux faces, qui voyait son pouvoir décuplé chaque fois que son propriétaire tentait de donner la mort.

Devant ce spectacle, Simon n'hésita pas une seconde à se jeter à l'eau.

Profitant de ce que Merrin – et la bague – était occupé à noyer son frère, le jeune homme employa la manière traditionnelle et l'assomma d'un coup sur la tête. Merrin lâcha prise, but la tasse et disparut sous l'eau alors que Septimus considérait son sauveur d'un air hébété.

– Ça va ? lui demanda Simon.

– Oui. Merci.

– Je le rattrape, ajouta Simon, claquant des dents à cause du froid. Toi, remonte.

Mais Septimus n'avait pas confiance en Merrin. Il nagea aux côtés de Simon tandis que celui-ci ramenait son adversaire vers le quai et l'aida à le porter jusqu'en haut des marches. Ils l'étendirent à plat ventre sur les pavés, tel un poisson mort.

– Il faut lui faire recracher l'eau qu'il a avalée, expliqua Simon. J'ai observé les sauveteurs, au Port.

S'agenouillant près de Merrin, il plaça les mains sur les côtes du garçon et appuya fermement. Merrin toussa, cracha et vomit une quantité d'eau impressionnante. Quelque chose tinta sur les pavés, et un petit disque d'argent bombé au centre roula aux pieds de Septimus. Celui-ci le ramassa, s'efforçant d'oublier d'où il sortait. Posé sur sa paume, il étincelait à la lumière de l'unique torche éclairant le quai.

– Comment a-t-il pu avaler ça ? s'interrogea-t-il.

Simon n'était pas autrement surpris. Lorsque Merrin était son assistant, il l'avait vu avaler une grande variété d'objets métalliques. Mais il n'évoquait pas volontiers cette période de sa vie, surtout devant Septimus.

Merrin remua faiblement et gémit d'une voix à peine audible :

– C'est à moi... Rendez-le-moi, voleurs !

Les deux frères l'ignorèrent. Puis Simon examina le disque dans la main de Septimus et il s'exclama :

– Le **code apparié** ! Nous devons l'apporter immédiatement à Marcia !

« Nous » ? pensa Septimus.

– Je m'en charge, déclara-t-il, glissant le disque dans sa ceinture.

– Mais moi, je sais quoi en faire, protesta Simon.

– Marcia aussi, répliqua Septimus.

Simon s'entêta.

– Elle ? Elle n'y connaît rien !

– Bien sûr que si !

Un bruit de pas pressés mit fin à la discussion. Sarah, Sally et Marcellus accouraient vers eux le long du quai. Septimus craignit qu'ils ne le retiennent. Serrant le **code** dans sa main, il leur adressa un rapide salut avant de rejoindre Boutefeu. Celui-ci savourait son triomphe : il avait remporté sa première victoire. Il était un dragon adulte, à présent.

Quelques secondes plus tard, il prenait son envol et s'éloignait en direction de la tour du Magicien, semant des gouttes de sang dans son sillage.

Frustré, Simon regarda le dragon et son pilote s'élever au-dessus du **brouillard ténébreux** et disparaître.

Sarah posa une main sur son bras.

– Simon, chéri, tu es gelé. Rentre vite. Sally a fait du feu.

Simon lui fut reconnaissant de ne pas avoir mentionné Septimus. Il regarda sa mère, elle-même secouée de frissons malgré la couverture qui l'enveloppait, et son cœur se serra. Mais il ne pouvait rien pour elle – hormis ce qu'il s'apprêtait à faire.

– Pardon, maman, murmura-t-il, mais je dois y aller. Toi, rentre avec Sally. Dis à Lucy que... À bientôt.

Il tourna les talons et s'éloigna d'un pas vif le long du chemin qui conduisait à la porte Sud.

Sarah le vit partir sans protester, ce qui inquiéta Sally. Toutefois, son visage reflétait une immense tristesse. Sally la ramena à l'intérieur et la fit asseoir près de la cheminée. Lucy, Rupert et Maggie se rassemblèrent autour d'elle, mais elle ne prononça pas un mot du reste de la nuit.

Marcellus Pye conduisit Merrin, qui grelottait dans ses vêtements en loques, dans un des dortoirs attenants à la taverne – une petite pièce sans fenêtre, au confort sommaire – et lui donna une pile de couvertures. Il s'apprêtait à fermer la porte quand son prisonnier lui lança d'un ton rageur, le nez dégoulinant de morve (car son rhume avait repris de plus belle) :

– P-pauvre minable ! Ce n'est p-pas cette p-porte qui m'arrêtera !

Il brandit devant Marcellus sa bague qui brillait d'un éclat malsain à son pouce gauche.

– Cette b-bague me rend indestructible. Atchoum ! Grâce à elle, je fais t-tout ce que je veux ! T-tête de cube !

Marcellus ne s'abaissa pas à répliquer. Il verrouilla la porte, puis il regarda la petite clé en métal blanc que lui avait donnée Sally et se fit la réflexion que, même sans sa bague, Merrin n'aurait eu aucune difficulté à sortir de sa cellule improvisée. Mais dans l'état où il se trouvait après sa quasi-noyade, il ne le croyait pas capable de tenter grand-chose.

Il entreprit de monter la garde devant le dortoir, battant la semelle sur les pavés gelés afin de se réchauffer et retournant les paroles de Merrin dans son esprit. Pour une fois, l'ex-apprenti de DomDaniel n'avait pas menti. Tant qu'il porterait la bague, il serait indestructible et capable de déchaîner le chaos. Et ni le Château ni ses habitants – Marcellus en avait la certitude – ne connaîtraient jamais la sécurité.

L'alchimiste songea à l'adolescent qui grelottait et reniflait, seul dans sa cellule, et il éprouva une pointe de pitié. Pour endurcir son cœur, il évoqua l'image de la bague passée au pouce du jeune garçon, et il sut que celui-ci chercherait à se venger dès qu'il aurait repris des forces. Il n'y avait pas une minute à perdre.

Marcellus gravit les marches de la taverne et salon de thé, se demandant où Sally Mullin rangeait ses couteaux de cuisine.

47
LE GRAND DÉNOUEMENT

Marcia s'apprêtait à réunir les **codes appariés**. L'atmosphère était électrique à l'intérieur du minuscule bureau bondé. Même Nicko, qui ne s'était jamais passionné pour la **Magyk**, ne perdait pas une miette du spectacle.

L'agonie du **dôme** teintait la fenêtre d'une sinistre clarté rougeâtre, mais la pièce elle-même était brillamment éclairée par un imposant candélabre garni d'une forêt de bougies. Deux livres – *L'Art de vaincre la Ténèbre* et le *Codex Tenebrae* – étaient ouverts sur la table de travail de Marcia, à côté d'une petite boîte en argent et d'un disque du même métal posé sur un carré de velours violine.

Pour éviter de se faire **traverser**, Alther s'était perché au sommet d'un escabeau d'où il observait les préparatifs avec grand intérêt. Il n'avait qu'une connaissance théorique des

codes appariés, car les livres qui permettaient de les **décrypter** étaient réputés perdus à son époque. Puis Marcia avait découvert *L'Art de vaincre la Ténèbre* au cottage de tante Zelda, quelques années plus tôt. Elle savait qu'il contenait la formule du **Grand Dénouement**, le **contresort** mythique que les adeptes de la **Ténèbre** redoutaient par-dessus tout. Toutefois, les mots en étaient dispersés au fil des pages, et pour les retrouver, il fallait posséder le *Codex Tenebrae.* Mais pour reconstituer la formule, encore fallait-il savoir utiliser celui-ci. C'était là qu'intervenaient les **codes appariés**. Pour découvrir quel passage du *Codex* correspondait à quelle page et à quel mot de l'*Art de vaincre la Ténèbre*, il convenait de lire les **codes**, et cela sans se tromper.

C'était ce que se préparait à faire Marcia, sous les regards fascinés de Silas, Septimus, Jenna et Nicko – sans oublier Alther sur son escabeau.

Elle sortit le **code** de la tour de sa boîte et le posa sur le carré de velours où l'attendait son frère, arraché un peu plus tôt à un environnement beaucoup plus insalubre. Puis elle prit celui du Manuscriptorium, plus petit, et le plaça au centre de l'autre. Une étincelle bleue fusa, le **code** du Manuscriptorium se souleva d'une fraction de millimètre et se mit à tourner sur lui-même, d'abord lentement, puis de plus en plus vite, jusqu'à ce qu'on ne distingue plus qu'un tourbillon lumineux. Puis on entendit un déclic et il s'immobilisa brusquement.

Tous tendirent le cou pour mieux voir. Les disques semblaient avoir fusionné, et les lignes qui rayonnaient à partir du centre du plus petit se prolongeaient dans certaines de celles qui étaient gravées à la surface du second pour aboutir à un symbole.

Marcia prit sa **loupe** afin d'examiner les symboles ainsi désignés.

– Prêt ? demanda-t-elle à Septimus.

Celui-ci acquiesça, pointant son porte-plume vers une page blanche de son précieux journal d'apprentissage.

La clarté rougeâtre du **dôme** agonisant envahissait peu à peu la pièce, éclipsant la lumière des bougies. Elle inondait la page vierge devant Septimus et projetait des ombres menaçantes sur les murs. Le **dôme** ne tiendrait plus très longtemps ; il pouvait céder d'une minute à l'autre. Qu'attendait donc Marcia pour lui dicter la suite de symboles qui les conduirait à la formule du **Grand Dénouement** ? Il n'y avait pas une seconde à perdre.

Jenna avait deviné la cause du silence de Marcia, mais elle espérait de tout cœur se tromper. Ne supportant plus cette incertitude, elle décida de tester son tout nouveau « droit d'être informée » :

– Marcia, comment savez-vous par quel symbole commencer ?

La magicienne extraordinaire était consciente que les règles de la royauté l'obligeaient à répondre « pleinement, sincèrement et sans délai » à l'Héritière du Trône Titulaire et Présomptive. Elle releva la tête et regarda Jenna.

– Justement, je n'en sais rien, dit-elle.

Un silence de mort s'abattit sur la pièce tandis que chacun s'imprégnait de l'aveu que venait de faire Marcia, et de ses conséquences.

Simon se frayait un chemin à travers le **brouillard**, terrifié à l'idée qu'une **créature** le reconnaisse. Celle qui gardait la porte Sud s'était contentée d'étendre un bras décharné pour le tirer à l'intérieur sans même lui jeter un regard, mais il doutait d'avoir autant de chance la prochaine fois. Il regrettait amèrement d'avoir jeté ses vêtements **ténébreux**, à la demande de Lucy qui les qualifiait de « vieilles guenilles dégoûtantes », car ils lui auraient été bien utiles à présent. Sans leur protection, le **brouillard** se révélait oppressant. Quand le jeune homme l'avait affronté à l'intérieur du palais, il n'avait pas encore atteint sa pleine puissance. Depuis, il s'était nourri de l'énergie de tous les malheureux qu'il avait engloutis et enserrait Simon comme un étau, bouchant ses yeux et ses oreilles, l'obligeant à fournir un effort violent à chaque inspiration. Il avait la sensation de se déplacer sous l'eau avec des semelles de plomb.

Il avançait péniblement le long de la voie du Magicien, en direction du halo rougeâtre qui indiquait la position du **dôme** agonisant, quand il aperçut de loin des **créatures** qui sortaient du Manuscriptorium et rejoignaient leurs semblables au pied de la Grande Arche en prévision de l'assaut final. Avec une lenteur terrifiante, il traversa l'avenue et s'engagea dans l'allée qui contournait la cour du Magicien afin de gagner le portail **secret** de la magicienne extraordinaire. Celui-ci étant indétectable de l'extérieur, il espérait qu'il n'aurait pas attiré l'attention des serviteurs de Merrin.

Quand il atteignit enfin le linteau qui signalait le portail invisible, la tête lui tournait si fort qu'il lui semblait que le **brouillard** s'était infiltré dans son cerveau. Il aurait tant voulu s'étendre, ne serait-ce qu'un moment, et reposer ses membres endoloris... Il s'appuya au mur et sentit un portail en bois et un verrou derrière lui. Il ferma les yeux et se laissa lentement glisser.

Quand un **dôme vivant** entre en agonie, ses différents constituants commencent à prendre des décisions autonomes. Au contact de Simon, le portail **secret** eut l'intuition qu'il devait s'ouvrir pour lui. Il pivota sur ses gonds, le jeune homme tomba en arrière et roula sur le sol tandis que le portail se refermait. Quelques filaments de **Ténèbre** en profitèrent pour s'introduire dans la cour mais ils se dissipèrent dès que le mur eut repris son aspect initial.

L'air pur ranima immédiatement Simon. Il se releva et prit une longue inspiration tremblante. Puis il leva les yeux vers la tour que seul le halo rougeâtre du **dôme** agonisant éclairait encore et se sentit tout petit devant sa masse imposante. D'un pas chancelant, il s'avança vers l'escalier de marbre.

Cette fois encore, le **dôme** devina en lui un allié, et les grandes portes en argent s'ouvrirent d'elles-mêmes. Le cœur battant, Simon pénétra dans le grand hall et regarda autour de lui, tentant de se repérer. Pendant des mois, il s'était imaginé franchissant les portes de la tour afin de la sauver d'un grave péril, et son rêve était en train de se réaliser !

Simon n'avait pas revu le grand hall depuis qu'il était petit garçon. Il se rappelait une atmosphère joyeuse et animée, ainsi que sa fascination devant les images chatoyantes qui dansaient sur les murs et les messages de bienvenue qui s'inscrivaient sur le sol devant les visiteurs. Il avait adoré le parfum mystérieux de la **Magyk**, et le bourdonnement industrieux de l'escalier à vis en argent qui l'emmenait vers les hauteurs de la tour.

À présent, l'immense salle circulaire baignait dans un demi-jour maussade, ses murs et son sol ne reflétaient que le vide, et l'escalier en argent était **arrêté**. De vagues silhouettes se détachaient de la pénombre, celles de magiciens et d'apprentis dispersés à travers le hall. Les plus jeunes marchaient de long en large, l'air inquiet, tandis que les plus âgés, voûtés par la fatigue, consacraient leurs forces vacillantes à prolonger l'existence du **dôme**.

Hildegarde sortit de l'ombre. Les traits tirés, les yeux soulignés de cernes grisâtres, elle regarda Simon emprunter l'escalier. Elle ne lui posa aucune question, ne fit aucun effort pour l'arrêter. Si la tour l'avait laissé entrer, elle avait sûrement des raisons de le faire. Il fallait juste espérer que ce soient de bonnes raisons.

Simon montait les marches deux à deux, traversant une succession de paliers obscurs. De temps en temps, des bribes d'incantations parvenaient à ses oreilles, portées par des voix lasses, mais la plupart du temps, le silence était total. Dehors, le halo rougeâtre s'estompait rapidement. À l'instant où il s'éteindrait, le **domaine ténébreux** prendrait possession de la tour. Simon ignorait quand cela arriverait, mais ce n'était probablement qu'une question de minutes.

Au dernier étage, il s'engouffra dans le couloir qui menait

aux appartements de la magicienne extraordinaire et se jeta contre la grande porte pourpre.

À l'intérieur, Marcia avait entrepris de dicter à Septimus les symboles désignés par le **code** du Manuscriptorium. Il y en avait quarante-neuf. Cela signifiait que la formule du **Grand Dénouement** comportait quarante-neuf mots – et quarante-neuf débuts possibles. En outre, le sens en était probablement obscur, comme pour la plupart des **sorts** très anciens. Par conséquent, la seule solution qui s'offrait à eux consistait à essayer toutes les combinaisons l'une après l'autre. C'était risqué, mais ils n'avaient pas le choix. Avec un peu de chance, ils trouveraient immédiatement la bonne.

– Zéro, étoile, trois, **Magyk**, labyrinthe, or, **Ânkh**, carré, canard – oui, canard – deux, jumeaux, sept, pont...

Marcia cessa de dicter, elle releva la tête et murmura :

– La porte... Elle a laissé entrer quelqu'un. Il vient de l'extérieur. Je perçois la **Ténèbre** en lui...

– Je m'en occupe, déclara Silas.

– Attends ! lança Alther, quittant son perchoir. C'est moi qui vais y aller. **Verrouille** la porte derrière moi.

– Merci, Alther, dit Marcia tandis que le fantôme se **dématérialisait** afin de traverser la porte. Où en étions-nous ? Ah oui ! Spirale, quatre, ellipse, plus, tour... C'est vous, Alther ?

– Oui. Vite, **déverrouille** la porte. Nous avons de la visite.

Tous échangèrent des regards étonnés. Qui cela pouvait-il être ?

Un silence stupéfait salua l'entrée de Simon.

Alther s'adressa à Marcia :

– Avant que tu dises quoi que ce soit, sache que ce jeune homme possède des connaissances précieuses. Il sait où commence la formule.

– Ah oui ? Alther, le **code** contient d'autres **incantations**, dont certaines extrêmement dangereuses. Comment saurai-je qu'il m'indique bien le début de celle que nous cherchons ?

Septimus, Jenna et Nicko se regardèrent : « D'autres incantations » ? Et Marcia avait fait le pari qu'ils tomberaient d'abord sur la bonne... La situation était encore plus grave qu'ils ne l'avaient imaginée.

– J'ai vu naître ce garçon, répondit Alther, et je le crois digne de foi.

– Alther a raison, glissa Simon. Vous pouvez me faire confiance.

Marcia considéra le jeune homme qui grelottait dans ses vêtements trempés, et elle lut sur son visage un désespoir au moins aussi fort que celui qu'elle ressentait au même moment.

Sa décision fut vite prise.

– Simon, dit-elle, tu veux bien me montrer où commence la formule du **Grand Dénouement** ?

Ainsi, contre toute espérance, Simon Heap s'assit au bureau de la magicienne extraordinaire, au milieu de livres mythiques et d'objets magiques – parmi lesquels il reconnut Mouchard, sa balle traceuse. Et devant son père et son plus jeune frère, il s'apprêta à divulguer à Marcia une information de nature à sauver le Château.

– Le début est indiqué dans l'index du *Codex Tenebrae*, dit-il, prenant le livre sur la table.

Pendant une seconde, il éprouva la sensation de retrouver un vieil ami, avant de se rappeler qu'il s'agissait en réalité d'un ennemi. Les innombrables nuits de solitude et parfois de terreur qu'il avait passées à l'étudier lui revinrent à l'esprit. La dernière fois où il l'avait eu entre les mains, se rappela-t-il, il l'avait jeté au fond d'un placard, décidé à renoncer à la **Ténèbre**. Il était loin d'imaginer alors qu'il le reverrait à la tour du Magicien.

Il l'ouvrit à la page de garde et promena un doigt sur celle-ci en marmonnant une incantation. Des lettres se formèrent sur le papier usé.

– Tss, fit Marcia.

Un **sort révélateur**... Comment n'y avait-elle pas pensé elle-même ?

Une liste alphabétique de titres recouvrait à présent la page de garde. L'index de Simon la remonta et s'arrêta sur le L. Tous retinrent leur souffle, mais *Le* Grand Dénouement ne figurait pas dans la liste. Simon désigna alors le G, sans plus de succès. Le doute envahit l'assistance tandis que Simon pointait un index tremblant vers le D. Les mots « Dénouement *(Le* Grand*)* » s'imprimèrent aussitôt sur la page. Le jeune homme sourit, rassuré, et tendit le livre à Marcia.

– « **Dénouement** (Le **Grand** »), lut Marcia. « Commence à **Magyk**, s'achève à **Feu**. » Merci, Simon.

Le jeune homme acquiesça, incapable de prononcer un mot.

Marcia chaussa alors ses lunettes, tenant toujours le *Codex Tenebrae* à la main.

– Maintenant, dit-elle à Septimus, tu vas m'énumérer les symboles en commençant par **Magyk**. Pas trop vite, je te prie.

Septimus s'exécuta. Après chaque symbole, il marquait une pause pendant que Marcia tournait rapidement les pages où les doigts de Merrin avaient laissé des empreintes poisseuses. L'en-tête de chacune était illustré d'un symbole et son pied, de deux nombres que Marcia notait scrupuleusement avant de lancer :

– Suivant !

Au bout de quelques minutes, elle avait recopié une liste de quarante-neuf paires de nombres qu'elle tendit à son apprenti, puis elle ouvrit *L'Art de vaincre la Ténèbre*.

– Lis-moi les nombres un à un, s'il te plaît, dit-elle à Septimus.

La clarté rougeâtre qui baignait la pièce s'éteignit brusquement. Un cri jaillit de toutes les poitrines.

– Le **dôme** est mort, annonça Marcia d'un ton sinistre.

La Barricade s'écrasa au pied de la Grande Arche. Une première **créature** pénétra dans la cour du Magicien, suivie de toutes ses sœurs et d'un long ruban de **brouillard ténébreux**.

Septimus lut le premier nombre de la liste :

– Quatorze.

Marcia feuilleta *L'Art de vaincre la Ténèbre* jusqu'à la page quatorze.

– Quatre-vingt-dix-huit.

Marcia compta les mots de la page quatorze jusqu'au quatre-vingt-dix-huitième.

« Qu'il ». Tant d'efforts pour si peu de lettres !

Avec une lenteur épouvantable, la formule du **Grand Dénouement** prit peu à peu forme sous leurs yeux.

La première **créature** tendit un long doigt décharné vers les grandes portes en argent de la tour et les poussa. Elles s'ouvrirent avec la même facilité que la porte d'un abri de jardin dont on aurait oublié de pousser le loquet par un jour de grand vent. La **créature** entra, et le **domaine ténébreux** s'engouffra dans le grand hall à sa suite. Toutes les lumières s'éteignirent, des cris retentirent. Hildegarde eut soudain la certitude que son petit frère, disparu à l'âge de sept ans au cours d'un exercice de nuit de la Jeune Garde, attendait derrière la porte de son réduit. Elle se précipita pour lui ouvrir, laissant pénétrer le **brouillard**.

Un flot de **créatures** se répandit dans le hall, piétinant le sol désormais muet, regardant tomber les magiciens et les apprentis. Elles gagnèrent ensuite l'escalier et entreprirent de le monter. Le **brouillard** s'élevait lentement dans leur sillage, remplissant le moindre recoin de **Ténèbre**.

Marcia avait à présent entre les mains une feuille comportant une suite de quarante-neuf mots qui, espérait-elle, constituaient la formule du **Grand Dénouement**. Elle gravit précipitamment l'escalier étroit qui menait à la bibliothèque de la pyramide, suivie de Septimus et du fantôme d'Alther, et s'approcha de la fenêtre.

Là, elle se tourna vers Septimus et lui dit :

– Tu n'es pas obligé de venir.

– Vous aurez besoin de toute la **Magyk** possible, répliqua le jeune garçon.

– Je sais.

– Alors, je vous accompagne.

Marcia sourit.

– Dans ce cas, c'est parti ! Ne regarde pas vers le bas.

Septimus ne regarda ni vers le bas ni vers le haut. Il resta concentré sur le bord de la cape de Marcia pendant qu'ils escaladaient le flanc abrupt de la pyramide. Alther flottait légèrement en retrait.

Et donc, pour la deuxième fois cette nuit-là, Marcia se hissa au sommet de la pyramide. Sans bien savoir pourquoi, elle ôta ses bottines en python afin de se tenir pieds nus sur l'étroite plate-forme incrustée de hiéroglyphes d'argent. Puis Septimus la rejoignit, et ils entonnèrent l'incantation du **Grand Dénouement**, avec des voix fortes qui traversaient le **brouillard** :

– Qu'il en soit ainsi...

D'un doigt nonchalant, la première **créature** poussa la grande porte pourpre des appartements de la magicienne extraordinaire. Douze de ses semblables se pressaient derrière elle, impatientes de prendre possession de leur nouvelle demeure. La porte pivota. La **créature** grimaça un sourire et se tourna vers ses compagnes. Massées sur le seuil, celles-ci savourèrent ensuite la vision du **brouillard ténébreux** s'engouffrant dans la pièce et s'enroulant autour du précieux sofa de Marcia...

Au sommet de la pyramide dorée, Marcia Overstrand, magicienne extraordinaire, et son apprenti, Septimus Heap, prononcèrent d'une même voix les derniers mots du **Grand Dénouement**.

Dans un violent fracas, la porte claqua au nez des **créatures**. Puis elle se **verrouilla** avec un bourdonnement assourdissant et envoya une **onde de choc** pour faire bonne mesure. Les treize **créatures** hurlèrent à l'unisson. Le son n'avait rien d'agréable, mais aux oreilles de Marcia et de Septimus, qui vacillaient sous les assauts du vent, il résonna comme la plus douce des musiques.

Ils assistèrent ensuite au spectacle le plus magnifique qu'il leur avait été donné de voir : le **brouillard** se dissipa, faisant apparaître un fouillis de toits, de tours et de tourelles, de remparts crénelés et de murs délabrés qui se profilaient sur le ciel d'un rose délicat. Et tandis que le soleil se levait à l'horizon, dispersant les ombres encore tapies dans les recoins du Château, il se mit à neiger à gros flocons. Marcia et Septimus échangèrent un sourire. Le **domaine ténébreux** n'était plus. Le Grand Gel pouvait s'installer.

Quelques minutes plus tard, c'est une Marcia souriante qui faisait à ses invités les honneurs de son salon, ouvrant en grand les fenêtres pour chasser les miasmes de la **Ténèbre**. Eugène Ni était toujours blotti contre Jillie Djinn, dans la position où elle les avait laissés tous deux. Mais quelque chose dans l'attitude de la première scribe hermétique l'incita à s'approcher.

– Elle est morte ! s'écria-t-elle, choquée.

Puis elle précisa avec une pointe de consternation :

– Morte *sur mon sofa* !

Les yeux clos, la bouche légèrement entrouverte, Jillie Djinn semblait dormir. Si son corps était bien là, son esprit (ou ce qu'il en restait), s'en était allé. Le **Grand Dénouement** avait également dénoué les fils fragiles de son existence.

48
RESTAURATION

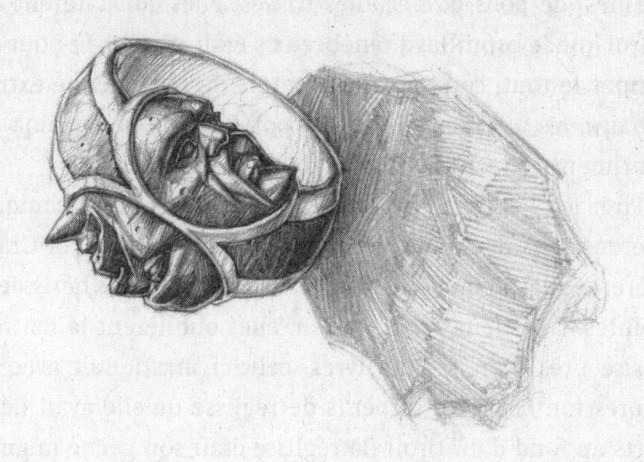

Marcia, Septimus et Jenna émergèrent de la Grande Arche pour contempler la voie du Magicien nouvellement libérée. C'était une magnifique matinée d'hiver. Le soleil dardait ses rayons obliques à travers les nuages ; de gros flocons étincelaient à la lumière de l'aube et tombaient paresseusement sur les pavés, annonçant l'arrivée du Grand Gel.

Marcia respira longuement l'air aussi pur que du cristal et une joie immense l'envahit. Elle se ressaisit : son bonheur ne serait complet que lorsqu'elle aurait **descellé** le cabinet hermétique... et retrouvé Moustique en vie.

En poussant la porte du Manuscriptorium, elle imaginait le pire mais certainement pas qu'elle allait se trouver nez à nez avec le coven des sorcières du Port. Pamela et ses disciples s'étaient spécialement déplacées afin d'assister à la chute de la tour. L'attente se prolongeant, elles avaient arraché les planches qui condamnaient l'entrée de la réserve des livres rares et dangereux. Quand elles en ressortirent, couvertes de plumes, de poils et d'écailles irisées, elles constatèrent avec effroi que le **brouillard ténébreux** s'était dissipé. Et pour couronner le tout, cette horrible femme, la magicienne extraordinaire, les attendait devant la porte. Dorinda exprima leur sentiment collectif au moyen d'un cri strident.

Pour le plus grand plaisir de Jenna, les sorcières paniquées filèrent sans demander leur reste. Même Pamela, la Grande Mère, déguerpit en boitillant à cause de ses bottes hérissées de pointes. Dans leur précipitation, elles oublièrent la matrone. Assise près d'un tas de livres, celle-ci mastiquait avec une expression béate les serpents de réglisse qu'elle avait découverts au fond d'un tiroir (la réglisse était son péché mignon).

Marcia pénétra dans la salle principale du Manuscriptorium, suivie de Jenna et Septimus. Des pupitres renversés, des lampes cassées et des parchemins déchirés jonchaient le sol. Tout était recouvert d'une poussière grise et poisseuse dans laquelle Septimus, dégoûté, reconnut des débris de peau semés par les **créatures**. Ils se frayèrent un chemin au milieu de cette pagaille et s'arrêtèrent à l'entrée du passage conduisant au cabinet hermétique.

– Le **sceau** a été brisé, remarqua Marcia d'un ton anxieux. Je crains le pire.

En effet, les **créatures** avaient emprunté le couloir aux sept détours, comme l'attestait une traînée visqueuse – pareille à celle qu'aurait laissée une limace géante – sur le sol. Septimus s'avança dans la pénombre et appela :

– Moustique ?

Seul le silence lui répondit.

– Tout a l'air... mort, murmura-t-il.

– On dirait plutôt que quelque chose bouche le couloir, suggéra Jenna.

– Il se peut que le **sceau** soit intact plus loin, dit Marcia.

– C'est possible ? demanda Septimus. Je pensais qu'à peine ébréché, il disparaissait.

– Nous allons en avoir le cœur net.

Marcia s'enfonça dans le couloir d'un pas décidé. Les deux jeunes gens la suivirent.

Juste après le sixième détour, Septimus se heurta contre sa tutrice. Un mur de pierre criblé de minuscules trous leur barrait le passage.

– C'est stupéfiant ! s'exclama Marcia, le regard brillant. Le **sceau** a subi une brèche mais... Je crois qu'il a tenu.

– Ça veut dire que Moustique... ?

Septimus ne put achever sa phrase. La simple idée qu'il ait pu arriver quelque chose à son ami le rendait malade.

– Pour le moment, répondit Marcia, la mine sombre, nous ne pouvons que l'espérer.

À la lueur de l'anneau dragon, Septimus et Jenna la virent appliquer les mains sur la surface légèrement poisseuse du **sceau** et grimacer. Telle une plaie cicatrisant, le **sceau** devint rapidement lisse et se mit à diffuser une clarté pourpre et chatoyante qui éclaira le couloir, révélant toute l'étendue des traces gluantes, mélange de salive et de débris de peau, laissées par les **créatures**. Quand les serviteurs de Merrin avaient investi le Manuscriptorium, ils avaient dû apercevoir de la lumière à travers le **brouillard** et la considérer comme un affront. *Pas étonnant qu'ils se soient acharnés sur le* sceau, songea Septimus. À la place de Marcia, il aurait associé un **camouflage** à celui-ci.

La magicienne entreprit alors de **désactiver** le **sceau**. L'étroitesse du couloir concentrait la puissance de la **Magyk**. Si Jenna s'éloigna, mal à l'aise, Septimus observa, fasciné, la surface brillante du **sceau** prendre peu à peu l'éclat du diamant tandis qu'il reculait insensiblement devant eux. Pas à pas, Marcia et Septimus le suivirent jusqu'à l'extrémité du passage, où il s'arrêta. Là, ils attendirent impatiemment qu'il devienne assez translucide pour leur permettre de distinguer l'intérieur du cabinet.

Bientôt, ils ne furent plus séparés de celui-ci que par un voile miroitant de **Magyk** à travers lequel Septimus aperçut Moustique, affalé sur la table. De loin, il n'aurait su dire s'il était mort ou vivant.

Quand Marcia appliqua les mains sur les derniers vestiges du **sceau**, Septimus remarqua qu'elle tremblait. Le voile de **Magyk** se dissipa, et l'air s'engouffra dans le cabinet avec un sifflement.

– Moustique !

Septimus se rua vers son ami et lui toucha l'épaule. Elle était si froide qu'il recula, horrifié. Au même moment, Jenna apparut sur le seuil de la pièce. Tous deux se tournèrent vers Marcia, désemparés.

La magicienne extraordinaire s'approcha. Le tiroir de secours était retourné sur la table, et il s'en échappait un fouillis de lacets de réglisse. Où était passé le **charme suspensif** ?

– Il est glacé... gémit Septimus.

– C'est normal, s'il...

– Oui ?

– S'il a réussi à **suspendre** son souffle, acheva Marcia, jetant un regard inquiet aux lacets de réglisse.

Ou s'il a échoué, pensa Septimus.

Marcia redressa Moustique avec précaution. Il avait les yeux clos et sa tête retomba aussitôt sur sa poitrine.

Jenna étouffa un cri.

Marcia prit les épaules du jeune garçon et le secoua doucement.

– Moustique ? Tu peux te réveiller.

Il ne réagit pas. Quand Marcia se tourna vers eux, Jenna et Septimus lurent l'angoisse dans ses yeux.

Le temps parut se ralentir. Marcia s'accroupit, amenant son visage au niveau de celui de Moustique, et plaça ses mains de part et d'autre de la tête du jeune garçon afin de la soutenir. Puis elle prit une longue inspiration. Le bourdonnement de la **Magyk** emplit de nouveau la pièce tandis qu'un long ruban de vapeur rosée s'échappait des lèvres de Marcia et recouvrait le nez et la bouche de Moustique.

Septimus et Jenna retenaient leur souffle. Moustique ne montrait toujours aucune réaction. Son visage brillait d'un éclat spectral derrière son masque immatériel. Soudain, Septimus vit deux mèches de vapeur disparaître à l'intérieur de ses narines, comme aspirées par un conduit de cheminée. Moustique respirait ! Ses paupières se soulevèrent lentement, son regard vitreux se posa sur Marcia.

Septimus se précipita à ses côtés.

– Moustique, c'est nous ! Hé ! Moustique !

Marcia sourit, soulagée.

– Moustique, je te félicite. Grâce à toi, le cœur du Manuscriptorium est intact.

La réponse de Moustique fut à la hauteur des circonstances :

– Gah... balbutia-t-il.

Marcia et Septimus ramenèrent Moustique dans la salle des scribes, parmi les pupitres renversés. Le jeune garçon, toujours pâle et tremblant, but un Coco Bula, dont Septimus avait découvert une provision dans son ancienne cuisine. Jenna s'était rapidement éclipsée pour retourner au palais. Moustique, qui avait retrouvé toute sa lucidité, en avait tiré la conclusion qui s'imposait. Si c'était Jenna qui avait survécu deux jours sans respirer à l'intérieur d'une pièce **scellée**, il n'aurait pas saisi le premier prétexte pour lui fausser compagnie. *Fais-toi une raison, mon vieux*, pensa-t-il.

La voix de Marcia s'immisça dans ses réflexions :

– Il faut que je vous laisse, dit-elle. La **désignation** du nouveau premier scribe hermétique aura lieu ce soir même. Auparavant, je dois prendre des nouvelles de tous les scribes, pour m'assurer qu'ils sont... disponibles.

Moustique songea à Vulpin, Bécasseau et Romilly. Puis il pensa à Larry, à Matt, Marcus et Igor, de la Grotte-Gothic, et même à la bande d'hurluberlus parfois exaspérants de **Magyk** Sandwich. Combien d'entre eux étaient-ils encore « disponibles » ?

Avant de partir, Marcia l'attira à part et lui glissa :

– Quel dommage que tu ne travailles plus au Manuscriptorium ! J'aurais été très heureuse de voir ton porte-plume dans le pot.

Moustique rosit de plaisir.

– Merci. Mais je n'aurais jamais été **désigné** : trop jeune pour le poste... En plus, je n'étais pas scribe à proprement parler.

– Peu importe, répliqua Marcia. Le pot **désigne** la personne la plus capable.

Elle se retint d'ajouter qu'elle s'était toujours demandé pourquoi il avait choisi Jillie Djinn.

– Accepterais-tu de rester ici jusqu'à la **désignation** ? reprit-elle. Je n'aimerais pas laisser le Manuscriptorium sans surveillance.

De nouveau, Moustique se sentit flatté. Toutefois, il secoua la tête.

– Désolé, mais je dois retrouver Larry. Je ne voudrais pas perdre une nouvelle fois mon travail.

– Je comprends.

Marcia regretta sa proposition : elle aurait dû se douter que Moustique répugnerait à demeurer plus longtemps au Manuscriptorium. Elle lui ouvrit la porte et le regarda s'éloigner le long de l'avenue ensoleillée. Puis elle se retourna et cria à travers la mince cloison qui séparait les deux salles :

– Septimus, je te confie les clés de la maison. Si tu veux tenter un **sort de restauration**, tu as ma bénédiction. Je serai bientôt de retour avec tous les scribes.

Septimus l'entendit ajouter :

– Le Manuscriptorium est fermé, madame. Je vous suggère de revenir demain, quand la nouvelle direction aura pris ses fonctions. Quoi ? Non, je ne sais pas où sont allées les sorcières. Et non, je ne suis pas une sorcière moi-même. Qu'est-ce qui a pu vous fourrer cette idée dans la tête ? C'est ça, oui. La magicienne extraordinaire...

Les bruits de conversation s'éloignèrent, et la porte du Manuscriptorium se referma sur Marcia et la matrone.

Septimus sourit : sa tutrice était de nouveau elle-même.

À l'extérieur, Marcia eut fort à faire pour éviter les importuns. La matrone était plus collante que la bave des **créatures**, et pour couronner le tout, elle venait d'apercevoir Marcellus Pye qui venait dans sa direction. Elle tenta de l'ignorer, mais il l'appela à grands cris :

– Marcia ! Hé, Marcia !

– Pardon, mais je suis pressée, lui lança-t-elle sans s'arrêter.

L'alchimiste ne se laissa pas décourager. Il allongea le pas pour la rattraper, traînant derrière lui un compagnon plus que réticent. Marcia reconnut ce dernier quand ils se rapprochèrent.

– Merrin Mérédith ! s'exclama-t-elle.

– Oui ? fit la matrone, qui était un peu dure d'oreille.

– Vous, je croyais vous avoir dit de rentrer chez vous, gronda Marcia.

Mais la matrone ne l'écoutait plus. Toute son attention était concentrée sur le gamin pleurnicheur que l'alchimiste tirait par la manche.

Le visage rouge, essoufflé, Marcellus rejoignit enfin les deux femmes.

– J'ai quelque chose pour vous, dit-il à Marcia.

Il sortit de sa poche une petite boîte en carton bon marché qu'il tendit à la magicienne extraordinaire.

Celle-ci déchiffra l'étiquette.

– « Bondes Springo » ? Enfin, Marcellus, que voulez-vous que je fasse avec des « bondes Springo » ?

– C'était la seule boîte que Sally pouvait me donner. J'ignore ce qu'est une « bonde », mais croyez-moi, j'aimerais mieux en transporter cent mille plutôt que... Voyez vous-même.

La curiosité l'emporta sur l'impatience. Marcia ouvrit la boîte par le côté et tira sur un morceau de tissu sanglant. Quelque chose de lourd et froid tomba dans sa main.

– Juste ciel ! s'écria-t-elle. Comment l'avez-vous obtenue ?

– À votre avis ? répondit Marcellus, regardant ostensiblement Merrin, qui fixait ses chaussures.

Alors seulement, Marcia remarqua le bandage qui entourait la main gauche du jeune garçon. Une tache rose foncé s'étalait sur le pansement à l'emplacement du pouce. Puis elle reporta son attention sur la bague à deux faces qui reposait sur sa main et frissonna.

– Je vous suggère de la détruire, reprit Marcellus d'une voix calme. Aucune cachette, même la plus **secrète**, ne saurait l'empêcher d'offrir de nouveau un jour des pouvoirs démesurés à quelque imbécile – ou pire.

– Vous avez raison. Mais nous ne disposons plus du **Feu** pour la détruire.

– Marcia, j'espère que vous me connaissez assez à présent pour considérer sérieusement ma proposition : je souhaiterais retrouver mon cabinet d'alchimie. Avec votre permission, j'y ranimerai le **Feu**, et d'ici un mois, le Château sera à jamais débarrassé de cette bague maudite. Je promets de conserver les tunnels de glace en l'état et de ne rien abîmer.

– Je prends acte de votre promesse. D'ici là, je vais enfermer cette bague dans mon cabinet **scellé**.

– Hum... J'aurais encore une faveur à vous demander.

– Je sais, soupira Marcia. Vous aurez besoin de l'aide de Septimus. Je vous le confie pour tout un mois. Si nous voulons préserver l'équilibre entre la **Magyk** et la **Ténèbre**, nous allons devoir coopérer et faire également appel à l'alchimie. Ce n'est pas votre avis ?

Un sourire s'épanouit sur le visage de Marcellus. Des perspectives fabuleuses s'offraient à lui, lui rappelant son ancienne vie. Une vague de bonheur le submergea.

– Si, dit-il. Sans conteste.

Pendant que cette conversation avait lieu, la matrone examinait le bandage de Merrin avec une moue désapprobatrice. Même Marcellus voyait qu'il avait été fait n'importe comment. Un soupir exaspéré franchit les lèvres de Marcia. Qu'allait-elle faire de Merrin ? Si elle attribuait la plupart de ses méfaits à l'influence pernicieuse de la bague, il n'en restait pas moins qu'il avait choisi de la glisser à son doigt.

Quant à la matrone... Marcia savait qu'elle possédait la Maison-de-Poupée, la pension miteuse où Jenna et Septimus avaient jadis passé une nuit mouvementée, au Port. Un jour, Zelda Heap lui avait fait à son sujet une révélation à laquelle elle n'avait pas prêté grande attention sur le moment. Mais à présent qu'elle les voyait côte à côte, sa ressemblance avec

Merrin lui sautait aux yeux : ils avaient le même air gauche, le teint cireux, le nez en bec de canard...

Elle se tourna vers la femme et lui demanda :

– Vous prenez des pensionnaires ?

La matrone parut étonnée.

– Pourquoi, vous en avez assez de la tour ? Elle réclame trop d'entretien, c'est ça ? Et tous ces escaliers, à la longue, c'est mauvais pour les articulations. C'est une demi-couronne la semaine, payable d'avance. Les draps et l'eau chaude sont en supplément.

– Merci, mais je me plais parfaitement à la tour, répliqua Marcia d'un ton glacial. En réalité, je comptais vous verser un an de loyers d'avance pour ce jeune homme.

– Un an d'avance ?

La matrone n'en croyait pas sa chance. Avec cette somme, elle pourrait faire repeindre la maison, et surtout, elle cesserait de travailler pour ces horribles sorcières.

– Pour ce prix, poursuivit Marcia, vous veillerez sur lui et lui apporterez tous les soins que nécessiteront son état et son développement. J'ajoute un supplément pour les draps, l'eau chaude *et* la nourriture. Je ne doute pas qu'il se fera un plaisir de vous assister quand sa main sera guérie.

– Elle sera jamais guérie, marmonna Merrin. J'ai plus de pouce, bon sang !

– Tu t'y feras, lui rétorqua Marcia. Te voici libéré de la bague. À toi de faire bon usage de cette liberté. Je te suggère d'accepter mon offre et de partir avec cette personne. C'est ça ou la chambre d'isolement de la tour.

– D'accord, je pars.

La matrone tapota la main valide de Merrin.

– Tu es un bon garçon, lui dit-elle.

– Marcellus, auriez-vous six guinées sur vous ? demanda Marcia.

– *Six guinées* ? couina Marcellus.

– Vous semblez rouler sur l'or. Je vous rembourserai.

L'alchimiste fouilla dans ses poches de mauvaise grâce et en sortit six guinées étincelantes. Marcia y ajouta une couronne de sa bourse et tendit la totalité à la matrone, qui ouvrait des yeux comme des soucoupes. Elle n'avait jamais vu autant d'or de sa vie.

– Il y a un peu plus que le nécessaire, souligna Marcia. Le supplément couvrira le prix de vos billets pour le Port. En vous dépêchant, vous pouvez encore attraper la barge du soir.

– Viens, mon mignon, dit la matrone, glissant un bras sous celui de Merrin. Rentrons vite chez nous. Je n'aime pas beaucoup le Château. Trop de mauvais souvenirs.

– Pareil, acquiesça Merrin. J'ai jamais pu sentir ce trou à rats.

Marcellus et Marcia les suivirent du regard tandis qu'ils s'éloignaient.

– Voilà une paire bien assortie, remarqua l'alchimiste.

– Quoi de plus naturel pour une mère et son fils ? répondit la magicienne.

Le premier scribe que retrouva Marcia fut Vulpin. Sur le chemin du Manuscriptorium, il rencontra Moustique, qui sortait de l'Officine de traduction des langues mortes.

– Salut, Mouss.

– Salut, Vulpy.

Les deux jeunes garçons se regardèrent et sourirent.

– Tu vas bien ? demanda Moustique.

– Ouais.

– Alors, tu n'étais pas dehors quand le **brouillard** t'a rattrapé ?

– Non. Je me suis endormi près du feu et réveillé deux jours plus tard. J'avais dans la bouche un goût qui me rappelait l'odeur d'une cage de perroquet, mais à part ça, rien de grave. Seulement, ma tante a disparu. Elle était sortie quand le **domaine** a atteint notre rue. Je l'ai cherchée partout, sans succès. Et j'ai entendu dire... Il paraît qu'un dragon a enlevé des gens, acheva Vulpin avec un frisson.

– Oh ! fit Moustique. Je suis désolé pour ta tante.

Vulpin se dépêcha de changer de sujet :

– Et toi ? Tu as une mine de déterré. On dirait que ça n'a pas été de tout repos, dans le cabinet hermétique.

– En effet. Ça n'a pas arrêté de cogner à la porte et d'essayer d'entrer.

– C'est moche.

– Tu peux le dire. Et je ne veux plus jamais voir un lacet de réglisse, de toute ma vie.

– Oh ! Bien.

Devant l'expression de son ami, Vulpin s'abstint de l'interroger sur cette subite aversion pour la réglisse.

– Hum... Et comment va Larry ? demanda-t-il plutôt.

– Il vient de me virer. Pour être arrivé en retard.

– *En retard* ?

– Oui. De deux jours.

Vulpin n'avait jamais vu Moustique aussi déprimé.

– C'est pas la joie, hein ? dit-il, passant un bras autour de ses épaules.

– Pas vraiment, non.

– Qu'est-ce que tu dirais d'un sandwich à la saucisse ?

Moustique leva les yeux vers les lumières de **Magyk** Sandwich, qui brillaient d'un éclat engageant dans le jour déclinant, et il réalisa qu'il était affamé.

– Je veux, mon neveu ! s'exclama-t-il.

Les traces des pas de Jenna laissaient transparaître l'herbe piétinée sous la neige. Devant elle, la sombre masse du palais se découpait sur le crépuscule. Déjà, le soleil avait plongé derrière les remparts. Par moments, une corneille lançait son cri du haut d'un des cèdres qui bordaient la Rivière, accentuant le caractère mystérieux et vaguement angoissant de ce tableau. Mais Jenna ne le percevait pas ainsi. Quand Silas et Sarah lui avaient proposé de l'accompagner, elle avait refusé. Elle souhaitait regagner seule le palais.

Les portes étaient restées entrouvertes après la fuite de Simon, portant sa mère dans ses bras. Une silhouette familière montait la garde devant.

– Soyez la bienvenue, princesse, dit sire Hereward.

– Merci, répondit Jenna.

Une bourrasque de neige pénétra dans le hall à sa suite. Pleine de gratitude, elle rangea sa cape dans le vestiaire : elle s'était révélée précieuse, et qui sait, elle pourrait lui resservir un jour.

– Vous devriez rentrer, dit-elle à sire Hereward, qui était resté dehors, exposé au vent froid.

– Avec votre permission, princesse, à présent que vous régnez sur tout le palais, et pas uniquement sur votre chambre, ma place est ici.

– Si vous n'y voyez pas d'inconvénient, j'apprécierais un peu de compagnie.

Sire Hereward sourit et entra. Jenna referma les lourdes portes derrière lui. Leur fracas retentit à travers l'immense bâtiment presque vide. Jenna promena son regard autour du hall, peuplé d'ombres et de fantômes, puis elle sortit de sa poche l'allume-bougies magique que Septimus lui avait offert cet après-midi-là et entreprit de rallumer quelques-unes des dizaines de chandelles que la **Ténèbre** avait soufflées.

Un peu plus tard, installée dans le boudoir de Sarah, elle serrait dans ses bras une cane abasourdie quand elle entendit des pas dans le promenoir. Pas le son feutré qui accompagnait le déplacement des fantômes, mais le bruit bien réel de pieds humains chaussés de bottes robustes. Sire Hereward, qui se tenait au garde-à-vous devant la cheminée, partit aux nouvelles. Il revint accompagné, au grand étonnement de Jenna – et pour son plus grand plaisir – de tante Zelda et de Lobo.

La première l'enveloppa dans une étreinte étouffante tandis que le second souriait.

– Désolés d'avoir manqué ta fête d'anniversaire, dit-il, mais il nous est arrivé un truc vraiment bizarre : on est restés coincés dans la chambre de la reine pendant deux jours.

Tante Zelda s'assit près de la cheminée et son regard se posa sur la cane, blottie dans les bras de Jenna.

– Cet animal a été en contact avec la **Ténèbre**, remarqua-t-elle avec une pointe de reproche. J'espère que tu ne trafiques pas avec ces choses-là. D'autres princesses de ton âge l'ont fait avant toi.

Jenna ne sut quoi répondre. C'était à croire que tante Zelda avait perçu la présence de la cape de sorcière dans le vestiaire.

Mais la brave femme reprit :

– Maintenant, Jenna chérie, raconte-moi tout !

Jenna se leva et rajouta du charbon dans la cheminée. La soirée allait être longue.

49
DÉSIGNATION

Jenna regardait par la fenêtre de la salle de bal la neige qui tombait dru, recouvrant rapidement les pelouses, festonnant les branches des arbres, effaçant les dernières traces du **domaine ténébreux**. Le spectacle était magnifique.

Elle avait décidé que le moyen le plus efficace pour laver le palais du souvenir des **créatures** consistait à inviter tous les gens qu'elle aimait à y célébrer le solstice d'hiver. Silas, Sarah et Maxie étaient revenus de l'Enchevêtre. Après des retrouvailles pleines de larmes (de la part de la première, du moins) entre Sarah et Ethel, chacun s'était attelé aux préparatifs de la fête. Et comme l'avait remarqué Jenna, il y avait largement de quoi faire.

– Ta mère n'aurait pas mieux dit, avait affirmé Silas avec un grand sourire.

La couche de neige sur les rebords extérieurs des fenêtres s'épaissit lentement au fil de la matinée, tandis qu'à

l'intérieur, la salle de bal se métamorphosait peu à peu grâce aux branches de houx et de gui, aux chandeliers d'argent et aux serpentins dont Silas avait mis une boîte de côté pour une occasion spéciale.

Cependant, à l'autre extrémité de la voie du Magicien, la **désignation** du nouveau premier scribe hermétique suivait son cours.

La veille, Marcia était parvenue à réunir tous les scribes au Manuscriptorium. Comme l'exigeait le rituel, elle avait placé le traditionnel pot en émail sur la table du cabinet hermétique afin que chaque scribe y dépose son porte-plume. Le pot était resté toute la nuit enfermé dans le cabinet, sous la garde de la magicienne extraordinaire (qui n'avait pas beaucoup dormi).

À présent, il était l'heure d'ouvrir le cabinet. Pour l'occasion, tous les scribes avaient repassé leur robe et s'étaient peignés avec soin. Rassemblés dans la pénombre de la grande salle, ils se regardaient à la dérobée, se demandant lequel d'entre eux allait devenir le prochain premier scribe hermétique. Bécasseau avait pris les paris, mais aucun favori ne s'était nettement détaché du lot.

Un petit tapis carré aux motifs somptueux s'étalait sur le sol. Marcia avait demandé aux scribes de faire cercle autour, suscitant la perplexité des plus âgés : ils n'avaient vu aucun tapis au moment de la précédente **désignation**.

Dans un silence respectueux, la magicienne extraordinaire prononça quelques mots soigneusement choisis à la mémoire de Jillie Djinn, puis elle fit une déclaration qui en étonna plus d'un :

– Le Château vient de vivre des heures sombres. Si la plupart de ses habitants ont survécu, ce n'est pas le cas de tous. Dans ces circonstances, nos pensées vont à ceux qui ont perdu un être cher.

Des regards de compassion se dirigèrent vers les scribes sans nouvelles de certains de leurs parents et amis.

Marcia laissa passer un silence avant de poursuivre :

– Toutefois, cette épreuve aura eu des conséquences positives. Le **Grand Dénouement** a fait disparaître des poches de **Magyk noire** qu'on n'avait pu déloger de la tour jusque-là, et je suppose qu'il en a été de même dans cet endroit. Il semble que nous ayons enfin réalisé l'équilibre entre la **Magyk** et la **Ténèbre** – du moins, je l'espère.

Des applaudissements éclatèrent.

Marcia reprit :

– Ces derniers jours, tandis que je cherchais comment vaincre le **domaine ténébreux**, enfermée dans la tour, j'ai fait des découvertes importantes. L'une d'elles concerne le processus qui nous réunit aujourd'hui. J'ai dans l'idée que le choix d'un nouveau premier scribe hermétique ne s'est pas toujours déroulé dans des conditions... optimales par le passé. Le cabinet hermétique a maintes fois été exposé à la **Ténèbre**, et je crains que celle-ci n'ait fini par affecter la **désignation**. Maintenant que tout est rentré dans l'ordre, le résultat de la prochaine devrait davantage refléter la réalité.

Elle attendit que les chuchotements se taisent pour demander :

– Le plus jeune scribe pourrait-il approcher ?

Vulpin et Bécasseau poussèrent Romilly Badger, rouge de confusion, vers Marcia.

– Vas-y, murmura Bécasseau à la jeune fille. Tu t'en sortiras très bien, je t'assure.

– Romilly Badger, dit Marcia d'un ton solennel, en tant que benjamine de cette assemblée, je vous prie d'entrer dans le cabinet hermétique et d'en rapporter le pot.

Un murmure se répandit autour de la salle. D'habitude, le plus jeune scribe devait produire le porte-plume qu'il avait trouvé sur la table, et non le pot.

– C'est ce qui est écrit dans *L'Art de vaincre la Ténèbre*, expliqua Marcia. Si, comme je l'espère, la **désignation** a retrouvé sa forme originelle, il ne demeurera qu'un porte-plume dans le pot, les autres étant éparpillés sur la table. Le propriétaire du porte-plume restant deviendra le prochain premier scribe hermétique. Bien sûr, si Mlle Badger ne trouvait qu'un porte-plume sur la table et tous les autres dans le pot, nous nous soumettrions, comme nous l'avons toujours fait – même si, à titre personnel, cette façon de procéder me paraît impropre. Tout le monde est-il d'accord ?

Il y eut de nouveaux chuchotements, qui aboutirent à un assentiment général.

– En résumé, reprit Marcia à l'adresse de Romilly, s'il ne reste qu'un porte-plume sur la table, apportez-le. Mais s'il y en tout un tas, apportez le pot. Compris ?

La jeune fille acquiesça.

Marcia prononça ensuite la formule rituelle :

– Romilly Badger, je vous mande d'agir ainsi afin que le nouveau premier scribe hermétique soit **désigné** dans le respect des règles et usages. Acceptez-vous cette mission ?

– J'accepte, murmura Romilly.

– Dans ce cas, pénétrez dans le cabinet sans calcul et sans délai.

Romilly s'avança d'un pas timide vers l'entrée du couloir aux sept détours. Au bout d'un temps qui parut interminable à tous (même s'il s'écoula en réalité moins d'une minute), un bruit de pas retentit dans le passage. Une salve d'applaudissements spontanés salua l'apparition de Romilly avec le pot.

Un sourire s'épanouit sur le visage de Marcia. Elle n'avait pas plus tôt évoqué le mode de **désignation** qu'elle avait regretté ses paroles, craignant, si l'ancienne méthode avait subsisté, que l'autorité du prochain premier scribe hermétique ne s'en trouve sapée. Mais apparemment, le renouveau qu'elle appelait de ses vœux avait eu lieu. Romilly n'avait plus qu'à récupérer le porte-plume.

– Mlle Badger, veuillez poser le pot sur le tapis.

Romilly s'exécuta en tremblant. Le pot, plus haut que large, était en émail bleu nuit, tellement ancien qu'il paraissait usé et piqueté.

– Maintenant, veuillez y plonger la main.

Romilly prit une profonde inspiration, imaginant une grosse araignée velue, tapie dans l'obscurité. Toutefois elle surmonta sa peur et glissa une main à l'intérieur du pot.

– Combien y en a-t-il ? lui souffla Marcia.

– Un seul, répondit Romilly sur le même ton.

Marcia éprouva un immense soulagement.

– Mlle Badger, reprit-elle à voix haute, veuillez sortir le porte-plume et le montrer à vos collègues.

Romilly produisit un magnifique porte-plume en onyx noir incrusté de jade.

– Lisez le nom qui est inscrit dessus.

Romilly cligna les yeux. Les incrustations tarabiscotées lui compliquaient la tâche.

– Qu'on lui donne de la lumière ! s'exclama Marcia.

Bécasseau prit la bougie la plus proche et l'avança vers le porte-plume. En apercevant celui-ci, Vulpin devint tout pâle et tomba comme une masse.

Marcia eut un mauvais pressentiment. Vulpin s'était évanoui après avoir reconnu le porte-plume. Ça n'était quand même pas lui, le nouveau premier scribe hermétique ?

Elle se tourna vers Romilly et demanda d'un ton pressant, oubliant le protocole :

– Nom d'un chien, à qui appartient ce fichu bidule ?

– Il est écrit... Oh ! Ça y est, j'ai vu. Il est écrit MOUSTIQUE.

Cette annonce déclencha un tonnerre d'acclamations.

Vulpin louait une minuscule chambre dans la partie la plus miteuse de l'Enchevêtre. Après son expulsion expéditive de l'Officine de Larry, il avait invité Moustique à y dormir par terre en attendant qu'il trouve un nouveau logement.

Quand Vulpin fit irruption dans la pièce, essoufflé d'avoir couru depuis le Manuscriptorium, Moustique était occupé à récurer une casserole dans laquelle il avait laissé brûler un fond de soupe. Jusque-là, il ignorait que la soupe pouvait brûler. Apparemment, il lui restait beaucoup à apprendre en matière de cuisine.

– Alors ? lança-t-il d'un ton distrait à l'entrée de son ami. C'est qui, ton nouveau patron ?

– Toi !

– Ben oui, c'est moi. Tu m'as invité à rester, je te signale. Désolé, mais je crois que j'ai bousillé ta casserole.

Vulpin se rua vers l'évier et arracha la casserole des mains de Moustique.

– Tu ne comprends pas, espèce d'idiot. C'est toi le nouveau premier scribe hermétique !

– Te fiche pas de moi, d'accord ? répliqua Moustique, agacé. Et rends-moi cette casserole. J'étais en train de la nettoyer.

– Oublie cette casserole. Je te jure que c'est toi qui as été **désigné**. Il n'y avait plus que ton porte-plume dans le pot.

Moustique regarda Vulpin, un tampon à récurer dégoulinant à la main.

– Impossible ! bredouilla-t-il. Comment mon porte-plume a-t-il atterri dans le pot ?

– C'est moi qui l'y ai mis. Rappelle-toi : le jour où la mère Djinn t'a viré, tu n'as pas voulu l'emporter. Eh bien, je l'ai gardé. J'ai vérifié dans le règlement : il n'est précisé nulle part qu'il faille être scribe en exercice pour postuler. Tout ce qui importe, c'est que ton porte-plume soit dans le pot. Alors, j'y ai mis le tien en plus du mien.

– Mais... Pourquoi ?

– Parce que tu le méritais, Mouss ! Tu es le meilleur d'entre nous, et tu as risqué ta vie pour sauver le Manuscriptorium. Après ça, qui d'autre que toi pouvait prétendre le diriger ?

Moustique secouait obstinément la tête. Ces choses-là n'arrivent jamais dans la vraie vie.

Vulpin ajouta :

– Marcia m'a envoyé te chercher. Elle a préparé le *Codex*

Hermeticum et les sceaux officiels en vue de ton investiture. On n'attend plus que toi.

Cependant, l'idée que son ami puisse dire la vérité se frayait lentement un chemin dans l'esprit de Moustique. Il prenait peu à peu conscience qu'il se trouvait à un tournant de son existence, et que plus rien ne serait jamais comme avant.

– Tu te sens bien ? demanda Vulpin, inquiet.

Moustique acquiesça et soudain, un bonheur immense l'envahit.

– Oui, répondit-il. Parfaitement bien.

Le Grand Gel s'installa avec une rapidité étonnante. Il était rare qu'il survienne le jour de la fête du solstice d'hiver, mais les habitants du Château se réjouirent de voir un manteau immaculé recouvrir les dernières traces du **domaine ténébreux**. La **Magyk** régnait de nouveau parmi eux ! Même ceux, nombreux, qui avaient perdu un ami ou un membre de leur famille accueillirent avec reconnaissance le silence ouaté qui accompagnait la neige.

Ce soir-là, sur le chemin du palais, Septimus rencontra Simon qui allait dans la même direction que lui.

– Salut, dit-il, un peu gêné. Lucy n'est pas avec toi ?

Simon eut un sourire hésitant.

– Elle nous rejoindra plus tard. Elle est allée chercher ses parents. Ils vont bien, mais sa mère a fait un tas d'histoires.

– Ah !

Comme ils franchissaient les grilles du palais, Septimus brisa le silence embarrassé qui s'était installé en déclarant :

– Au fait, je voulais te remercier...

– De quoi ? demanda Simon, étonné.

– De m'avoir sauvé. Tu sais, dans la Rivière.

– Oh ! Y a pas de quoi. Je te devais bien ça.

– Et puis... Je regrette de ne pas t'avoir écouté, à propos des codes appariés.

– Après ce que j'ai fait, tu avais toutes les raisons de te méfier. Moi aussi, je regrette.

– Je sais.

Simon se tourna vers Septimus et sourit.

– On est quittes ? demanda-t-il.

Septimus lui rendit son sourire.

– On est quittes.

Simon posa une main sur l'épaule de son benjamin – qui était presque aussi grand que lui – et ils poursuivirent en direction des portes du palais, laissant deux séries d'empreintes parfaitement parallèles dans la croûte de neige qui recouvrait le sol.

La salle de bal du palais brillait de mille feux, et pour la première fois depuis très, très longtemps, elle était pleine de monde. Même Milo, le père de Jenna, était rentré de voyage pour souhaiter un bon anniversaire à sa fille – avec du retard, comme toujours. Jenna avait insisté pour installer Silas et Sarah chacun à une extrémité de la longue table. Depuis qu'ils vivaient tous les trois au palais, il était arrivé plus d'une fois que ses parents occupent ces « places d'honneur », comme ils les appelaient par dérision, tandis qu'elle-même se morfondait au milieu de la table. Mais ce soir-là, les convives se pressaient autour de celle-ci, et la salle résonnait de leurs rires et de leurs conversations.

À la droite de Sarah, Milo, vêtu d'un manteau de soie rouge et or qui chatoyait à la lueur des bougies, régalait sa voisine avec le récit de sa dernière expédition. Assise en vis-à-vis du père de Jenna, la magicienne extraordinaire voisinait naturellement avec le premier scribe hermétique. Sarah avait tenu à placer Milo à côté de sa fille, mais celle-ci l'ignorait ostensiblement et parlait avec Septimus, son autre voisin, assis en face de Moustique. Le nouveau premier scribe hermétique était resplendissant dans sa robe en soie bleu nuit, aux manches bordées d'or, dont les couleurs rappelaient celles de sa veste d'amiral. L'apprenti de Marcia remarqua qu'il portait toujours celle-ci sous ses nouveaux vêtements. Il n'avait jamais vu son ami aussi heureux, et son bonheur lui faisait chaud au cœur.

Des rires bruyants fusaient régulièrement à l'extrémité de la table que présidait Silas. On trouvait là Rupert, Maggie, Vulpin et Nicko, qui imitait le cri des mouettes. Vers le milieu de la table, Snorri et sa mère conversaient à mi-voix. Assis à leurs pieds, Ullr paraissait sur le qui-vive. Parfois, la jeune fille lançait un regard désapprobateur vers Nicko, qui semblait ne rien remarquer.

L'attention de Simon, assis à droite de Septimus, était tout entière dirigée vers sa fiancée et les parents de celle-ci, qui discutaient préparatifs de mariage (enfin, c'était surtout Lucy qui parlait). De temps en temps, il jetait un coup d'œil à la petite boîte en bois posée sur ses genoux, et ses yeux verts – qui n'avaient jamais paru aussi limpides depuis quatre ans –

étincelaient. Les lettres sur le dessus de la boîte épelaient le nom MOUCHARD. Marcia la lui avait donnée pour le remercier, et jamais aucun cadeau ne lui avait fait autant plaisir.

Igor, Matt, Marcus et leur nouvelle collègue, Marissa, étaient en grande conversation avec Lobo et tante Zelda.

Jenna poussa Septimus du coude.

– Regarde Lobo, dit-elle. Avec sa nouvelle coupe de cheveux, tu ne trouves pas qu'il ressemble encore plus à Matt et Marcus ?

– Qui ça ?

– Matt et Marcus, de la Grotte-Gothic.

– C'est vrai. Il leur ressemble comme un frère.

– Il parle même comme eux. Tu sais quelque chose à propos de ses parents ?

– Il ne m'en a jamais rien dit. Mais c'était la règle dans la Jeune Garde. Moi-même, je n'ai su que j'avais une famille que lorsque je suis tombé sur vous par hasard.

Jenna sourit.

– J'imagine que ça a été un sacré choc, dit-elle.

– C'est sûr !

Septimus repensait rarement au passé, mais là, entouré de ses amis et de sa famille, il songea combien sa vie aurait été différente si Marcia ne l'avait pas secouru alors qu'il était enseveli sous la neige, à peine quatre ans plus tôt, et un sentiment proche de la terreur l'envahit. Pour commencer, il n'aurait jamais su qui il était vraiment. Puis il regarda Lobo et se fit la réflexion que son ami n'avait jamais découvert sa véritable identité, lui.

– Demain, j'irai consulter les archives de la Jeune Garde,

annonça-t-il. Qui sait ? Peut-être y trouverai-je quelque chose au sujet de 409.

Jenna sourit et sortit un petit paquet de sa poche.

– J'allais oublier, dit-elle. Bon anniversaire. Je suis en retard, je sais, mais on a tous été très occupés ces derniers jours.

– Merci, Jen. Moi aussi, j'ai un cadeau pour toi. Joyeux anniversaire.

– Oh ! Sep, comme c'est gentil...

– Attends de l'avoir vu pour me remercier.

Jenna déchira le papier qui entourait son cadeau. Elle découvrit alors une minuscule couronne rose bonbon incrustée de perles en verre, bordée de fourrure fuchsia, et d'où pendaient deux rubans.

– Ce que tu peux être bête ! s'esclaffa-t-elle.

Elle plaça la couronne sur sa tête et noua les rubans sous son menton.

– Ça y est, me voici reine. Ouvre le tien.

À son tour, Septimus éventra son paquet et en tira les dents de dracule.

– Génial ! s'exclama-t-il.

Il glissa le dentier dans sa bouche. Les deux canines jaunes chevauchaient sa lèvre inférieure avec un tel réalisme que lorsque Marcia, ayant terminé sa conversation avec Moustique, se tourna vers lui pour lui poser une question, elle poussa un cri d'effroi.

La nouvelle reine et le dracule passèrent le reste de la soirée à chahuter face aux deux principaux dignitaires du Château : la magicienne extraordinaire et le premier scribe hermétique. Jenna éprouvait un bonheur sans bornes. Elle avait retrouvé le Septimus qu'elle connaissait, et, songea-t-elle comme de nouveaux éclats de rire répondaient à des cris de mouette, le Nicko d'autrefois était également de retour.

Cachés dans l'ombre, deux fantômes observaient la joyeuse assemblée avec des sourires attendris.

« Je te remercie », avait répondu Alther quand Septimus l'avait invité à s'asseoir à leur table, « mais je préfère rester tranquillement dans un coin avec ma chère Alice. Vous autres, les vivants, vous êtes trop bruyants pour nous. »

Bruyants, ils le furent assurément, et cela jusqu'au bout de la nuit.

Quand l'aube se leva, on ouvrit toutes grandes les fenêtres de la salle de bal. Les invités les enjambèrent et se dirigèrent vers le débarcadère du palais à travers la pelouse enneigée. À leur approche, un spectre solitaire se faufila à bord de la barge qui attendait, amarrée au débarcadère, de prendre le large avant que le Grand Gel ne bloque la Rivière. Le fantôme d'Olaf Snorrelssen descendit ensuite dans la cabine qu'il avait jadis revêtue de bois de pommier à l'intention de sa femme, Alfrun. Là, il s'assit pour attendre l'arrivée de celle-ci et de leur fille, et il sourit : enfin, il était chez lui.

Mais Jenna et ses invités ne s'étaient pas déplacés pour assister au départ de l'*Alfrun*, qui n'aurait pas lieu avant le lendemain. Ils étaient venus dire adieu à Jillie Djinn, qui, couchée dans sa barque funéraire sous un linceul de neige, attendait la prochaine marée pour accomplir son dernier voyage vers la mer.

Tandis que la barque s'éloignait au fil de l'eau, une bannière en soie bleu nuit flottant au sommet de son mât, Jenna se tourna vers Moustique.

– Tu n'as pas peur qu'elle revienne hanter le Manuscriptorium ? demanda-t-elle.

Le nouveau premier scribe hermétique sourit.

– Elle devrait nous fiche la paix pendant un bon bout de temps, répondit-il. Tu sais où elle va passer les trois cent soixante-six prochains jours ?

Jenna pouffa.

– Bien sûr ! À l'endroit de son trépas. C'est Marcia qui va être contente !

Ce qu'il advint durant le **Domaine Ténébreux** – et après

Les victimes du domaine

Le **Grand Dénouement** arriva à point nommé : la plupart des gens ne peuvent survivre à une transe **ténébreuse** plus de trois jours et trois nuits. Si les enfants se réveillèrent presque tous en pleine forme, ce ne fut pas le cas des adultes. Beaucoup se plaignirent de maux de tête lancinants, d'une soif inextinguible et de courbatures généralisées. Certains en conclurent qu'ils avaient fait la veille une bringue telle qu'ils n'en gardaient aucun souvenir. Malheureusement, quelques-uns ne devaient jamais se réveiller de la pire bringue qu'ait jamais connue le Château.

Ceux qu'elle avait surpris à l'extérieur payèrent le plus lourd tribut à la **Ténèbre**. Beaucoup succombèrent au froid, et la présence de sang dans les zones les plus exposées du Château accrédita la thèse selon laquelle le dragon **ténébreux** avait enlevé ceux dont on n'avait retrouvé aucune trace. Certaines victimes avaient été rattrapées par le **brouillard** dans des circonstances particulièrement dangereuses – une au sommet d'une échelle, deux alors qu'elles tentaient de fuir par une fenêtre donnant sur le vide, cinq au moment où elles se penchaient au-dessus d'un feu afin de l'activer. Trois demeurèrent plongées dans un profond sommeil et furent évacuées vers la **chambre de désenchantement** de la tour.

Sur les plaques commémoratives qui fleurirent peu après à travers le Château, on relèvera deux noms familiers au lecteur :

Bertie Bott. Magicien ordinaire. Présumé dévoré.

Una Brakket. Gouvernante. Retrouvée gelée dans le passage du Pas-de-loup.

Maizie Smalls et Titi

Le **domaine ténébreux** rattrapa Maizie Smalls dans la maison de sa mère, à quelques pas de la voie du Magicien. Les deux femmes partageaient leur traditionnel repas de fête avant de sortir admirer les illuminations de la nuit la plus longue quand la porte s'était brusquement ouverte sous la poussée du **brouillard**. Toutes deux survécurent, même si la mère de Maizie fut longue à retrouver la santé.

À son réveil, après s'être assurée que sa mère respirait toujours, Maizie s'était précipitée au palais pour s'enquérir de son chat, Titi. Celui-ci était sain et sauf, du moins en apparence. Toutefois, sa maîtresse n'avait pas tardé à remarquer des changements dans son comportement.

Comme tous ses congénères du Château, Titi avait été profondément affecté par le **domaine**. Telles des éponges, les chats avaient absorbé les poches de **Ténèbre** logées dans les recoins sombres qu'ils affectionnaient. Titi n'avait plus rien du brave matou que chérissait Maizie. Chaque fois qu'elle essayait de le caresser, il feulait, crachait et la griffait. Il ne touchait plus à la nourriture pour chat qu'elle lui servait amoureusement. À présent, il réclamait des oiseaux, des souris et des bébés rats vivants. Et Maizie satisfaisait ses moindres désirs.

Cinq jours après le **Grand Dénouement**, contre toute attente, Titi décida d'accompagner sa maîtresse dans sa tournée d'allumage des torchères. Maizie fut heureuse de constater qu'il recherchait de nouveau sa compagnie. Elle ignorait qu'elle ne devait plus jamais le revoir. À l'extrémité de la voie du Magicien, Titi échappa à la surveillance de sa maîtresse et prit la direction de la porte Nord, où il traversa furtivement le pont-levis juste avant qu'il ne soit fermé pour la nuit, et rejoignit la troupe de chats **ténébreux** qui avaient récemment élu domicile dans la Forêt. En l'espace de quelques semaines, il ne resta plus un seul chat au Château, pour le plus grand bonheur de Stanley.

Stanley et sa famille

Stanley et ses enfants demeurèrent sur le chemin des Chats jusqu'à la disparition du **domaine ténébreux**. Pendant que leur père adoptif se faisait un sang d'encre en songeant à la princesse Jenna, Di, Syd, Ed et Fay se poursuivaient le long de la corniche et jouaient à Un, deux, trois soleil. Chaque fois que le dragon **ténébreux** poussait son cri, ils se figeaient, et celui qui avait adopté la pose la plus improbable – et qui parvenait à la garder jusqu'à ce que l'écho du rugissement s'éteigne – était déclaré vainqueur.

Après le **Grand Dénouement**, ils regagnèrent tous le Bureau et firent le ménage en grand – ou plutôt, Stanley fit le ménage tandis que ses enfants improvisaient une bataille de balais avant de sortir rejoindre leurs copains. Stanley n'y vit aucune objection, soulagé de constater que tout était rentré dans l'ordre.

Par ailleurs, ses craintes quant au recrutement de nouveaux coursiers se révélèrent infondées : quand la communauté des rats du Port apprit que le Château avait été « déchatisé », les candidatures affluèrent, et Stanley n'eut aucun mal à constituer une équipe « hautement qualifiée », selon ses dires. Le Bureau ne tarda pas à prospérer et ouvrit même plusieurs succursales.

ÉPHANIAH GRÈBE

Le scribe chargé de la conservation, la préservation et la réparation faillit ne pas survivre au **domaine ténébreux**. Le **brouillard** avait réussi à s'infiltrer dans la hotte de laboratoire où il s'était enfermé.

Ses deux précédentes expositions à la **Ténèbre** – le **sort** qui l'avait transformé en rat à l'âge de quatorze ans et, plus récemment, la **créature** qui l'avait **habité** – avaient affaibli les défenses d'Éphaniah. Quand il le trouva recroquevillé dans la hotte, sa petite langue pendant de sa bouche entrouverte, le nouveau premier scribe hermétique le crut mort. Un brusque soubresaut de la queue de l'homme-rat le détrompa. Éphaniah rejoignit alors Syrah et trois autres victimes du **domaine ténébreux** dans la **chambre de désenchantement**.

Depuis, Marcia s'est plongée dans l'étude du *Codex Tenebrae*, espérant y trouver le moyen d'accélérer le processus de **désenchantement** et de lutter ainsi contre la surpopulation qui menace l'infirmerie de la tour.

Syrah Syara

Il s'en fallut de peu que Syrah ne succombe au **domaine ténébreux**. De même qu'un congélateur en cas de panne de courant, la **chambre de désenchantement** pouvait préserver l'intégrité de son contenu durant quelques heures, à condition qu'on garde sa porte fermée. Or, quand Marcia et Septimus prononcèrent les derniers mots de la formule du **Grand Dénouement**, une **créature** venait de pousser la première porte de son antichambre. La **Magyk** reprit immédiatement ses droits ; la **créature** fut projetée à travers l'infirmerie et s'écrasa contre un mur. L'infirmière chef évacua ce qu'il en restait à l'aide d'une brouette. Rose fut dispensée de l'aider.

Septimus rendit visite à Syrah aussitôt après l'entretien d'évaluation qu'il eut avec Marcia. Il trouva le personnel de l'infirmerie occupé à préparer ses nouveaux patients au processus de **désenchantement**. Un jeune homme toujours plongé dans un profond sommeil partageait déjà la **chambre** avec Syrah. Septimus songea à sa dernière visite et éprouva un immense soulagement : il avait accompli sa **semaine**

ténébreuse et le Château avait retrouvé une vie normale. Quand il annonça à la jeune fille qu'il était revenu sain et sauf – en ramenant Alther – il crut voir ses paupières se soulever durant une fraction de seconde. Puis Rose et les infirmières entrèrent, transportant un deuxième patient, et le mirent dehors. Sans même protester, il quitta la **chambre de désenchantement** d'un pas allègre et se mit en quête d'un adversaire pour une bataille de boules de neige.

SOPHIE BARLEY

Le premier jour de la foire d'hiver, Sophie Barley venait d'installer son étal quand elle vit approcher cinq clientes à l'allure étrange, vêtues de noir de la tête aux pieds. L'une d'elles prit sur l'étal un ravissant collier orné d'un hippocampe suspendu à un cœur ailé et se mit à le balancer devant les yeux de Sophie, de gauche à droite, puis de droite à gauche...

Sophie revint à elle dans le grenier de la Masure maudite, les pieds et les poings liés. Elle y resta à se morfondre tandis que les sorcières, tapies derrière son étal, attendaient la visite de la princesse comme le pêcheur attend que la truite morde à l'hameçon. Dorinda, qui lui apportait chaque soir son dîner (souris bouillies ou cafards en saumure), se prit d'affection pour elle. Très vite, à l'insu de ses sœurs, elle prit l'habitude de rejoindre la prisonnière au grenier pour faire un brin de causette avec elle. Sophie venait de la convaincre de la détacher quand le **domaine ténébreux** survint. Si les sorcières s'en délectèrent, Sophie plongea aussitôt dans une transanse profonde. À son réveil, la Masure était déserte. Elle en profita pour fuir. Après un passage par la taverne et salon de thé de Sally Mullin, qui lui offrit le réconfort d'une pinte de Springo Special Ale et d'une énorme part de gâteau à l'orge, elle embarqua sur la première barge à destination du Port, se jurant de ne plus jamais remettre les pieds au Château.

Quand Jenna, inquiète pour elle, lui rendit visite au Port, elle se réjouit de la trouver saine et sauve dans sa boutique du quai des Pêcheurs. Avant de repartir, elle lui acheta une paire de boucles d'oreilles comme cadeau d'anniversaire pour sa mère, et un pendentif en forme d'hippocampe pour elle-même.

Marissa Lane

Le **domaine ténébreux** piégea Igor, Matt et Marcus, ainsi que Marissa, à l'intérieur de la Grotte-Gothic. Ils trouvèrent refuge dans la **chambre secrète** de la boutique, tellement **secrète** que presque personne n'en connaissait l'existence. L'exiguïté de la pièce, si elle leur valut quelques moments embarrassants, encouragea la jeune femme à réfléchir sur son existence. En discutant avec Igor, elle réalisa qu'elle suivait une voie dangereuse et résolut de **révoquer** ses vœux de sorcière à la première occasion. Igor lui proposa alors de devenir son assistante, pour le plus grand plaisir de Matt et Marcus, qui appréciaient beaucoup Marissa. Igor était loin de se douter qu'il allait au devant de graves ennuis...

Les archives de la Jeune Garde étaient installées dans une petite maison, à deux pas de la boutique de Terry Tarsal. Septimus s'en vit refuser l'accès au prétexte qu'il avait déjà retrouvé sa famille. Moustique lui vint alors en aide en faisant valoir son Autorisation Absolue et Accomplie. Si la plupart des archives étaient consultables par tous, celles qui concernaient les familles, au nom du respect de la vie privée, n'étaient accessibles qu'aux anciennes recrues qui recherchaient toujours leurs origines, ou aux titulaires du « triple A ».

Moustique demanda à voir le registre des recrues de rang I. Sous le regard vigilant de l'archiviste en chef (qui le jugeait beaucoup trop jeune pour la charge de premier scribe hermétique), il l'ouvrit à la page intitulée « Matricules 400 à 499 inclus ». Il parcourut la liste avec l'index jusqu'aux entrées qui l'intéressaient :

409 Mandy Marwick. Enrôlé de force.
Parents traîtres au régime.
410 Marcus Marwick. Enrôlé de force.
Parents traîtres au régime.
411 Matthew Marwick. Enrôlé de force.
Parents traîtres au régime.
412 Merrin Mérédith. Abandonné.
Renié par sa mère.

Moustique sourit. Ses soupçons se confirmaient. Lobo et les deux employés d'Igor étaient des triplés. Mais il était loin d'imaginer que l'ex-409 se prénommait en réalité Mandy !

En revanche, l'entrée correspondant au matricule 412 l'avait rendu perplexe. Septimus aurait été Merrin Mérédith ? Impossible ! Il repensa alors à une conversation qu'il avait eue avec son ami un après-midi pluvieux, dans la minuscule cuisine du Manuscriptorium, autour d'une tasse de Coco Bula.

« Je l'ai vu, Moustique. Tante Zelda a invoqué la lune, et des images se sont formées à la surface de la mare. C'était étrange, et triste... La matrone m'a enlevé à Sarah – je veux dire, à maman – alors que je n'avais que quelques heures. Elle lui a fait croire que j'étais mort, mais en réalité, il s'agissait d'un complot. DomDaniel me voulait comme apprenti parce que j'étais le septième fils d'un septième fils. La matrone m'a emmené à la nursery de la Jeune Garde, où une nurse au service de DomDaniel devait venir me chercher. Mais celle-ci s'est perdue en chemin, et quand elle a fini par arriver, très énervée, elle a attrapé le premier bébé qu'elle a aperçu – celui de la matrone, qui le berçait dans ses bras. La matrone est devenue folle, littéralement, quand la sentinelle l'a empêchée de poursuivre la ravisseuse.

– Bien fait pour elle, se rappelait avoir dit Moustique.

– Sans doute. N'empêche, c'est affreux, ce qui est arrivé à ce bébé. Après ça, la matrone a dû dire à tout le monde que je n'étais pas son enfant, et personne ne l'aura écoutée. Les officiers n'écoutaient jamais rien. Ils en auront déduit qu'elle voulait m'abandonner et m'auront enrôlé. J'imagine que je figure dans leur registre sous le nom du fils de la matrone. Ça me fait bizarre quand j'y pense. Mais le plus bizarre, c'est que j'ai revu cette femme depuis. Tu te rappelles la propriétaire de l'horrible pension que Jen nous avait dégotée au Port ? Eh bien, c'était elle. Tante Zelda l'a découvert par la suite, et elle m'en a parlé. »

Moustique referma le registre et le rendit à l'archiviste ainsi que les gants en coton blanc qu'elle l'avait obligé à enfiler.

Il regagna ensuite le Manuscriptorium à pas lents, songeant à ces événements vieux de quatorze ans qui avaient si profondément affecté la vie de tant de gens. Merrin était bien le fils de Mme Mérédith, la matrone. Il comprenait mieux à présent la réponse de Marcia quand il s'était étonné qu'elle ait laissé partir l'ex-apprenti de DomDaniel : « Tout le monde mérite de connaître sa mère. » Sur le moment, il n'avait pas osé lui demander des éclaircissements. Déjà, il avait dû rassembler son courage pour lui poser la question et avait été stupéfait qu'elle prenne la peine de lui répondre.

Snorri et Alfrun

Snorri et Alfrun Snorrelssen naviguaient en mer pendant que le domaine ténébreux envahissait le Château. Elles revinrent dans les heures qui suivirent le **Grand Dénouement**.

Un an plus tôt, la jeune fille avait repris son bateau (qui appartenait en réalité à sa mère) aux voleurs qui l'avaient dérobé dans la zone de quarantaine du Port. Elle l'avait ensuite ramené au Château, où Jannit Maarten l'avait remis en état.

Snorri s'était lassée de son existence au palais avec les Heap. Elle avait le mal du pays et, même si elle répugnait à se l'avouer, sa mère lui manquait. En outre, il lui semblait que Nicko et elle n'avaient plus grand-chose à se dire. Quoi de plus naturel, après cinq siècles de vie commune ? Il était temps que chacun aille de l'avant. Quand elle avait évoqué cette idée devant le jeune garçon, il n'avait pas répondu, ce qui l'avait beaucoup agacée. L'arrivée d'Alfrun Snorrelssen avait précipité sa décision. Elle était prête à retourner chez elle, dans les Terres des Longues Nuits.

Sa mère et elle avaient alors emmené l'*Alfrun* en mer pour une course d'essai qui s'était révélée concluante. Snorri redoutait le moment où elle annoncerait son départ prochain à Nicko. Elle craignait qu'il ne comprenne pas, mais à son grand étonnement, il comprit parfaitement.

Snorri, Ullr et Alfrun partirent le lendemain de la fête du solstice d'hiver. Tandis que le bateau gagnait le milieu de la Rivière, la jeune fille sentit ses yeux s'emplir de larmes en voyant Nicko agiter la main pour lui dire au revoir, parmi le petit groupe qui se pressait sur le débarcadère. Elle-même agita la main jusqu'à ce que le palais disparaisse derrière le rocher du Corbeau. Elle descendit alors dans la cabine et s'assit sur la banquette. Pendant qu'elle regardait sa mère manœuvrer le gouvernail à travers l'écoutille, elle ressentit soudain un bonheur inexplicable. Elle rentrait chez elle. C'est alors qu'elle aperçut pour la première fois le fantôme de son père, dans un recoin sombre de la cabine.

Elle murmura :

– Papa ?

Olaf Snorrelssen inclina la tête et sourit. Ils formaient de nouveau une famille.

Sur le débarcadère du palais, Nicko, immobile sous la neige

qui tombait à gros flocons, suivit l'*Alfrun* des yeux jusqu'à ce qu'elle disparaisse à l'horizon. Il eut alors l'impression qu'on lui ôtait un poids des épaules. Enfin, il était libre.

La pièce derrière la grande porte rouge

Silas et Sarah Heap retournèrent vivre à l'Enchevêtre. Sarah se rendait chaque jour au palais afin de voir Jenna, mais elle ne s'y considérait plus chez elle. La pièce derrière la Grande Porte rouge ne tarda pas à retrouver son aspect d'antan, au point qu'on avait du mal à imaginer qu'elle soit restée si longtemps inoccupée.

Tonnerre survécut au **domaine ténébreux** et élut ensuite domicile dans une écurie derrière une maison de l'allée du Serpent. Après son départ, Sarah nettoya si bien la pièce que nul n'aurait pu deviner qu'elle avait accueilli un cheval durant une semaine. Toutefois, par temps humide, la mère de Septimus croyait y déceler une légère odeur de crottin.

Ethel avait connu un départ dans la vie difficile, et elle ne se remit jamais tout à fait du **domaine ténébreux**. À présent, elle ne supportait plus de perdre sa maîtresse de vue. Sarah fit fabriquer un sac percé de deux trous pour ses pattes, de manière à pouvoir la transporter partout avec elle. Silas trouvait cette idée complètement ridicule, mais il était trop heureux de leur retour chez eux pour laisser un vulgaire « sac à canard » devenir un objet de discorde entre sa femme et lui.

Le sang que Boutefeu, blessé à la tête, avait semé derrière lui laissa une traînée indélébile à travers le Château, entre la porte Sud et la tour du Magicien. Si quelques gouttes tombèrent sur les toits, la plus grosse partie traçait une ligne sinueuse au fil des rues et des ruelles. « La piste du dragon » fut bientôt un itinéraire très apprécié des enfants et des visiteurs du Château.

Quant à Boutefeu, il se rétablit rapidement, et à présent qu'il était adulte, il se calma un peu – à peine.

SEMAINE TÉNÉBREUSE DE SEPTIMUS HEAP : RÉSULTATS ET COMMENTAIRES

Pour ceux qui en douteraient, Septimus vit sa **semaine ténébreuse** validée. Le lecteur curieux des détails trouvera ci-dessous la transcription d'un document retrouvé dans la corbeille à papier de Marcia, déchiré en petits morceaux, ainsi que la feuille d'évaluation de Septimus annotée par sa tutrice.

COMITÉ D'HYGIÈNE ET DE SÉCURITÉ DE LA TOUR DU MAGICIEN

Rapport de sécurité à remplir par le superviseur de l'apprenti concerné.

Nature du projet : semaine ténébreuse

Nom de l'apprenti : *Septimus Heap*

Superviseur : *Marcia Overstrand*

Zone d'opération : palais obscur

Balance bénéfice/risque : attribuer une note sur une échelle de 0 à 49 (0 étant la note la plus basse et 49 la plus élevée).

Risques : *49++ Vous vous attendiez à quoi ?*

Bénéfices : *49+++*

– Considérez-vous que le rapport risque/bénéfice soit positif ? *À votre avis ?*

– Si c'était à refaire, superviseriez-vous ce projet de la même manière ? *Que le ciel me préserve de revivre une chose pareille !*

– Le candidat a-t-il eu accès à des installations sanitaires pendant le déroulement de l'épreuve ? *Vous voulez rire ?*

Feuille d'évaluation :

Semaine ténébreuse de l'apprenti extraordinaire

Superviseur : *Marcia Overstrand, magicienne extraordinaire*

Apprenti : *Septimus Heap, apprenti extraordinaire senior*

Pour chaque critère, attribuer à l'apprenti une note sur une échelle de 0 à 7 (0 étant la note la plus basse et 7 la plus élevée).

Pertinence du choix de l'épreuve : 7

Impossible de faire plus pertinent !

Procédé employé pour entrer dans la ténèbre : 6

Septimus, je t'ai enlevé un point pour usage de matériel non auto-

risé. Je sais que sans le voile de Ténèbre, *tu serais probablement mort à l'heure qu'il est. Toutefois, j'estime que les règles existent pour être respectées.*

MAÎTRISE DE LA MAGYK : 7

Tu es parvenu à révoquer *le* bannissement *à ta première tentative, tu as su exploiter au mieux ton expérience du* charme *du* Grand Vol – *à ce propos, j'ai décidé de t'autoriser un accès limité à celui-ci. Nous en reparlerons plus tard. Et tu as atteint la* synchronie *avec ton dragon. Que dire de plus ?*

CAPACITÉ D'INITIATIVE ET DE DÉCISION : 7

Tu as démontré ta capacité d'initiative en décidant seul du lieu et du moment où tu pénétrerais dans la Ténèbre. *Plus tard, tu as exercé ta logique pour trouver la sortie du* palais obscur. *Très bien.*

COMPORTEMENT GÉNÉRAL : 7

Tu t'es montré poli avec le fantôme de la petite fille et as fait preuve de présence d'esprit face à Tertius Fumée. Je t'en félicite.

PROCÉDÉ EMPLOYÉ POUR SORTIR DE LA **TÉNÈBRE** : 7

Excellent.

DEGRÉ DE RÉUSSITE DANS L'ACCOMPLISSEMENT DU PROJET : 7

Réussite totale.

OPINION DU SUPERVISEUR SUR L'APTITUDE DU CANDIDAT À FAIRE UN USAGE RESPONSABLE ET RÉFLÉCHI DE LA **TÉNÈBRE** DANS LA SUITE DE SA FORMATION : 8

Je considère le candidat comme parfaitement apte et me réserve le droit de lui attribuer la note qui me sied.

NOTE GLOBALE (SUR UN MAXIMUM DE 49) : *49*

Résultat : (Rayer les mentions inutiles)

~~Recalé : non admis au rattrapage~~

~~Recalé : admis au rattrapage~~

~~Reçu à l'épreuve théorique, doit repasser l'épreuve pratique~~

~~Reçu mention passable~~

~~Reçu mention bien~~

Reçu mention très bien

Signature : *Marcia Overstrand*

Et de la part d'Alther Mella : Un grand merci, Septimus.

« Pour l'éditeur, le principe est d'utiliser des papiers composés de fibres naturelles, renouvelables, recyclables et fabriquées à partir de bois issus de forêts qui adoptent un système d'aménagement durable. En outre, l'éditeur attend de ses fournisseurs de papier qu'ils s'inscrivent dans une démarche de certification environnementale reconnue. »

Édité par la Librairie Générale Française - LPJ
(43 quai de Grenelle, 75905 Paris Cedex 15)

Composition Nord Compo
Achevé d'imprimer en Italie par ROTOLITO LOMBARDA
Dépôt légal 1re publication mai 2014
32.8502.0/01 - ISBN : 978-2-01-328502-5
Loi n° 49-956 du 16 juillet 1949 sur les publications destinées à la jeunesse
Dépôt légal : mai 2014